総合判例研究叢書

商　法 (10)

基本手形の記載事項……………深見芳文

有　斐　閣

序

フランスにおいて、自由法学の名とともに判例の研究が異常な発達を遂げているのは、その民法典が百五十余年の齢を重ねたからだといわれている。それに比較すると、わが国の諸法典は、まだ若い。最も古いものでも、六、七十年の年月を経たに過ぎない。しかし、わが国の諸法典は、いずれも、近代的法制を全く知らなかつたところに輸入されたものである。そのことを思えば、この六十年の間に極めて重要な判例の変遷があつたであろうことは、容易に想像がつく。事実、わが国の諸法典は、それに関連する判例の研究でこれを補充しなければ、その正確な意味を理解し得ないようになつている。

判例が法源であるかどうかの理論については、今日なお議論の余地があろう。しかし、実際問題として、多くの条項が判例によつてその具体的な意義を明らかにされているばかりでなく、判例によつて特殊の制度が創造されている例も、決して少なくはない。判例研究の重要なことについては、何人も異議のないことであろう。

判例の創造した特殊の制度の内容を明らかにするためにはもちろんのこと、判例によつて明らかにされた条項の意義を探るためにも、判例の総合的な研究が必要である。同一の事項についてのすべての判決を探り、取り扱われた事実の微妙な差異に注意しながら、総合的・発展的に研究するのでなければ、判例の研究は、決して終局の目的を達することはできない。そしてそれには、時間をかけた克明な努力を必要とする。

幸なことには、わが国でも、十数年来、そうした研究の必要が感じられ、優れた成果も少なくないようになつた。いまや、この成果を集め、足らざるを補ない、欠けたるを充たし、全分野にわたる研究を完成すべき時期に際会している。

かようにして、われわれは、全国の学者を動員し、すでに優れた研究のできているものについては、その補訂を乞い、まだ研究の尽されていないものについては、新たに適任者にお願いして、ここに「総合判例研究叢書」を編むことにした。第一回に発表したものは、各法域に亘る重要な問題のうち、研究成果の比較的早くでき上ると予想されるものである。これに洩れた事項でさらに重要なもののあることは、われわれもよく知つている。やがて、第二回、第三回と編集を継続して、完全な総合判例法の完成を期するつもりである。ここに、編集に当つての所信を述べ、協力される諸学者に深甚の謝意を表するとともに、同学の士の援助を願う次第である。

昭和三十一年五月

編集代表
小野清一郎　宮沢俊義
末川　博　我妻　栄
中川善之助

凡　例

一　判例の重要なものについては、判旨、事実、上告論旨等を引用し、各件毎に一連番号を附した。

二　判例年月日、巻数、頁数等を示すには、おおむね左の略号を用いた。

大判大五・一一・八民録二二・二〇七七　（大審院判決録）
（大正五年十一月八日、大審院判決、大審院民事判決録二十二輯二〇七七頁）
大判大一四・四・二三刑集四・二六二　（大審院判例集）
最判昭二三・一二・一五刑集一・一・八〇　（最高裁判所判例集）
（昭和二十二年十二月十五日、最高裁判所判決、最高裁判所刑事判例集一巻一号八〇頁）
大判昭二・一二・六新聞二七九一・一五　（法律新聞）
大判昭三・九・二〇評論一八民法五七五　（法律評論）
大判昭四・五・二三裁判例三・刑法五五　（大審院裁判例）
福岡高判昭二六・一二・一四刑集四・一四・二一一四　（高等裁判所判例集）
大阪高判昭二八・七・四下級民集四・七・九七一　（下級裁判所民事裁判例集）
最判昭二八・二・二〇行政例集四・二・二三一　（行政事件裁判例集）
名古屋高判昭二五・五・八特一〇・七〇　（高等裁判所刑事判決特報）
東京高判昭三〇・一〇・二四東京高時報六・二・民二四九　（東京高等裁判所判決時報）

札幌高決昭二九・七・二三高裁特報一・二・七一　（高等裁判所刑事裁判特報）

前橋地決昭三〇・六・三〇労民集六・四・三八九　（労働関係民事裁判例集）

その他に、例えば次のような略語を用いた。

裁判所時報＝裁時　家庭裁判所月報＝家裁月報

判例時報＝判時　判例タイムズ＝判タ

目次

基本手形の記載事項

深見芳文

基本手形の記載事項

深見芳文

はしがき

基本手形の記載事項については、今までに数多くの著書で論ぜられ、一見、その全般にわたつて定説ともいうべきものがほぼでき上り、もはや問題にすべきところはほとんどないかのように感じられるが、しかしよくしらべてみると、実はまだかなり多くの問題が疑問点を含んで残されていることがわかる。本稿は、さきに法学論叢と大分大学経済論集に掲載した拙稿（「手形要件についての一考察」法学論叢七七巻五号、「基本手形の記載事項についての一考察」大分大学経済論集一五巻四号、一六巻一号、一六巻二・三号合併、一六巻四号、「手形要件についての諸問題」大分大学経済論集一七巻四号、一八巻二号）を基礎にして作成したものである。

本稿の内容上の特色は、(1) 重要であると思われる問題にはできるだけ詳細にふれ、その他の問題については説明をごく簡略にとどめたこと、(2) 個々の判決についての賛否よりも、問題別に判例の流れをとらえることに重点をおき、その面で興味があると思われるものは、現在あまり問題にされていないようなものでも詳細に論じたこと、(3) 学説にもできるかぎりふれ、判例にあまりあらわれていない問題でも理論的に重要な点があれば詳細に論じたこと、等である。

なお、本稿の執筆にあたつては、終始、恩師である京都大学法学部教授の上柳克郎先生から懇切な御指導をいただいた。ここに厚く御礼申し上げる次第である。また脱稿が当初の予定より大巾に遅れ、そのため有斐閣の屋代洋氏に大変お世話をおかけした。あわせて御礼申し上げる。

一　総説

手形の振出とは、手形なる証券を作成してこれを受取人に交付することをいう。手形を作成するには、振出人が証券に法定の事項を記載しかつこれに署名しなければならない。この法定事項および振出人の署名を手形要件といい、また、このようにして作成された手形は、その後の全手形関係の基礎をなすものであるから、これを基本手形という。手形要件が法定されているのは、手形が多数人の間を流通するためには、その証券が手形であるか否か、また、いかなる種類および内容の手形であるかが一見して明らかであることを要するからである。

手形証券の材料、記載の用語・文字・配列・記載の時の前後などについては別段の制限はない。また振出人の署名を除き、その記載は何人がいかなる方法によつてなしても差支えないが、実際には不動文字をもつて印刷した手形用紙を用いるのが通例である。

手形要件のいずれかを欠くと手形は無効であるが、一部の事項については、その記載が欠けても手形が無効とならないように救済規定がおかれている（手二Ⅰ・手七六Ⅰ）。手形要件を欠くため手形が無効となるときは、振出のみならずその手形上になされた裏書・引受・保証等の手形行為もすべてその効力を生じない。

手形要件が具備しているか否かは、もつぱら手形の記載によつて判断することを要し、手形外の材料をもつて補充することはできない。また手形の記載上手形要件が具備する限り、それが事実と符号しているか否かは問わない。けだし、手形取得者の立場を保護し、手形取引の円滑をはかるためである。

手形には法定の印紙を貼らなければならないが（印紙四条）、これを貼らなくても手形としての効力には影響がない。

なお為替手形および約束手形の手形要件はつぎのとおりである。すなわち、(1)　手形文句（手一1・手七五1）、(2)　手形金額（手一2・手七五2）、(3)　支払委託文句（手一2）（為替手形の場合）あるいは支払約束文句（手七五2）（約束手形の場合）、(4)　支払人の名称（手一3）（為替手形の場合）、(5)　満期（手一4・手七五3）、(6)　支払地（手一5・手七五4）、(7)　受取人の名称（手一6・手七五5）、(8)　振出日および振出地（手一7・手七五6）、および(9)　振出人の署名（手一8・手七五7）である。

手形要件は手形が手形としての効力を生ずるために必要な最小限度の事項であつて、そのほかに手形法が振出人による記載をみとめている事項がある（有益的記載事項）。これ以外の事項は、これを手形に記載しても手形上の効力を生じない。そしてそれらは手形上の効力を生じないにとどまり、手形自体の効力には影響はない（無益的記載事項）のが原則であるが、手形の本質に反する記載は、その記載が無効であるのみでなく、手形自体を無効にする（有害的記載事項）。

二　手形文句（為替手形文句・約束手形文句）

一　概　説

為替手形および約束手形には、それぞれ、「証券ノ文言」中に、「証券ノ作成ニ用フル語」をもつて、「為替手形ナルコトヲ示ス文字」あるいは「約束手形ナルコトヲ示ス文字」を記載しなければならない（手一1・手七五1）。これらを為替手形文句あるいは約束手形文句と称している。

これら文句の記載を必要とするのは、取得者が一見して為替手形あるいは約束手形であることを識別することができるようにすると共に、署名者に手形署名の自覚を促そうとするにある。記載の場所については、条約の原文によれば手形本文中（dans le texte même）となつているから、支払委託（または約束）文言中に記載することを要し、表題としての記載では足りないとするのが通説であるが、反対説もある（詳細は、本節二「手形文句の記載場所」参照）。用語は振出地の国語たることを必要としないが、支払委託（約束）文句の記載を用いた国語をもつて表示しなければならない。

二　手形文句の記載場所

手形文句の記載場所をめぐる問題――表題としての記載のみで足るか、あるいは本文中に記載されなければならないか――について、従来の判例および学説を整理しながら検討してみる。

（一）従来、判例は、――下級審のものばかりであるが――手形法第一条第一号に所謂「証券ノ文言」とは、「証券全体ノ文言」ないしは「証券上ノ統一アル記載ノ全体」と解すべきであるとして、表題式に手形文句の記載がある以上、たとえ本文中にその記載がなくとも、手形要件に欠けるところはないとしていた【1】【2】【3】。

【1】「手形法第一条第一号ニ所謂証券ノ文言トハ為替手形証券ノ支払委託文句ノミヲ意味スルモノニ非スシテ該証券全体ノ文言ヲ指称シ其ノ表題ニ為替手形文句ノ記載アル以上手形法第一条第一号ノ要件ニ欠クル所

ナキモノト解スルヲ相当トス……」（和歌山地田辺支判昭一〇・四・三〇民商三・四一五）。

【2】「手形法第七十五条第一号ニ所謂証券ノ文言中ナル語ノ意味ハ文字自体ノ解釈ヨリスルモ必スシモ之ヲ約束手形ノ本文中ト解スルノ必要ナキノミナラス其実益上ヨリ見ルモ之ヲ手形ノ本文中ト解セサルヘカラサルノ要毫モナシ而シテ手形ノ冒頭ニ標題式ニ約束手形ナル文字ヲ記載スルコトハ法ノ禁スルトコロニアラサルノミナラス此ノ場合ニ於テハ手形ノ本文中ニ約束手形ナル文字ヲ記載セスト雖叙上ノ手形要件ニ欠クル所ナキモノトス（朝鮮高判昭一〇・九・一七評論二四商法五九四）。

【3】「約束手形ニハ証言ノ文言中ニ約束手形ナルコトヲ示ス文字ヲ記載スヘキモノニシテ此ノ記載ヲ欠クニ於テハ約束手形タル効力ヲ有セサルモノナルコト手形法第七十五条第一号第七十六条第一項ノ規定ニ徴シ極メテ明ナリ然レトモ右ニ所謂文言トハ本文又ハ文章ト謂フニ比シ広意義ニ使用セラルル用語ニシテ証券上ノ統一アル記載ノ全体ヲ指称スルモノト解スルヲ相当トスルヲ以テ我カ国語ヲ以テ作成セラレタル手形ニ在リテハ其ノ約束手形又ハ為替手形ナルコトヲ示スヘキ文字ハ必スシモ証券ノ本文中ニ記載スルヲ要セス之ヲ冒頭ニ掲載シ本文中ニハ単ニ『此ノ手形云々』等ノ記載存スルニ過キサル場合ニ於テモ之ヲ以テ証券ノ文言中ニ之等手形文句ノ記載アルモノト謂フニ妨ケナキモノトス」（大阪区判昭一〇・一二・二新聞三九四三・一四、同旨京都区判昭一二・一・二六新聞四一一六・九）。

ところが、近時、これらとは反対のつぎのような趣旨の下級審判決があらわれた。すなわち、訴外Aが、「約束手形」と題し、金額、満期、支払地、受取人、振出日、振出地等が表示され、そして「右金員は昭和三二年六月二四日貴組合へ差入れている約定書に基く借用金であるから期日には此の手形と引換に貴組合又は貴組合の指図人に支払致します」との文言が記載された証券一通に、作成名義人（振出人）として署名し、これを原告に交付し、原告がその所持人として、――被告らの先代たる訴外亡Bが、別途契約により、右証券表示の金員にかかる訴外Aの原告に対する債務を保証したことを原因として――被告らにその保証債務の履行を求めたのに対し、神戸地竜野支判昭三七・九・一三【4】は、「前記の証券は、その記載自体に徴し、約束手形たるの効力を否定すべきものである。第一に……約束手形には『一定ノ金額ヲ支払フヘキ旨ノ単純ナル約束』を記載すべきであり、……本件の証券のように、手形金の支払を金銭貸借という原因関係にかからせるところの記載を有するものは、約束手形たるの効力を有しないものである。第二に……手形法第七五条第一号に……いうところの『証券ノ文言中ニ』とは、異説もあるが、『証券の本文自体の中に』との趣旨に解するのが相当である。それ故、本件の証券のように、本文中に『手形』と記載されているにすぎないものは約束手形としての効力を否定すべきであり、標題の『約束手形』の文字をもつて、本文中の『手形』の意味を補充解釈することにより、その効力を肯認することも許されないであろう」と判示して、訴外Aが原告に対しその主張の約束手形金債務を負担していることを否定した（そして、同裁判所は、同一年月日に、上記の事件と――原、被告を同じくする――全く同様の事案にかかる別の事件について、同趣旨の判決を行なつている。金融法務三三三号一四頁）。

【4】「……訴外Aは、『約束手形』と題し、『金額・金五〇〇、〇〇〇円、満期・昭和三四年一月四日、支払地・（兵庫県）宍粟郡山崎町、受取人原告、振出日・昭和三三年一二月一〇日、振出地同町』と表示され、かつ、『右金員は昭和三二年六月二四日貴組合へ差入れている約定書に基く借用金であるから期日には此の手形と引換に貴組合又は貴組合の指図人に支払致します』との文言が記載された証券一通に、作成名義人（振出人）として署名し、これを原告に交付したことが認められる。

原告の本訴請求は、被告らの先代たる訴外亡Bが、別途契約により、右証券表示の金員にかかる主債務者たるべきAの原告に対する債務を保証したことを原因として、その保証債務の履行を求めるものに外ならない。

しかしながら、前記の証券は、その記載自体に徴し、約束手形たるの効力を否定すべきものである。

第一に、本件証券の記載内容は、前述のとおりであり、ひつきよう、右証券表示の一定の金額は、振出人、受取人間の取引約定に基く貸金であるから、これを支払うことを約束するというに帰着する。しかるに、手形法第七五条第二号によれば、約束手形には、『一定ノ金額ヲ支払フベキ旨ノ単純ナル約束』を記載すべきであり、いうところの『単純』とは、支払約束の効力を手形外の事実にかからしめぬことを意味する。それ故、約束手形には、原因関係を記載することを必要とせず、かえつて、本件の証券のように、手形金の支払を金銭貸借という原因関係にかからせるところの記載を有するものは、約束手形たるの効力を有しないものである。

第二に、本件の証券には、前述のとおり、その本文中に、『この手形と引換に』一定の金額を支払うべき旨記載されているけれども、『約束手形』たることを示す文字は、これを認めるを得ず、この文字は、標題として記載されているにすぎない。しかし、手形法第七五条第一号によれば、約束手形には、『証券ノ文言中ニ其ノ証券ノ作成ニ用フル語ヲ以テ記載スル約束手形ナルコトヲ示ス文字』を記載すべきであり、いうところの『証券ノ文言中ニ』とは、異説もあるが、『証券の本文自体の中に』との趣旨に解するのが相当である。それ故、本件の証券のように、本文中に『手形』と記載されているにすぎないものは、約束手形としての効力を否定すべきであり、標題の『約束手形』の文字をもって、本文中の『手形』の意味を補充解釈することにより、その効力を肯認することも、許されないであろう。

かような次第で、訴外Aが原告に対しその主張の約束手形金債務を負担していることは、まず、これを否定せざるを得ない」（神戸地竜野支判昭三七・九・一三（昭和三五年(ワ)二六号）金融法務三二六・一〇、同旨神戸地竜野支判昭三七・九・一三（昭和三五年(ワ)三〇号）金融法務三二三・一四）。

(二) つぎに学説をみるに、この問題について学説は二つ――いわゆる「表題説」と「本文説」――に分かれる。

「本文説」（手形文句は必ず本文中に記載するを要し、単に表題として掲げるだけでは足りないとする説）をとるものは多く（鳥賀陽八九頁、大浜三〇六頁、田中耕二五五頁、毛戸五九頁、大橋一一九頁、須賀九四頁、石井六二頁、田中誠一六四頁、伊沢二九五頁、大森八四頁）、それらは、あるいは、「統一法は変造、抹消、切取り等を防止する精神からして証券の本文自体中に……記載することを要するものと為した。この故に新法に於ては表題として為替手形を記載することは不充分且つ無意味であり、意思表示自体中に……記載しなければならない」とし（田中耕二五五頁、同旨大浜三〇六頁、石井六二頁等）、あるいは、「手形の『文言』とはむしろ本文（文脈）の意であり、具体的に云えば、為替手形の中核にして支払委託なる一つの意思表示を成している所の支払委託の文章であ」り（大橋一七五頁）、「本来は『本文』と訳すべきところを我立案当局者が文言と誤訳したのであるから、本来の精神に還り本文と解すべきである」とし（大橋「手形文句の記載個所」論叢三四巻一〇四一頁）、また、あるいは、「手形法第一条は、手形文句に就いてのみ証券の文言中に記載すべき旨を規定し、他の手形要件については、何等の制限をおいていない」ことや、「我手形法は統一条約に基き制定された世界法であ」り、「我国一個の立場に固執せず広く世界諸国の慣行なり解釈なりを考慮に入れなければならない」ことなどをその理由にあげる（大橋・同論文一〇四六頁）（同旨 伊沢二九五頁）。しかしこの「本文説」をとるもののなかでも、立法論的にはこの当否を疑問とするものも少くない（とくに大浜三〇六頁、毛戸五九頁、大森八四頁等）（なお、須賀九四頁は、「標題掲記にて仍ほ手形文言中に於ける記載なりと認めらるべしとの判例生ずれば格別然らざる限り」表題に掲げるだけでは足りないと解するのが妥当であるとの立場をとられる）。

これに対し、「表題説」（手形文句は、表題として掲げるだけで手形要件として足りるとする説）をとるものも少からずあり（本田「手形文句ノ統一ニツイテ」法曹会雑誌一二巻三号六〇頁、池田＝小堀・手形法義解三〇頁、升本四六頁、薬師寺志林一〇八頁、西島一一五頁、納富二一八頁、竹田八二頁、大隅七六頁、竜田「手形要件」講座二巻四頁、小橋七六頁等）、それらは、あるいは、「統一会議に於テハ……偽造変造ヲ防止センカ為メニ手形文句ヲ必要トスルカ如キ論議ヲ為セルモノ全然存在セス只……『証券ヲ一見シテ直チニ何種ニ属スル手形ナリヤヲ識別シ得ルノ便宜問題』トシテ審議セラレタルモノ」にすぎないから、「表題式ヲ以テ最モヨク本規定ノ趣旨ニ適フ」とし（本田・同論文六〇頁）、あるいは、「手形の振出に手形用紙が使用さるる現時の情勢の下においては手形文句の偽造変造は事実存しないし、又手形用紙を用いない場合を慮つたものとすれば、手形金額の如き最も重要な事項に付ても同様に規定すべき筈」であるから法が手形文句の偽造変造を慮つて特にこの規定を設けたものとは解し難いとする（薬師寺志林一〇九頁）。また、あるいは、「手形面に記載された総ての文字が集合して一個の為替手形振出の意思表示を構成するときは、此等の文字は為替手形の文言の一部を構成するといつてよい。……振出人は為替手形の文言を一文章に盛つてしまうことは固より妨げない。……しかし証券の文言を一文章にせず、支払人を証券の名宛人とし、振出日、振出地、支払地及満期を本文の外に記載するのが普通である。之れは支払委託文句以外の手形要件を各別に表示することが『表現の簡明』により一目瞭然手形の内容を即時に且つ確実に理解し得るからである。而して『表現の簡明』という点から云えば、『為替手形ナルコトヲ示ス文字』も本文に記載せずして寧ろ之を表題とする方がよい」とし、「我手形法の使用したる『文言』なる語は文字解釈上も『本文』と解する必要なきのみならず、第六四条及第六九条と同意義に解するを至当とする」とし、そして「我手形法は、我国従来の慣例に合致せしむる為『証券ノ本文』なる条約の訳語を避け、独自の立場に於て、殊更に『証券ノ文言』なる字句を採用し、『慣行の維持』の為に『手形ノ体裁ノ統一』を犠牲に供したるものと解するを相当とする。之れ恰もドイツ手形法第一条第一号が、従来の慣例に従い、『手形トシテノ記載』を必要とするも『為替手形トシテノ記載』を必要としない……のと酷似する」として「表題説」の立場を基礎づけるものもある（薬師寺志林一〇八頁）（池田＝小堀三〇頁は「我国ノ文章ノ構成ハ欧米諸国ノ夫レト根本的ニ相違スルトコロアリ我国ノ文例ヲ以テセハ標題モ亦手形全文ノ一部ヲ占メル」とし、升本四六頁は「我国に於ては手形要件記載の方法に付一定の列挙方法によること常例にして、手形文句も其順序として冒頭に記載せらるるものにかかり、斯る列挙方法によるも各要件記載は互に文章的に連絡し、相俟つて手形の本文を構成するものと観るを得べし。冒頭の為替手形なる記載を以つて右本文の外にある単なる表題と観るは、右慣行による手形証券の作成上の常識を無視することとなる」とされ、西島一一五頁は「為替手形なる文字は、為替手形の成立要件として、羅列記載されある範囲内に存在すれば足る。従つて最初の一行目に、単独に記載されあると、又は支払委託文言の中に記載されあると、或は上部に横書きされあるとは問うところではない」とされる。また竜田・講座二巻四頁は、「支払委託（約束）文句だけが本文なのではなく、まして日本の場合は、欧米のように手形要件のほとんど全部を一個の文章で記載することをせず、要件の多くを項目的に列挙するから、それらが脱落したあとの支払委託（約束）文句の比重は軽い。署名を除いた手形記載の全体、したがつて表題をも含めて手形の本文と解すべきである」とされる）。

以上の二説のほかに、近時は、その「折衷説」があつて、「手形用紙を使つた場合のように、偽造できないような形のものであれば、標題に記載しただけでもよいとすべきであろう。即ち、この場合には当該証券の全体が『証券の文言』にあたると解しうる」としている（鈴木一七五頁）。

（三）私見としては「表題説」に賛成したい。すなわち、まず、わが国の文章の構成が欧米諸国のそれと根本的に相違していること（池田＝小堀三〇頁）、それに関連してわが国においては手形要件の記載が一定の列挙方法によるのが通例であること（升本四六頁、薬師寺志林一〇八頁）、そしてそのような記載方法によることが、「表現の簡明」により、一目瞭然手形の内容を即時にかつ確実に理解させ得ること（薬師寺志林一〇九頁）に注意すべきである。そこでこの問題について考えてみるに、手形面の冒頭に掲げられた「為替手形」（あるいは「約束手形」）なる記載は、手形の「本文」の外にある単なる「表題」と解するよりは、むしろ、他の記載事項とあいまつて手形の「本文」を構成するものと考えるべきではあるまいか（升本四六頁）（あるいは、支払委託（約束）の意思表示である支払委託（約束）文句を含んだ文章が、手形の記載事項の中核ないしは根幹であるとして、この中に手形文句が挿入されるべきことを強調するものがあるが（田中耕二五五頁、大橋一二九頁）、他の要件が脱落したこの文章の比重は軽いことに注意すべきである、竜田前掲四頁）。そしてまた、このように手形文句が冒頭に掲げられることが、「表現の簡明」に、より一層プラスすることにも注意すべきである。

したがって、前掲【4】には賛成できない。

三　手形金額

手形債権の目的は一定額の金銭でなければならない（手一2・七五2）。したがって物品手形は認められない。しかしその金額は内国通貨のみならず、外国通貨でもって表示してもよい【5】。

【5】「商法第五二五条（現手形法七五条）ニ規定セル約束手形記載要件ノ一タル一定ノ金額ト謂フハ金銭ノ一定ノ数額ノ義ナリ而シテ金銭トハ貨幣ニ依リテ代表セラルル所ノ抽象的価格即チ貨幣ノ有スル購買力ノ或分量ヲ謂フモノニシテ其ノ貨幣ノ内国通貨タルト外国通貨タルト将又取引上ニ於テ流通スル所ノ所謂自由貨幣タルトハ敢テ問フ所ニ非ス」（朝鮮高判大一五・九・三評論一五商六一五、同旨関東高判昭八・八・三〇新聞三六二三・一六）。

手形金額は一定することを要し、不確定的記載（千円ないし二千円のごとし）又は選択的記載（千円または二千円のごとし）は手形を無効とする。二つ以上の金額の合計をもって手形金額とする表示方法（一万円と二万円の合計額のごとし）については、手形取引の円滑を害するので手形を無効にするとの説があるが（鈴木一七七頁）、反対説もある（大隅＝河本七頁、竜田・講座二巻二八頁）。

手形金額の記載の場所・書体・用具等には制限はない。この点に関し、近時のつぎのような下級審判例がある【6】。

【6】手形金額が、約束手形用紙の金額欄の下方に、算用数字で鉛筆書きされている事案について、「手形金額の記載は約束手形の必要的記載事項である（手形法七五条二号）が、その記載の仕方については、同法七七条二項が準用する同法六条のほか、何らの規定がない。したがって、手形金額は、必ずしも本文中に文字で記載しなければならないものではなく、要は、社会通念上からみて、一定の金額の手形上の記載が、振出人の

手形金額記載の意思の体現であると解されるかぎり、手形上の記載の部位や書体のいかんを問わないし、又その記載の用具は、故意又は事故による変改、毀滅、抹消などを防止するため、なるべく、そのおそれの少ないものを可とするが、それは程度問題であるから、社会的に事務用筆記具として使用されている鉛筆を用具とする記載を不可とする理はない。

……しかし、本件の右記載は、すでに認定したとおり、主観的には、A会社が手形金額を記入することを予期した被控訴人Yが、その記入される金額の限度を示すためにおぼえ程度に記載したにすぎず、客観的にこの記載を観察しても、約束手形用紙の金額欄が、ことさら空白になつている以上、金額欄の下方にある鉛筆書きによる右算用数字は金額欄の空白部分を、将来の手形取得者が補充することを予定し、その資料的意味があらわされたものと認められる。

そうしてみると、右三通の約手にした算用数字による金額の記入は、振出人である被控訴人Yの手形金額記載の意思の体現であるとは解することはできないから、三通の約手は、いずれも、手形金額を白地として振出されたものと認めるのが相当である」（大阪高判昭三九・六・一五 高裁民集一七・五・二六一）。

利息文句（手形金額につき満期までの利息の請求を認めるもの）の記載は一覧払又は一覧後定期払手形についてのみ認められ、その他の手形については記載がないものとみなされる（手五Ⅰ）。後者については特に利息文句の記載をみとめる必要がないからである。

なお、手形取扱の便宜をはかり、又は、変造を若干困難にする等のため手形に同一の金額を重複して記載すること（例えば、本文中に「壱万円」と書き、欄外に￥10,000と書くが如し）が実際上多い。しかし、その際誤つて違う金額が記載されることがありうるが、その場合、法は、文字と数字とで記載されていれば文字による記載を標準とし、また、文字又は数字で記載されたもの同志の間では最小額を標準とすることとして効力をすくつている（手六・七七Ⅱ）。この点に関して、近時、つぎのような下級審判決がある【7】。

【7】（事案）　被告Yは訴外Aから二回にわたつて合計一五〇万円を弁済期の定めなしに借り受け、このさい満期および受取人を白地とした約束手形一通をAに振出し交付した。Aはこれをそのまま引渡しによつてその子原告Xに譲渡した。Xは右白地部分をそれぞれ補充して振出人Yに対し手形金一五〇万円の支払を求めたが、拒絶されたので本訴に及んだ。

ところでこの手形の金額欄には文字で一五〇円と記載され、その下段には算用数字で一五〇万円の趣旨の記載がなされていた。

（判旨）「本件の場合においては、文字および算用数字で記載した双方の金額を対比すれば、一見して文字でした金額の記載が誤記であり、算用数字で記載した金額が振出人の意欲した手形金額であることが明瞭に推察されるのであるから、このように手形の外観解釈だけからしても、直ちに文字で記載した金額が誤りであり、算用数字で記載した金額が振出人の意欲した金額であることが明白である場合には、手形法の右規定（註手六条のこと）にかかわらず、算用数字で記載した金額を手形金額と解すべきものと解するのが相当である」（東京地判昭四〇・六・三〇下民集一六・六・一一三三）（塩田・法時三八・二・七二）。

右判決について検討してみるに、もしそれが、仮りに、あるいは手形外の原因関係から判断して「一五〇円」との記載は「一五〇万円」の誤記であることが明かであるとか、あるいは現在の貨幣価値からいつて「一五〇円」の手形はおよそありえないとかいうような理由から右のような結論を導いたとすれば、明かに誤つている。しかし、右判決の趣旨はおそらくそうではないだろう。

さて、本件のような場合、まず、文字による記載と数字による記載とを対比して考えれば、いずれか一方がその桁数を誤つているということが手形面から明かであると、少くともいえるのではないか

7

と思う（本件のように金額が単純である場合には、いずれか一方が振出人の意図した通りの金額であるということは間違いないであろう）。そしてさらにつっこんで考えれば、この場合、文字による記載の方が「万」の字を書き落しているということが——同じく手形面から——明かであるといえるのではあるまいか（文字であらわす場合に、「百五拾円」と書くつもりで「百五拾万円」と書き誤るようなことはまず考えられないが、反対に、「百五拾万円」と書くべきところを誤って「万」の字を書き落すというようなことは充分考えられる。一方、数字であらわす場合には、僅かな桁数の間違いは往々おこりがちであるが、「¥150」と「¥1500,000」というような大きな桁数の差のあるものの間に書き誤りをするというようなことは考えられない）。そうすれば、本件は、文字で「一五〇万円」と記載されている場合とみなされるべきことになり、結局、本件には手形法六条の適用の余地はないことになる。右判決の趣旨はおそらく以上のようなものではないかと考えられ、だとすれば右判決には賛成である（塩田前掲七二頁は本判決に反対される）。

一般に、手形の各記載事項の効力を考えるにあたっては——それを他の記載事項からきりはなして個々別々に——形式的な杓子定規の解釈をなすべきではなく、——他の記載事項との対比関連や、手形面全体からの考察の下に——実質的、弾力的な解釈を行なうべきであると考える（本件の考察にあたっては、「支払期日大正一二月……」という記載は、記載自体によって年を月と誤ったことが明らかであるから、「大正一二年……」という満期日の記載とみることができるとの東京地判大一五・三・一〇新聞二五五〇・一六、振出人が振出地と支払地を逆に記載したものであることが手形面から明白である場合には、手形の効力に影響がないとの東京地判昭三七・一一・六時報三二四・三二【72】、「振出日昭和三七年……」、「支払期日昭和二七年……」との記載があれば、振出人は、満期日として「昭和三七年……」と記載すべきところを、不注意で「昭和二七年……」と誤記したことが明かであるとの飯塚簡判昭三八・七・二二時報三四五・五一【49】等が参考になると思う）。

四　支払委託（約束）文句

為替手形は支払委託を、そして約束手形は支払約束を、それぞれその本体とする証券であるから、支払委託文句および支払約束文句は、為替手形および約束手形の中核をなす意思表示である。支払委託および支払約束は単純であることを要し、支払に条件を附し又は支払方法を限定するときは、その単純性を害し手形を無効ならしめる（有害的記載事項）（手一2・七五2）。

このような趣旨の判例としては、満期日として「大正十五年十月中貴殿ノ漁場切揚船塩鮭ト共ニ函館到着ノトキ」と記載されている場合【8】、「二ケ月据置三日前通知払」なる文句が記載されている場合【9】、一定の満期日を記載するとともに、手形金をある会社の成立後に支払う旨特約してその旨を手形に記載した場合【10】、「右金員は昭和三二年六月二四日貴組合へ差入れている約定書に基く借用金であるから期日には此の手形と引換に……支払致します」との文言が記載されている場合（前掲【4】）【11】等に関するものがある。

【8】　「本件ニ於テ控訴人カ……満期日大正一五年一〇月中貴殿ノ漁場切揚船塩鮭ト共ニ函館到着ノトキ……ト定メタル……約束手形一通ヲ訴外A宛ニ振出シ交付シタルコトハ当事者間ニ争ナキ所トス先ツ本件右手形カ有効ナリヤ否ヤヲ審案スルニ同手形ニ満期日トシテ記載セラレタルトコロハ前示ノ如クニシテ此記載カ……商法五百二十五条（現手形法七五条）第五百二十九条（現手形法七七条）第四百五十条（現手形法三三条）所定ノ約束手形ニ掲クヘキ一定ノ満期日ニ該当セサルヤ明白ナレハ……」（函館地判昭二・一二・三新聞二七八七・九）。

【9】　「商法第四百五十条第三号（現手形法三三条一号）規定ノ『一覧ノ日』ヲ以テ満期日トスル為替手形ハ其ノ記載ノ上ヨリ手形所持人カ支払ヲ求ムル為手形ヲ呈示シタル日ヲ以テ満期日ト為スノ趣旨明確ナル場合ニシテ其ノ振出ノ日附ヨリ何時ニテモ之カ支払請求ヲ為シ得ルコトヲ本質トスルモノナリ然ルニ本件手形ニ記載セラレタル所論『二ケ月据置三日前通知払』ナル文句ハ手形振出ノ日ヨリ二ケ月間ハ手形ヲ据置トナシ右ノ期間ハ支払請求ヲ為スコトヲ禁止スルノ趣旨ナルノミナラス其ノ期間経過後ト雖支払請求ヲ為スニハ三日前ニ予告スルコトヲ要スト為スモノニシテ斯クノ如キハ寧ロ叙上一覧払手形ノ本質ト相容レサル記載ナリト謂ハサ

ルヘカラス」（大判昭六・三・一三民集一〇・五・二〇三、小町谷判批・判民昭六年度二四事件、小橋「満期の記載方法」手形小切手判例百選一一八頁）。

【10】「被告ハ本件手形金ニ付テハ原告前主タル訴外Aト通運取引店B会社成立後ニ支払フヘキ特約アリ該会社ハ未タ成立セス従ツテ該手形ハ其権利行使ノ時期到来セサル旨抗争スルニ付案スルニ成立ニ争ナキ……手形面ニ通運取引店B会社成立後支払ヲ為ス契約金額ノ記載アルヲ以テ反証ナキ限リ本件手形金支払ニ付キ被告主張ノ如キ特約アリタルコトヲ認ムルニ足ル原告ハ仮リニ斯カル特約アリトスルモ手形上何等ノ効力ナキ旨抗争スレトモ手形ニ一面支払期日ヲ記載スルト共ニ他面既述認定ノ如キ手形金支払ニ関スル特約ヲ為シ以テ一定ノ支払期日ヲ左右シ手形ノ厳正ヲ害スヘキ特約ノ記載アル場合ニハ之ヲ以テ単ニ手形上効力ナキ無意味ノ記載ナリト謂フヲ得ス故ニ反証ナキ限リ本件手形金ノ支払及其支払期日ハ一ニ叙上特約事実ノ成否ニ係ルモノト認ムルヲ目的トスルヲ以テ結局本件手形ハ其支払期日不確定ニシテ其権利行使ノ時期ヲ認ムルヲ得サルモノト認ム仍ツテ被告ノ抗弁ヲ理由アリトシテ原告ノ請求ヲ失当トス」（水戸地下妻支判大一二・一一・三・一九評論一二商二一〇）。

【11】「……本件証券の記載内容は……右証券表示の一定の金額は、振出人、受取人間の取引約定に基く貸金であるから、これを支払うことを約束するということに帰着する。しかるに、手形法第七五条第二号によれば、約束手形には、『一定ノ金額ヲ支払フベキ旨ノ単純ナル約束』を記載すべきであり、いうところの『単純』とは、支払約束の効力を手形外の事実にかからしめぬことを意味する。それ故、約束手形には、原因関係を記載することを必要とせず、かえつて、本件の証券のように、手形金の支払を金銭貸借という原因関係にかからせるところの記載を有するものは、約束手形たるの効力を有しないものである」（神戸地竜野支判昭三七・九・一三金融法務三二六・一〇）。

これに対し、為替手形の支払委託文句のつぎに「毎六ケ月目毎ノ満期日右金額ノ一割相当金ヲ支払ヒアト残金書換継続被下契約也」との附記があつても、その附記は手形上の効力を生じないに止まり、支払委託の単純性を害して手形を無効ならしめるものではないとの大審院判決【12】がある。

【12】「本件為替手形ニハ……右委託文言ノ次ニ『毎六ケ月目毎ノ満期日右金額ノ一割相当金ヲ支払ヒアト

残金書換継続被下契約也』ト附記アルモノトス此ノ附記ハ手形記載ノ支払期日到来後ニ於ケル手形書換ニ関スル特約ヲ掲ケタルモノニシテ手形編ニ規定セル事項ニ関スルモノニアラス又手形ノ効力ノ発生ヲ妨クルモノニアラサルヲ以テ商法第四百三十九条（註　手形編に規定なき事項は手形上の効力を生じない旨定めた規定）ニ所謂手形上ノ効力ヲ生セサルモノタルニ過キスシテ本件手形ノ無効ヲ惹起スルモノニアラス然ルニ原院カ本件為替手形ニ記載シアル満期日ハ一定セルモノト云フヲ得サルノミナラス委託文言モ亦単純ナル金銭支払ノ委託ニアラサルカ故ニ該手形ハ無効ナリト判示シタルハ商法第四百三十九条ノ規定ヲ看過シタルカ若ハ之ヲ不当ニ適用シタル不法アル……」（大判大一二・三・一四民集二・九六）。

また、手形金をある会社の成立後支払う旨の特約をなしそれを手形に記載しても、その記載は手形法上無効のものであって手形自体の効力には影響がないとするものがある（【10】の控訴審）【13】。

【13】「被控訴人ハ右手形ニ付キテハA会社成立ノ後其支払ヲ為ス特約ナリト抗弁シ其援用ニ係ル甲第一号証ニハ其趣旨ニ解シ得ラレサルニ非サル記載アリト雖斯ル記載ハ手形法上無効ノモノナルカ故ニ斯ル記載アル手形ヲ取得シタル一事ニヨリ其取得者ヲ以テ悪意ナリト為スヲ得ス」（東京控判大一二・六・八新聞二一九四・二二）。

また後掲【134】【135】【137】【138】および【139】も、これらと同様の考え方を示す判例である（一二「無益的記載事項」参照のこと）。

学説においても、たとえば升本教授は、「支払委託文句に並べて資金関係を付記するが如きは、単に必ずしも支払委託の単純性を害するものと速断すべきでなく、むしろ反対に斯る場合は両者を分離考察し、手形要件としての支払委託は単純になされ、只便宜上、手形上の効なき振出人より支払人に対する資金関係上の表意を付記したるものにすぎざるものと解さることが多かろう。此種付記が果して単純性を害するや否やは、具体的記載に付き個々的に決せらるべき事実問題」であるとされ（升本四九頁）、これと同趣旨のものも少くない（松波五三二頁、松本一九九頁、大浜三一四頁、薬師寺志林一一六頁、大橋一三一頁、伊沢三〇一頁等。鈴木一七六頁は「かつて、手形には「対価現金受領」等、対価を受領したか否か、また、その態様を示す記載をなすことが必要とされ、これを原因文句と称し、今日でもヨーロッパの手形には、このような原因文句が記載されることが少くない。しかし、それは、手形の効力を原因関係の存否・効力にかからしめたものではなく、単に原因関係を附記したにすぎぬものと認められ、しかも、そのようなものとしても、現在では形式に堕した沿革的遺物に止まるから、事実を確定させる効力すらないとされている。従つて、このような原因文句を記載しても、単純性を害することにはならない」とされている）。また竜田助教授は、支払の委託または約束は単純でなければならず、それが害されれば手形が無効になることを認めながら、「しかし具体的な文句の解釈にあたつては、客観的にみてそれが真に手形の単純性・確定性を害する場合にかぎつて右の結果を認めるべきである。慣行上惰性的に記載される形式的修辞（対価文句・資金文句・通知文句など）を無視すべきことは、今日諸国で一致して認められている。原因関係を示す記載も、それが原因関係の存在・有効を手形の効力や支払の条件とするのではなく、帳簿処理の便宜のために手形授受の縁由を示すものであれば、手形自体の効力を害するものではない。一見したところ条件らしい記載であつても、その実質が他の有益的または無益的記載を示すにすぎない場合もある」とのべられている（竜田・講座二巻二一頁）（そして同書二三頁註六は、「支払に付した条件など一般に有害的記載とされているものを無視して、そのような記載のない手形とみることはできないであろうか。……手形であることを認識して手形行為をした以上、付加的記載だけを無効として、定型的内容の手形債務を負担させるという解釈も不可能ではあるまい」としつつ、「統一法国の解釈はすべて有害的記載としているから、現段階では問題提起の域を越えて主張することは無理かもしれない」とのべている）。

右の竜田助教授のような立場からは、【11】のような場合も、その記載は原因関係を示していても、「原因関係の存在・有効を手形の効力や支払の条件とするのではな」いから、手形自体の効力を害するものではない、ということになるのではあるまいか。そして私見もこれに賛成したい。

五　手形当事者

約束手形には、発行者たる振出人(手七五7)と、振出人から手形の交付を受ける受取人(手七五5)の記載が必要であり、手形当事者は二人でよいが、為替手形には、これ以外にさらに手形金額の支払をなすべき支払人が記載され(手一3・6・8)、手形当事者は三人いなければならない。為替手形は支払委託証券なので振出人のほかに支払人がいなければならないが、約束手形は支払約束証券なので振出人が同時に支払をなすべき者でもあるからである。

一　支払人(手一3)

支払人は、振出人により手形の支払をなすべき者として定められた者であり、為替手形の名宛人である。支払人の表示は、手形要件としては一般に人の名称と認められる程度の記載があればよく、その者が実在するか否かは問わない。会社については、それが手形債務者となる場合とは違うのであるから、単に会社の商号の記載のみで足りる【14】。

【14】「凡ソ会社カ為替手形ノ振出人タル場合ニ於テハ其会社ヲ代表スヘキ者会社ノ商号ヲ記載シ且自己ノ氏名ヲ署セサルヘカラサルニ反シ会社ヲ為替手形ノ支払人ト為ス場合ニ於テハ単ニ其会社ノ商号ヲ記載スレハ足リ其会社ヲ代表スヘキ者ノ記載ハ之ヲ要セサル……」(宮城控判大一四・四・九新聞二三九五・一八)。

次に、特定の人を支払人と認め得るためには、記載された氏名または商号は、その人の公簿上のものであることを要せず、その通称・雅号・芸名もしくはこれらと僅少の差異のあるものでもさしつかえない【15】。

【15】「一般ニ手形ニ表示スヘキ氏名又ハ商号ハ必ラスシモ其ノ公簿上ノモノタルコトヲ要セス其ノ通称若

クハ之ト些少ノ差異アルモノモ尚ホ其ノ適法ナル表示ト認ムルヲ相当トスヘク之ヲ本件ニ付テ看ルニ……被告会社ノ商号カ京屋合資会社ニシテ其ノ通称カ京屋モスリンナル事実ニ徴スレハ合資会社京屋モスリン店若クハ合資会社京屋モス店ナル表示ハ共ニ之ヲ被告会社ノ表示ナリト認ムルヲ得ル……」（大阪区判昭三・一〇・一一新聞二九二七・一一）。

支払人の複数的記載の問題については、重畳的記載はさしつかえないが、選択的記載は許さないとするのが通説である。反対説もある（詳細は九「手形要件の複数的記載」参照）。

なお、支払人と振出人とは別人であるのが普通であるが、振出人が自己を支払人と定めることもさしつかえない（手三Ⅱ）。これを自己宛手形という。会社の本店がその支店を支払人とする手形を振出す場合などがその例である（詳細は本節四「当事者資格の兼併」参照）。

二　受取人（手一6・七五5）

（一）受取人は手形の第一次の権利者たる者である。受取人の記載は絶対的要件であって、無記名式または選択無記名式の手形はみとめられない（小切手の場合と異る。小五Ⅰ23参照）。受取人の表示は、手形の形式的要件としては、およそ人（法人）の名称と認められるものの記載があれば足る。したがって、手形の受取人となるべきことを真実予約した人と異なる人の名称でも【16】、仮設人の名称でも【17】【18】さしつかえない。

【16】「受取人ノ氏名又ハ商号ナルモノハ手形ノ受取人ト為ルヘキコトヲ真実予約シタル人ノ氏名又ハ商号ニ限ル意義ニアラサレハ苟モ手形面ニ受取人トシテ人ノ氏名又ハ商号ヲ記載スレハ其人カ手形ノ受取人ト為ルヘキコトヲ予約シタルト否トヲ問ハス其手形ノ振出行為ハ叙上ノ法定要件ヲ充シタルモノニシテ……」（大判大九・一〇・二二民録二六・一五七八）。

【17】　「控訴人は、本件手形の受取人であるA会社は実在しない会社であるから、本件手形は約束手形の要件を欠く無効の手形であり、かつ裏書の連続を欠くものであると主張しているけれども、約束手形の要件の充足並びに裏書の連続は手形面の記載自体から形式的に判断すべきものであるから、控訴人主張のようにA会社が実在しない会社であつても、本件手形の振出は有効であり、かつ裏書の連続に欠けるところはなく、控訴人の主張自体理由がない」（東京高判昭二九・一〇・二二下民集五・一〇・一七五二）。

【18】　「約束手形の形式的要件としての受取人の記載は、一般に自然人又は法人の名称と認められるものの記載があれば足ると解すべきで、受取人として表示された自然人又は法人が実在するか否かは、約束手形の形式的効力とは無関係であるから、受取人としてA会社なる記載がある本件約束手形は、その形式的要件に欠けるところなく、右会社が実在しないからといつて、本件約束手形が無効なものということはできない」（東京地判昭三五・一二・一六判時二五一・二六）（同旨東京地判昭三〇・二・二五下民集六・三五三）。

旧法下では受取人の「氏名」の記載が要求されていたから（旧商四四五条四号は「受取人ノ氏名又ハ商号」と規定していた）、氏または名のみの記載の効力が問題となり、判例では、氏のみ記載があるにすぎないときは手形要件を欠くとするもの（大阪地判年月日不明新聞五五二・一二）と、氏の記載があれば名は欠けていても手形要件に欠缺はないとするもの（東京区判大二・七・一二評論二商一七七）とがあつた。しかし現行法の下ではかく解する必要はない（現手形法一条六号は「支払ヲ受ケ又ハ之ヲ受クル者ヲ指図スル者ノ名称」と規定する）。

法人を受取人として記載する場合にも、法人の名称の記載のみで足り、代表者の氏名の記載は必要でない【19】。

【19】　「抑本件ニ付キ当事者カ原院ニ於テ争点ト為シタル所ハ……表示シタル受取人ハ法人ナル太刀川商会ヲ指示シタルモノナリヤ将タ又単ニ一個人タル太刀川又八郎ノ商号ヲ記載シタルモノナリヤノ一点ニ在リタルコトハ……明白ナリ而テ此等手形ノ文面ニ受取人某トアルハ現実甲者ヲ指示シタルモノナリヤ又ハ乙者ヲ意味シタルモノナリヤヲ判定スルハ決シテ手形文言ノ意義ヲ変更又ハ補充スルモノニ非サルカ故ニ裁判所ハ諸般ノ

証拠ニヨリ自由ニ之ヲ判断スルコトヲ得ルモノトス是以テ原院カ……手形ニ受取人太刀川商会トアルハ一個人タル太刀川又八郎ノ商号ヲ記載シタルモノニ非スシテ法人ナル太刀川商会ヲ指示シタルモノト判決シタルハ毫モ手形法ノ法則ニ違背シタルモノニ非ス」（大判明三八・二・二三民録一一・二五九）。

受取人の表示が組合名義でもってなされた場合について、「或ハ組合ハ人格ヲ有セザルモノナルヲ以テ、其ノ名称又ハ商号ニ依リテハ或人格者ヲ表示スルモノニアラズト解スベキガ如シト雖、……寧ロ其ノ実質上ノ権利者タル総組合員ヲ表示スルモノトシテ、手形要件ヲ具備スルモノト解スルヲ妥当トス」との大審院判決【20】がある。

【20】（事案）X_1外一二名の者（原告・被控訴人・上告人）は、「八王子青物市場」という商号を有する組合の組合員であって、大正六年一二月七日、Y（被告・控訴人・被上告人）から「受取人八王子青物市場」と記載した約束手形の振出交付を受けた。そしてX_1等は満期に右手形を呈示して支払を求めたが拒絶され、そしてその後一部の支払を受け得たのみなので、その残額について訴を提起した。

第一審はX_1等の請求を認めたが、第二審はつぎのような理由でX_1等の請求を棄却した。「約束手形ハ、人格者タル受取人ノ氏名又ハ商号ノ記載アルコトヲ要ス。然ルニ本件手形ニハ、八王子青物市場タル記載アルニ過ギズ。然レドモ、八王子青物市場ハ、民法上ノ組合ニシテ人格ヲ有セザレバ、手形ノ受取人タルコト能ハズ。且、八王子青物市場ナル名称ハ、各組合員ヲ夫夫表示スベキ氏名商号ニモ非ズ。従テ受取人ノ記載ヲ欠ケル無効ノモノナリ」。

X_1等上告。大審院はこれを認めて原判決を破棄差戻した。

（判旨）「商法カ手形振出ノ要件トシテ手形ニ受取人ノ氏名又ハ商号ヲ記載セシムルハ受取人トシテ或人格者ヲ手形ニ表示セシムルノ必要ニ出テタルニ外ナラス従テ手形ニ記載スヘキ受取人ノ氏名商号ハ必ス戸籍上ノ氏名又ハ登記簿ニ登録セラレタル商号ナラサルヘカラスト云フカ如キ厳格ナル解釈ヲ下スノ失当ナルハ論ヲ俟タサル所ニシテ其ノ記載セラレタル表示ニシテ取引上或人格ヲ表示スルコト明ナル場合ニ於テハ仮令其ノ表示カ

其ノ者ノ真ノ氏名商号ト合致セサル場合ニ於テモ受取人ノ表示トシテ手形要件ヲ具備スルモノト云ハサルヘカラス組合カ其ノ名称又ハ商号ニ依リテ手形ニ受取人トシテ表示セラレタル場合ニ付テハ或ハ組合ハ人格ヲ有セサルモノナルヲ以テ其ノ名称又ハ商号ニ依リテハ或人格者ヲ表示スルモノニアラスト解スヘキカ如シト雖組合ハ組合員カ出資ヲ為シテ共同ノ事業ヲ営ムモノニシテ組合財産ハ総組合員ノ共有ニ属スルモノナルヲ以テ取引上組合名義ヲ用ヒ組合名義ニ依リテ権利ヲ得義務ヲ負担スルコトアルモ其ノ実総組合員ノ権利義務ニ外ナラサルモノナルト共ニ組合ハ其ノ名義ニ依リテ取引ヲ為スヲ普通トシ組合カ手形ノ授受ヲ為スニ方リテモ組合員全員ヲ表示スルコトナク組合名義ヲ以テ之ヲ為スコトヲ得シムルニ非サレハ組合ハ遂ニ手形ノ授受ヲ為スコトヲ得サル不便ナル結果ニ陥ル場合ナキニ非サルヲ以テ組合カ手形ノ受取人トシテ組合名義ヲ以テ表示セラレタル場合ニ於テハ寧ロ其ノ実質上ノ権利者タル総組合員ヲ表示スルモノトシテ手形要件ヲ具備スルモノト解スルヲ妥当トス然ラハ原判決カ……本件約束手形ニハ受取人トシテハ八王子青物市場ナル組合名義ノ記載アルヲ以テ受取人ノ氏名商号ノ記載ヲ欠キ商法第五百二十五条（現手形法七五条）ノ法定要件ヲ具備セサルモノナルコトヲ理由トシテ上告人ノ本訴請求ヲ排斥シタルハ違法ナリ」（大判大一四・五・一二民集四・二五六、小町谷判批・判民大正一四年度四二事件、大隅・民商四六巻二号、菅原「組合名義の受取人の記載」手形小切手判例百選一二三頁）。

（二）　次に受取人の表示は、——手形の第一権利者であるところの——特定人の表示としては、一般取引の見解に従いその者を指示するものと認めうる記載がなければならないとともにそれで足る。したがつて、支払人におけると同様に、その人の公簿上の氏名または商号はもちろんのこと、通称、雅号でも、あるいは誤字脱字があつても、およそその人を手形権利者と認定することが可能なものであればさしつかえない【21】。

【21】　「約束手形ノ要件トシテ之ニ記載スヘキ受取人ノ氏名又ハ商号ハ必スシモ公簿ニ登録セラレタル文字ヲ完備スルコトヲ要スルモノニ非スシテ多少之レト異ナル所アルモ苟クモ其ノ氏名又ハ商号ノ実質ヲ具備シ取

引上本人ノ慣用ニ依リ其ノ人ノ称呼タルコトヲ広ク世人ニ知ラレタルモノハ通称ノ如キモノト雖トモ尚ホ手形方式上ノ氏名又ハ商号タルニ妨ケナキコトハ本院判例ノ是認スル所ナリ（明治三十九年……十月四日判決参照）而シテ此ノ事タルヤ自然人ト法人トニ依リ区別ヲ為スヘキ理由ナキヲ以テ手形ニ受取人トシテ記載スヘキ会社ノ商号ニ付テモ亦同一ナリト謂ハサルヘカラス然レハ原院カ本件手形ニ受取人トシテ記載シアル『カメロン商会』ナルモノハ取引上被上告人カ自己ノ称呼トシテ慣用シ来リ世人モ亦被上告人ノ称呼トシテ認メ居リタル通称ナルヲ以テ其記載要件ヲ欠クモノニアラスト判定シタルハ正当ニシテ上告論旨ハ適用ノ理由ナシ」（大判明四二・五・一〇・民録一五・四八三）（同旨大判大三・一一・一六民録二〇・九四二、下級審判例でこれと同旨のものとしては、大津地判年月日不明新聞五三八（明治四一・一二・一〇）一四、東控判明四二・三・三新聞五六〇・九、東京地判大九・九・二〇評論九商五三九、東京地判大一四・一二・八評論一五商一一三、東京地判昭四・五・二〇評論一八商四〇七等）。

戦後の判例で右と同趣旨のものとしてはつぎのものがある【22】【23】。

【22】　「控訴人は、右手形に受取人として記載されている広洋発条製作所は法人でも自然人でもなく権利能力がないから、本件手形は手形要件を欠く無効のものであると主張するけれども、凡そ手形面に表示すべき当事者は形式上記載されておればよいのであつて、それ等の者が権利能力を有するか否かは問うところでないばかりでなく、その表示の方法も、苟も本人の同一性を認識し得る限り氏名以外の商号、通称又は雅号等を記載するも差支がないものというべきところ……右広洋発条製作所は訴外Aが個人で経営するバネ製作所の商号であることが認められるから、右手形はもとより手形要件を欠くものでなく、有効であつて、その受取人は訴外Aと解すべきである」（東京高判昭二八・七・一六東京高民時報四・四・一一三）。

【23】　「……受取人欄にはたんに『東永建鉄工作所』とのみ記載され、被告主張のように『有限会社東永建鉄工作所』とは記載されていないことが認められるのみならず、およそ受取人としては人の名称と認められるものが記載されていればよいと解され、右認定の『東永建鉄工作所』との記載は受取人の名称として十分であると認められる……」（横浜地判昭三六・三・一四下民集一二・三・四六六）。

（三）受取人その他の手形当事者の表示に関しては、いかなる記載があれば手形の形式的要件として足りるかという問題と、その記載がある特定の人を指示するものと認められるかという問題との二つが、明確に区別して考えられなければならない。そして前者については、およそ人（法人）の名称と認められるものの記載があれば足り、そして後者については、公簿上の氏名又は商号にかぎらず、そのものの通称等でもよいと一般に論じられている。したがつて、このような立場からは、手形当事者としてのある名称の表示が、形式的要件としては足りていても、ある特定の人（法人）を指すものとは認められないということも起り得るし、また逆に、ある名称が――具体的に――ある特定の人（法人）を示すものとしていかに慣用されていても、それが――客観的に――およそ人（法人）の名称と認められるものでなければ、その表示では形式的要件としては足りないということにもなるわけである（しかし、この二つの問題は、概して混同されがちであるように思われる）。

そこで、このような観点から前掲【20】について考えてみるに、もしこの場合、「手形当事者の表示は、必ずしも公簿上の氏名又は商号に限らず、通称・雅号・芸名などはもちろん、平常取引に当たり自己を表示するものとして慣用する他人の名称をもつてしても差支えないものと解される（……）。それで平常取引において組合名が総組合員を表示するものとして使用されているものであるから」、手形要件を具備するとの右判決の結論に賛成すべきである、とでもいうような考え方（菅原・前掲一二三頁）をとるならば、明かに間違つている。そうではなく、「八王子青物市場」という記載がおよそ人（法人）――つまり権利主体――の名称と認められるかどうか、という観点から考えられるべきである。そしてこれについては、(a) あるいは、「八王子青物市場」との記載は――手形面から――民法上の「組合」を表わしたものと判断され、そして組合はおよそ権利の主体たりえないから、この場合には手形要件を欠くという考え方があるであろうし、(b) これに対しては、あるいは、組合は厳密な意味では権利主体ではないけれども、一般に、「組合ハ其ノ名義ニ依リテ取引ヲ為スヲ普通トシ、……組合ガ手形ノ受取人トシテ、組合名義ヲ以テ表示セラレタル場合ニ於テハ、寧ロ其ノ実質上ノ権利者タル総組合員ヲ表示スルモノトシテ手形要件ヲ具備スルモノ」と解すべきであるとして(【20】の判旨)、――組合を権利主体である法人に準ずるものとして考えるか、あるいは、個々の権利主体である組合員がそこに表示されているものと考えて――この場合、手形要件は具備されていると考える立場もあるであろう。(c) 一方これに対しては、組合は権利主体ではないから、本来その名称を手形当事者の表示として記載しても手形要件をみたすとは認められないはずであるが、手形面の記載からそれが法人を示しているか組合を示しているかを判断するのは容易ではなく、またそれにより手形の効力が左右されれば手形権利者の地位の安定を欠くので、そこで、――この場合のように――およそ「団体」の名称と認むべきものの表示があれば手形要件がみたされているものと認めようという立場もあるだろう。

私見としては、右の(c)の立場に立ちたいと考える。

(四) つぎに、受取人が何人であるかの決定は、手形面の記載のみによってこれをなすべく(手形客観解釈の原則)、手形上に個人の氏名を受取人として表示してあるのみのときは、手形外の証拠によって他の代表者と認定してはならない【24】。

【24】「手形ノ受取人カ何人ナリヤハ手形面ノ記載ニ依リ決スヘキモノニシテ手形面ニハ個人ノ氏名ヲ受取人トシテ表示シアルノミニシテ他ノ代理人又ハ代表者タル資格ニ於ケルモノト解シ得ル何等ノ記載ナキニ拘ラス他ノ証拠ニ依リテ其ノ受取人ハ個人ニ非スシテ他ノ代表者タル資格ニ於ケルモノナリト判定スルハ手形法ノ許ササル所ナリトス」（大判昭三・五・九商判集追Ⅱ三六九）。

しかし具体的事案においては、個人を表示したか、あるいは他の代理人ないし代表者を表示したものとみるべきか、判定の困難な場合が少くない。受取人の記載として、会社の商号の左側に、代表（代理）資格を表示せずに個人名を併記してある場合について、会社が受取人として記載されたものと認められるとの近時の下級審判決【25】がある。

【25】「一般に、会社の代表者を表示するときは、会社の商号の左側に代表者たることを示してその氏名を併記するのが通例であり、本件手形の受取人欄に日田産林株式会社の左側に併記された「橋本正木」の氏名は、同社代表者たることを明示してこそいないが、同会社の代表者を表示するために記載されたものであつて、同会社との関係は自ら明白であると解せられるから、従つて本件手形の受取人とせられたのは、日田産林株式会社であるというべく、その受取人が不明であるということはできない」（名古屋高判昭三五・五・二五判時二三〇・三〇）。

右判決のような事例については、「受取人が会社であるか個人であるか不明確であるとの理由で手形を無効と解すべきではないが、またその記載そのものから直ちに会社が受取人であると断定することもできない（……）。むしろ、記載そのものから両様の解釈がなされうると解すべきであろう。そうだとすれば、受取人の選択的記載がある場合と同様に解すべきことになる」との見解がある（大隅＝河本五六八頁、そしてさらに、「受取人の選択的記載がある場合においては、手形がいずれに交付されるかによつて権利者が確定するから、手形関係の不明確を生ずることがないとの理由で、その適法性が認められている。しかし、法人とその代表者個人との選択的記載の場合に、右の個人が受取つたのでは、外観上は権利者が明確になつたとはいえない。しかし、当事者間では、代表者としてのその人に交付したのか、それとも、その人個人に交付したのかは明らかであるはずであるから、そのいずれであるかによつて権利者は確定するとみるべきであろう。この点についてまで、手形客観解釈の原則が及ぶものではない」とのべられている）。

（五）受取人は重畳的または選択的に数人たることを妨げないというのが通説である（詳細は九「手形要件の複数的記載」参照）。

受取人は振出人とは別人であるのが通常であるが、為替手形の振出人が自己を受取人とすることもさしつかえない。これを自己指図手形という（手三Ⅰ）。明文の規定はないが、受取人と支払人が同一人であること、また振出人・受取人・支払人の三者が同一人であること、および約束手形の振出人と受取人が同一人であることも妨げないと解するのが通説である（詳細は本節四「当事者資格の兼併」参照）。

三　振出人（手一8・手五7）

（一）手形の形式的要件たる振出人の署名としては、手形上におよそ人（自然人又は法人）の名称と認められるものが、手書ないし記名捺印の形式で存在すれば足りる。したがつて偽造の署名又は記名捺印でも基本手形の成立を妨げない。しかしある特定の者に振出人としての手形上の責任を問うためには、その名称の手書ないし記名捺印が少くともその者の意思に基いてなされたことが必要である。

（二）特定人を振出人その他の手形行為者として認定するためには、手形記載の名称はいかなるものでなければならないか。大判明三九・一〇・四【26】は、この点につき、手形記載の名称は公簿上の氏名または商号に限らず、氏名または商号の形体を備え本人の慣用によつて知人又は隣佑間に本人の称呼であることが知らされている場合には、通称・雅号でもよいとし、また大判大一〇・七・一三

【27】は、――為替手形の引受署名に関し――、平常取引をなすに当り、自己を表示するものとして慣用する他人の氏名も、手形行為者の氏名たるに充分であるとしている。

【26】「所謂通称ナルモノカ之ヲ手形上ニ記載スルニ於テ其方式ノ適法ナルヤ否ヤニ付審按スルニ手形行為ヲ為スニ当リ其手形ニ記載スル氏名又ハ商号カ必ス公簿上ノモノニ限ルヘキ理由ナク要ハ其本人ノ誰タルヲ表彰スルニアルヲ以テ氏名若クハ商号タル形体ヲ具フルモノニシテ本人カ之レヲ慣用スルニ於テ其知人若クハ隣佑間其称呼タルコトヲ知レル場合ニ在テハ所謂通称ハ勿論雅号ト雖モ手形方式上ノ氏名又ハ商号タルニ於テ毫モ差支アルコトナキ……」（大判明三九・一〇・四民録一二・一二〇三）。

【27】「平常取引ヲ為スニ当リ他人ノ氏名ト同一名称ヲ以テ自己ヲ表示スル名称トシテ取引上使用スル者カ手形行為ニ付キ自己ヲ表示スルタメ其他人ノ氏名ト同一ノ名称ヲ用ヒ手形ニ署名シタルトキハ手形行為ノ性質上該手形行為ハ之ヲ其署名ヲ為シタル者ノ行為ト認ムヘキモノニシテ其名称カ他人ノ氏名ニ属スルヤ又之ヲ商号トシテ使用シ得ヘキモノナルヤ否ヤノ点ハ其署名者ノ手形上ノ責任ニ影響ナキモノトス本件ニ於テ牧野幹ナル名称ハ上告人ノ妻ノ氏名ナルモ上告人ハ平常取引上自己ヲ表示スルタメ牧野幹ナル名称ヲ使用シ居リ本件手形ニモ亦此名称ヲ用ヒテ自己ヲ表示シ引受署名ヲ為シタルコトハ原判決ノ確定シタル事実ナレハ上告人カ引受人トシテ手形上ノ責任ヲ負フヘキハ当然トス」（大判大一〇・七・一三民録二七・一三一八）（末弘判批・判民大正一〇年度一一四事件、鈴木「通称による署名」手形小切手判例百選八頁）。

しかしここで注意すべきことは、振出人の記載においても、――受取人・支払人の記載におけると同様に――いかなる記載があれば手形の形式的要件として足りるかという問題と、その記載がある特定人を表示するものと認められるかという問題との二つがはっきり区別して考えられなければならないことであるが、右の【26】においてはこの区別が充分になされていないように思われる（手形の方式すなわち形式的要件の問題としては、たとえ通称でも、それがおよそ人の名称と認むべきものであれば足りるのは当然である）。

その後の判例をみるに、大体において、右二つの大審院判決に示された態度が踏襲されて来ている。たとえば、近時の下級審判例でこの問題に関するものとしては、まず、通称による表示に関するものとして【28】【29】【30】等があり、他人名義の使用に関するものとしては【31】その他がある。

【28】「ところで私法上の法律的生活関係において使用される氏名その他の人の名称は専ら当該特定人格の同一性表示の手段としての意義を有するものであり、且つその同一性認識の機能を果すことが氏名その他の名称の唯一の存在目的であることは明であり……必ずしも常に一人格に付単一の名称用うることを要せず、二以上の氏名、名称（例えば商号）を使用することを禁ずる理由もなく、その現に使用する名称が必ず戸籍簿上の氏名と同一又は是と類似することを要するものとなすべき理由もないと解せられる……。一体特定の人が生活関係上戸籍簿上の氏名と異なる名称を使用した場合その名称においてなされた行為の効果を享け得るや否は、その使用が当該特定人の意思に基き同人を表示するためになされたか否の主観的な事情と、外部よりその使用に係る名称が当該特定人を表示するものと認識せられるに足る客観的事情との両者が存するや否に依て決せられる。……本件手形の受取人及裏書人として記載せられた谷口信一なる名称が被控訴人本人の意思に基き自己の別名として記載せられたものであること……被控訴人は鉄線製造業を営み、その営業のため株式会社D銀行T支店及H信用金庫と当座取引を有し、殊にH信用金庫には昭和二十六年四月十七日以来引続き谷口信一名義の普通預金口座を設け同金庫も本より右谷口信一なる名義が被控訴人の別名であつて右取引の相手方は被控訴人であることは熟知するところであり、又他の銀行取引においても被控訴人はその別名として谷口信一なる名称を使用しているのであつて、本件手形に付ても被控訴人が前記信用金庫をしてその取立をなさしめんと考えたため便宜上同金庫との取引口座名たる谷口信一なる名称に於て白地受取人欄を補充したものであることが認められるのであつて、右認定の事実に徴すれば被控訴人は……有効に手形上の権利を取得したものと解するに何等支障なく……」（大阪地判昭三〇・五・一六判時七一・二五）。

【29】「……共生林産商事株式会社という名称は登記簿上の商号を共生林産株式会社と呼ぶ実在する法人の

通称であつて、同会社は銀行取引はもちろんその他一般取引においてもすべて右通称を使用していることを認めることができる。手形行為者が自己を表示するのに正式の氏名商号をもつてせず、通称を用いることはなんら差支えのないことである。

それは自然人の場合に限ることではなく、法人にあつても同じことで、……法人の機関が法人を手形行為者と表示するに当つて、その法人の登記簿上の名称でなく、その通称を記載することは許されることである」（大阪高判昭三一・五・七 高民集九・四・二五二）。

【30】「手形行為の署名（記名捺印を含む）はすべての手形行為に通ずる要件であるが、これに用いられる手形行為者の名称は、行為者の同一性を認識することができるものであれば必ずしも戸籍上の氏名又は商号など公簿上のものであることを要せず、通称を用いることもできるものと解するを相当とする。本件においては、控訴人が中央学院なる通称を用いていることは当事者間に争がないところであるから、控訴人がその公簿上の名称である全和会と表示しないで、右通称を用いて本件手形を振出したとしても、手形行為の要式性になんら欠けるところはない」（東京高判昭三八・二・一四 東京高民時報一四・二・二二）。

【31】「……株式会社M銀行K支店、T銀行F支店並びにベニヤ業者であるA、B……等の各経営に係る会社（これは原告の組合員であるが）においては、松岡修二、中田雅久はいわゆる被告の裏口座として、右名前は被告を表示するものとして扱われていたこと、又被告は、本件手形を含めて合計六千万円程の手形を右名義を使用してKベニヤ工業会社に渡していることが認められる。

以上認定事実により、仮令中田雅久、松岡修二が実在するとしても、本件手形は、いずれも被告を表示して、被告が振出したものと認めるのが相当である」（東京地判昭三七・一一・二九 判時三三三・三〇）。

右の諸判決において注意すべき点は、いずれも、それら「通称」あるいは「他人の名義」は、取引上自己を表示するものとして慣用されている場合にのみ、その者の表示として認められるとの立場をとつていることである（【30】はその点明言していないがおそらく同趣旨であろう。なお、同判決においても【26】と同様に、方式の具備と特定人の表示の二つの問題の区別が充分になされていないように感じられる）。そしてこの立場をより積極的にうち出したものとして、つぎの下級審判決がある【32】。

【32】「被告は有限会社菅原紙工所は、被告が代表取締役である訴外有限会社菅原商店の通称であるから、被告は責任を負わない旨主張し、……訴外有限会社菅原商店が有限会社菅原紙工所の名称で商取引をしていたことは認められ、右認定を覆えすに足る証拠は存在しない。しこうして、手形の署名を通称をもつてなすことは認められ、その署名が通称であるからといつて手形行為が無効になるものではないと解することはできるが、手形の記載が真の名称と別異の通称であることを知らないものに対して、通称を用いた者がその記載が通称であると主張することは許されないと解するのが相当である」（東京地判昭三五・一二・二六判時二五一・一六）。

ところで、最高裁は、近時、この問題につきつぎのような判断を示した【33】。

【33】（事案）Y（被上告人）らは「和木材工業株式会社」の取締役であつたが、その商号を「三ツ輪林業株式会社」と変更しようとしたところ、類似商号が多いとの理由で受理されなかつたので、一応「みつわ林業株式会社」と商号変更登記をしたものであるが、実際上の取引および手形取引においては会社名を「三ツ輪林業株式会社」と表示し、会社表の看板、Yらの名刺、その使用する印鑑、印判等の表示もすべて「三ツ輪林業株式会社」となつていた。

そしてX（上告人）が同会社の振出にかかる手形の交付を受けたが、Xはその取引に不安を感じ会社の実体を調査せんとして商業登記簿の閲覧を求めてはじめて「三ツ輪林業株式会社」なるものが登記されておらないことを知り、そこで右会社は実在しないものとしてY個人に対しその手形の支払を求めた。

一、二審ともに、Xにおいて「みつわ林業株式会社」と登記されている会社が「三ツ輪林業株式会社」なる商号で営業活動している会社と同一会社であることを信じていたとの理由で、その手形を同会社振出の手形と認めY個人の責任を否定した。これに対しXは、一般の取引者としては、「三ツ輪林業株式会社」こそ、名実とも、実在の会社であると信じこそすれ、「みつわ林業株式会社」と登記されている会社が「三ツ輪林業株式会社」の名称で営業活動をしている会社と同一会社であると信ずる余地もない。本件手形が振出されXに交付された当時、「三ツ輪林業株式会社」が、取引上「みつわ林業株式会社」を表示する名称として取引者間に慣用され又はその別名であると一般に明らかにされておつたとは社会通念上解しがたい、として上告した。

〔判旨〕「原判決は、実在する会社である訴外みつわ林業株式会社が判示の経緯から営業上は『三ツ輪林業株式会社』の名称を用いるのを常とし、手形取引においてもその名称を用いていたのであり、被控訴人（上告人）においても、本件手形取引に当り右の事実を知つていたものである旨を判示した趣旨であること判文上明かであつて、上告人が右訴外会社の商業登記簿上の名称をも知つていたかどうかおよび右商業登記簿上の名称が本件手形振出当時一般に周知であつたかどうかは原判決の判示するところでなく、その旨の判示は上告人の本訴請求を排斥するにつき必要がないから、所論はその前提を欠くものといわざるをえない。原判決に所論の違法がなく、論旨は採用できない」（最判昭三九・四・一七民集一八・四・五四三）。

右判決の事案は、取引上用いられている名称が公簿上の名称と相違していること――したがつて公簿上の名称が何であるかということ――を取引の相手方が知らず、また一般にもそれが周知されていなかつた場合である。それに対する最高裁の見解はもう一つ明瞭ではないが、おそらくは、このようにたとえ公簿上の名称（この場合は「みつわ林業株式会社」）が一般に周知されていなくとも、その取引上用いられている名称（この場合は「三ツ輪林業株式会社」）が――それが公簿上の名称と受けとられようと、通称と受けとられようと――その人（法人）を表示するものとして慣用されていることが一般に周知され、取引の相手方もそれを知つている場合には、それがその人（法人）を表示するものと認められるという趣旨を示しているのではあるまいか。

（三）その他、振出人の表示方法に関する近時の判例を若干あげると、振出人として「何々株式会社社長某」との記載のある場合に、右会社が実在しないときは、その振出は社長某個人の行為にほかならないとの東京地判昭二五・一〇・七（下民集一・一〇・一六〇八）があり、これに似たものとして、法人格を有しない各種学校たる「万城目正音楽院」の「専務理事船津健男」名義で振出された手形は、右船津個人の振出したものと認められるとの東京高判昭三九・二・二六（金融法務三七三・一五）がある。

また、「根本俊平」という振出人署名をめぐって、原告（所持人）はこれは被告（振出人）の「根本幸夫」が取引上用いている通称であると主張したのに対し、被告は右氏名は被告が代表取締役をしている訴外「日清産業株式会社」が取引上用いている通称であって被告のそれではないと争った事案について、東京地判昭三七・九・一四（判時三一四・三〇）は、「訴外日清産業株式会社という営利法人が、法人格を持つ商人であることが推定されうるようないわゆる屋号その他これに類するような名称ならば格別、自然人の氏名をその通称として用いることが一般の経験上稀有な事例に属すること（その当否についても問題があろう）などを……考えると、結局『根本俊平』は被告の通称であると認めざるをえない」と判示している（その他、振出人「株式会社オリオン絵具製造所輸出部」の表示における「輸出部」の表示は、振出人の商号そのものに含まれていないが、普通「株式会社オリオン絵具製造所」の輸出部、すなわち会社の事業の一部門を指すものと解するのを相当とし、別異の法人を指すものとは解されないとの東京高判昭三四・七・一五判時一九九・三一や、株式会社がその一事業部門を別会社名義で運営し、かつその名義で銀行口座を開設している場合に、右会社の代表者がその通称たる別会社名義で約束手形を振出したときは、結局右会社のために振出したものと解すべきであるとの大分地判昭三五・六・二九下民集一一・六・一三八二等がある）。

（四）記載の名称にさ細な誤り（たとえば安井九右衛門を安井九左衛門と誤記）があってもさしつかえない（大判昭八・四・八法学二・一三五九）。振出人の署名は必ず手形本紙上になすべく、補箋上になされた場合は無効である

【34】（学説の間には争いがある。詳細は塩田「手形の共同振出」講座二巻八九頁以下参照）。

【34】「手形ノ振出人ハ其ノ手形ニ署名スルコトヲ要スルモノニシテ裏書又ハ手形債務ノ保証ヲ為ス場合ノ如ク補箋ニ署名スルコトヲ許シタル規定ナキヲ以テ補箋ニ振出人トシテ為シタル署名ハ手形法上其ノ効ナキモノト解スルヲ相当トシ所論ノ如ク振出人トシテ署名シタル者全員カ手形ト補箋トノ間ニ契印ヲ為セル場合ト雖之カ為其ノ補箋カ補箋タル性質ヲ失ヒテ手形ノ一部トナルモノニ非サルヲ以テ……」（大判昭六・一・二四民集一〇・二六、同旨大判昭八・一二・一四商判集追Ⅰ二八四、岐阜地判年月日不明・昭和四年（レ）七三号・新聞三〇七二・六）。

振出人が数人あることも可能である（詳細は九「手形要件の複数的記載」参照）。

四　当事者資格の兼併

（一）当事者資格の兼併の問題についての従来の判例を、年代順にならべてその推移をたどってみよう。

なお、旧法においても、現行手形法（手三Ⅰ Ⅱ）と同様の規定（旧商四四七条）がおかれていた。

(1)　まず、古くは、明治三六年一〇月一〇日の大審院判決が、――傍論として――約束手形の振出人は自己指図手形を振出すことはできず、これは「其性質上然ラザルヲ得ザルモノナリ」とのべている【35】。

【35】「約束手形ノ振出人ハ自己ヲ受取人ト為スコトヲ得サルハ其性質上然ラサルヲ得サルモノナリト雖モ振出人カ自己ノ振出シタル約束手形ヲ更ニ他人ヨリ譲受ケ又ハ之ヲ他人ニ譲渡スコトハ約束手形上毫モ障碍ヲ来タスモノニアラサルヲ以テ此点ハ為替手形ト異ナルコトナシ故ニ約束手形ニ商法第四百五十六条第四百五十七条ノ準用ヲ許ス所以ナリ従テ振出人カ他ヨリ自己ノ振出シタル約束手形ヲ譲受クルモ民法上混同ノ規定ヲ適用スヘキモノニアラス」（大判明三六・一〇・一〇民録九・一〇九七）。

(2)　つぎに、東京控判大一三・五・三（評論一三巻商法二八七頁）は、為替手形について、「三人格ハ別人ナルヲ原則トシ、唯例外トシテ振出人ガ受取人又ハ支払人ヲ兼ヌルコトヲ得セシメルコトハ、商法第四百四十七条（現手形法三条）ノ解釈上疑ナキトコロ」であるとして、為替手形の受取人は支払人を兼ねることはできない旨判示した。

(3)　ところが右事件の上告審である大判大一三・一二・二五は、「商法中為替手形ノ支払人ト受取人トガ同一人格者ナルコトヲ得ザル旨ヲ定メタル規定ナク、又……振出人ト支払人又ハ受取人トガ同一人格ナルコトヲ得ルニ、其ノ支払人ト受取人トハ同一人格者ナルコトヲ得ザル理由ナシ。蓋、為替手形ハ裏書ニ依リテ譲渡セラルルモノニシテ、一旦裏書譲渡アリタル場合ニ於テハ、支払人ト受取人トガ同一人格者ナル手形モ此ノ両者カ別人格者ナル手形ト同一ノ効力ヲ有スルコトヲ得ベキモノナレバナリ」として、為替手形において、支払人と受取人とが同一人格者であってもよい旨判示して原判決を破棄した【36】。

【36】　「商法第四百四十七条（現手形法三条）ハ振出人ハ自己ヲ受取人又ハ支払人ト定ムルコトヲ得ヘキ旨ヲ定ム之ニ依レハ為替手形ノ振出人支払人及受取人ハ各別異ノ人格者ナラサルヘカラサルモノニ非サルコトヲ知ルニ足ル而シテ商法中為替手形ノ支払人ト受取人トカ同一人格者ナルコトヲ得サル旨ヲ定メタル規定ナク又為替手形ノ振出人ト支払人又ハ受取人トカ同一人格ナルコトヲ得ルニ其ノ支払人ト受取人トハ同一人格者ナルコトヲ得サル理由ナシ蓋為替手形ハ裏書ニ依リテ譲渡セラルルモノニシテ一旦裏書譲渡アリタル場合ニ於テハ支払人ト受取人トカ同一人格者ナル手形モ此ノ両者カ別人格者ナル手形ト同一ノ効力ヲ有スルコトヲ得ヘキモノナレハナリ然ラハ為替手形ノ支払人ト受取人トハ別人格者ナルコトヲ要セス同一人格者ナルコトヲ得ルモノ

ト解スルヲ相当トス然ルニ原判決カ……本件為替手形ヲ無効トシテ上告人ノ本訴請求ヲ排斥シタルハ違法ニシテ原判決ハ全部破毀ヲ免レサルモノトス」（大判大一三・一二・二五民集三・五七〇、小町谷判批・判民大正一三年度一一二事件、富山「支払人と受取人の兼併」手形小切手判例百選一一六頁）。

(4)　そしてつぎに大阪区判昭四・一〇・二二【37】は、自己を受取人として振出された約束手形に関する事件について、被告が「約束手形ノ振出人ハ手形ノ主タル債務者ニシテ其本来ノ責任者ナルガ故ニ、自己ヲ受取人トシテ手形ヲ振出スモ、振出人ニ対シテ手形上ノ権利ヲ有スルモノナキコトトナルヲ以テ手形振出行為ハ成立セズ」と主張したのに対し、【36】の判旨を引用しながら、「手形関係ノ当事者ニ於テハ、其ノ本質上、商法第四百四十七条（現手形法三条）ハ単ナル説明的規定ト解スルヲ相当トスベク、同規定ハ約束手形ニ準用ナシト雖モ準用アリト同一ニ論ズルコトヲ得ベシ」。従つて理論上約束手形においても振出人および受取人が同一人格者たりうるものと解すべきであり、「又実際上ノ必要ヨリスルモ、此ノ種ノ手形ヲ認ムルコトハ、一商人ニシテ数多ノ支店又ハ営業所ヲ有スルモノガ、其ノ各支店又ハ営業所相互間ニ於テ此ノ種ノ手形ヲ発行スル場合ニ実益アリト謂フベシ」と判示した。そしてこの事件の控訴審である大阪地判昭五・三・三【38】も、右の結論を支持し、その理由として、商法五二五条（現手形法七五条）は「記載サレタル受取人ノ何人タルヤハ敢テ問フトコロニアラザル」こと、および「既ニ自己ノ振出シタル約束手形ヲ裏書ニヨリテ取得シ、更ニ之ヲ裏書ニヨリ譲渡シ得ル以上ハ、振出其モノニ因リテ直ニ自己ヲ同一地位ニ置得ルモノト解スルヲ相当トスル」ということをあげる。

【37】　「商法第四百四十七条（現手形法三条）ニ依レハ為替手形振出人支払人及受取人ハ各別異ノ人格者ナ

ラサルモノニ非サルコトヲ知ルニ足ル蓋シ為替手形ハ裏書ニ依リ譲渡セラルルモノナレハ一旦裏書譲渡アリタル場合ニ於テハ支払人ト受取人ト同一人格者ナル手形モ此ノ両者カ別人格者ナル手形ト同一ノ効力ヲ有スルコトヲ得ヘキモノナレハナリ斯ル関係ハ独リ為替手形ノ場合ニ於テノミ然ルヘキモノニアラスシテ約束手形ノ場合ニ於テモ同一ニ論スルヲ得ヘシ従テ手形関係ノ当事者ニ於テハ其ノ本質上商法第四百四十七条ハ単ナル説明的規定ト解スルヲ相当トスヘク同規定ハ約束手形ニ準用ナシト雖モ準用アリト同一ニ論スルコトヲ得ヘシ従テ理論上約束手形ニ於テモ振出人及受取人カ同一人格者タリ得ルモノト解スヘキナリ又実際上ノ必要ヨリスルモ此ノ種ノ手形ヲ認ムルコトハ一商人ニシテ数多ノ支店又ハ営業所ヲ有スルモノカ其ノ各支店又ハ営業所相互間ニ於テ此ノ種ノ手形ヲ発行スル場合ニ実益アリト謂フヘシ従テ本件手形ノ振出行為ハ有効ナリ……」（大阪区判昭四・一〇・二二新聞三一九九・五）。

【38】「約束手形振出ノ形式ハ商法五百二十五条（現手形法七五条）ノ定ムル所ナルカ同条ハ振出人カ手形証券ニ受取人ノ氏名又ハ商号ヲ記載スルコトヲ要スル旨ヲ定メ居ルニ止マリ其記載サレタル受取人ノ何人タルヤハ敢テ問フトコロニアラサルヲ以テ或ハ仮設ノ人ヲ以テ受取人ト定ムルモ亦手形ノ成立ヲ妨クルモノニ非スト解シ得ヘキノミナラス商法第四百五十六条（現手形法一一条三項）第五百二十九条（現手形法七七条）ニ依リ既ニ自己ノ振出シタル約束手形ヲ裏書ニヨリテ取得シ更ニ之ヲ裏書ニヨリ譲渡シ得ル以上ハ振出其モノニ因リテ直ニ自己ヲ同一地位ニ置得ルモノト解スルヲ相当トスルヲ以テ自己ヲ受取人トセル約束手形ノ振出行為ハ有効ニシテ本件約束手形ノ振出モ亦有効ナリトス」（大阪地判昭五・三・三新聞三一九九・五）。

(5)　ところが、この事件の上告審である大判昭五・一一・六は、これに反し、前掲【35】を引用しながら、「自己宛為替手形ヲ認容シタル商法第四百四十七条（現手形法三条）ノ規定ハ……約束手形ニ関シテハ其ノ準用ナキモノニシテ、商法ハ自己宛約束手形ハ之ヲ無効トスルノ法意ナリ」として、約束手形においては振出人と受取人とは同一人格者たりえない旨判示した【39】。

【39】「自己宛為替手形ヲ認容シタル商法第四百四十七条（現手形法三条）ノ規定ハ第五百三十七条（現行法に該当条項なし）ニ依リテ特ニ小切手ニ之ヲ準用セラレタルモ約束手形ニ関シテハ其ノ準用ナキモノニシテ商法ハ自己宛約束手形ハ之ヲ無効トスルノ法意ナリト云フヘク此ノ点ハ既ニ当院判例ノ是認スルトコロナリトス（明治三十六年十月十日当院言渡判決参照）サレハ本件手形ハ当然無効ノモノニシテ……」（大判昭五・一一・六新聞三一九九・四）。

以上のように、大審院は、為替手形については、支払人と受取人との兼併を認めながら（【36】）、約束手形については、振出人と受取人との兼併は認めないとの態度をとっている（【35】【39】）。そこで【36】と【39】とをくらべてみるに、前者のあげている理由は、要するに、(1) 支払人と受取人との兼併を禁ずる法の規定のないことと、(2) 振出人と支払人、ならびに振出人と受取人との兼併が——法の規定により——認められているのに、支払人と受取人との兼併を——解釈により——認めてはいけない理由はないということ（その説明として、——自己宛および自己指図為替手形におけると同様に——一旦裏書されると、支払人と受取人とが同一人格者なる手形もそうでない手形と同一の効力を有することになるということをあげている）の二つである。一方、後者のあげている理由は、単に、商法四四七条（現手形法三条）が約束手形には準用がないということである。ところで、この二つの大審院の態度は矛盾しているように思われる。すなわち、もし前者の態度を貫くならば、後者の場合にも、為替手形において、振出人と支払人、ならびに振出人と受取人との兼併が——法の規定により——認められていることとの対比のもとに、約束手形において、振出人と受取人との兼併を——解釈により——認めてはいけない理由がないか否かを判断すべきことになるはずである。そしてその理由がないとするならば、——たとえ商法四四七条が約束手形に準用がなくとも——兼併は認めらるべきことになるはずである。そして【36】のとっている論法からすれば（すなわち、一旦裏書されると当事者の兼併のある手形もそうでない手形と同一の効力を有することになるかどうかという点については、為替手形における支払人と受取人との兼併の場合も、約束手形における振出人と受取人との兼併の場合も別段変りはないと思われるので）、この場合にも兼併が認めらるべきことになるのではないかと思われる。

(二)　つぎに、学説の変遷をみてみよう。

(1)　まず、戦前の学説をみるに、古くは、当事者資格の兼併を認めた商法四四七条（現手形法三条）は、本来例外的規定であるから、制限的に解釈すべきであるとするものが多かつたが（青木博士は、商法四四七条は「本来例外的規定ナルヲ以テ狭義ニ解スヘキハ勿論ナリ故ニ為替手形ニ於テ受取人ト支払人トカ同一人ナルトキハ絶対的ニ無効ナリ……況ンヤ振出人受取人支払人ト三者皆同一人ナルトキニ於テオヤ」とのべ、自己指図約束手形も又認められないとされる。そして自己指図為替手形については、「此手形ニ依リ権利義務ヲ生スルハ振出人カ受取人ノ資格ニ於テ之ヲ他ニ裏書シタル時ヲ以テ始ト為ス」と説かれる（青木二九五頁、五四二頁、五四三頁）。松波博士もこれと大体同説であるが（松波六四九頁以下）、水口博士は、為替手形における支払人と受取人の兼併のみは有効とされ、自己指図為替手形については「手形振出ノ時ニ於テ既ニ完全ナル効力ヲ発生ス」と説かれる（水口二二八頁、二五二頁以下））、松本博士は、為替手形につき、「法律カ振出人ト受取人トハ同一人タルコト及ヒ振出人ト支払人トカ同一人タルコトヲ認ムル以上ハ此三者カ同一人タルハ当然認メラルル」とし、又支払人と受取人との兼併についても、「商法四四七条……ニ依リ同一人タルヘカラストスル結論ヲ生スヘキ根拠ナシ又支払人ハ手形ノ振出ニ因リテ支払ノ義務ヲ負フモノニ非サレハ」それを妨げるべき根拠はないとされる（松本一九六頁。そして自己指図為替手形については、「其手形ノ作成ト同時ニ完全ナル手形ヲ生ス……唯手形カ振出人ノ手中ニ在ル間ハ手形上ノ債権者ヲ生スルコトナキノミ」と説かれる（松本一九五頁））。

これに対し、田中耕太郎博士は、「手形関係自体の窮局の目的は……一定の金額の支払であるが、然し手形関係の各部分における手形当事者間の関係も同様に支払とか信用の授受とか要するに財産価値の移転自体である。而して財産価値の移転自体を目的とする法律関係、例えば物権行為、債権譲渡行為……の如きものは、其の原因たる債権行為と区別せられなければならぬ。債権行為に於ては二当事者間に利害が相反する関係が存在するのに反し、其の履行を目的とする財産移転行為に於ては利害相反する関係は存在せずして、むしろ協同関係が存在するのみである。この故に手形当事者が別個の人格者なる場合に於ても、其の相互の関係たるや債権契約の場合……と大いに趣きを異にする……。加之手形関係に於ては一般私法上の財産移転行為が別異の人格者間にのみ存し得ると異り同一人格者間にも行はれ得るのである。……其の理由は、普通の物権又は債権の移転と異り、金銭価値の異動は単に法律上の意義に於ける人格の概念に拘束せられずして一般に異る経済単位間に行はるることを要求するのであり、而して手形法が此の必要を認めたるに基因する……。手形関係は、同一人に属する本店と支店、又は支店相互間或は同一人に属する一営業と他の営業……との間にも存在し得る。是れ其等の経済単位間に異る人格者間に於けると全く同一の金銭出納関係が存在し得るからである」としてこの制度の根拠を説明づけ、そして、為替手形における受取人と支払人との兼併ならびに三当事者の兼併、および約束手形における振出人と受取人との兼併のいずれをも、上記の「手形当事者の観念の特異性」より承認される（田中耕二六五頁以下。これよりさき、「手形関係の本質」法協四三巻上（大正一四年）二九頁以下において も、この問題について詳細に論じられている。なお田中耕二六九頁は、自己指図為替手形ならびに約束手形について、「同一人格者の間に完全なる手形関係を生ずる……。手形は其の者が振出人として要件を記載したる手形に署名するに依りて完成し、而して受取人としての資格に於て其れを所有するものである。此の状態にあつて其の者は受取人たる資格に於て振出人たる資格に於ける自己に対し手形上の権利を有するものであるが、然しこの権利は純観念的のものであり、其者の手中に於ては実益なく、之れが他人に譲渡さるるに至りて始めて法律上の意義を有するに至る……。此の故に私は自己が自己に対しても手形上の権利を有することを認むる」とされる）。

小町谷博士も右の見解に賛成される（「手形は第一次的に存在する法律関係、即ち実質関係の手段たる作用……換言すれば、手形は実質関係から発生した債権債務の結末を付ける役目をするものであつて、貨幣と同じように一箇の支払方法たるに過ぎない。唯だ手形は原則として其振出の時期と支払の時期との間に多少の間隔があるから、此間隔を利用して種々の法律関係を生ずるのであるが、其究局の目的は、手形上の各当事者が、満期日に完全な支払のあることに協力しているのであつて、其意味に於て、手形上の各当事者は、各自、支払に関する事務を分担しているものといはなければならない。従つて之等の者の間には、実質関係に於けるが如き利害の衝突があり得ない……。従つて又、其各当事者は、各自独立の人格者であることを得ると共に、一部又は全部同一人格者であることを得るのである。然らば、商法四四七条の規定は此当然の事理を規定する」とされる。判民大正一三・一一二事件五二五頁）。その他の学説をみるに、一般に、当事者資格の兼併を広く認めようとするが（本間志林六八二頁は、当事者資格の兼併が認められる立法理由につき、「本支店の金銭取引の便宜に出づる場合に限らず……要するに斯る手形を便宜とする社会生活上の需要に応ぜんがためのみと説明すべきである」として兼併を広く認められる。そして自己指図手形について、「振出人以外の他人と交渉を有するに至つてはじめて手形は法の世界に現れ、……振出は客観的効力を有するに至る。然し自己が自己に対し権利を有することは……無意味」であるとされる。鳥賀陽九八頁は、為替手形における三当事者の兼併は認めながら、支払人と受取人との兼併は認めない。升本五六頁は、「手形の証券性を強く意識し、私法一般原則とは異る証券法理の存在を肯定する者には……兼有の肯定は証券法上寧ろ当然に是認せられ得る所と考えられ、従つて同条（手形法三条）は……拡張解釈の余地を当然有する」とし、自身もこの立場に立たれる。そして西島一三〇頁は、兼併を広く認めながら、「手形行為には手形交付を必要とする。故に振出人と……受取人と同一なる場合には、その第一の手形行為は、受取人としての裏書である。この裏書によりて振出行為も共に行はるる」と説かれる）、大橋博士は、「手形関係は正に利害関係の衝突を証券上に表示しているのであつて、むしろ理論上は手形当事者は別人でなければならない。自己宛……自己指図の為替手形は法律が特に許した例外的規定である」として手形法第三条を制限的に解釈される（大橋一八三頁）。

(2)　戦後の学説をみるに、伊沢教授は、田中（耕）博士の説にしたがわれるが（伊沢三〇六頁）、鈴木教授は、「手形関係が二当事者間の関係のみに止まるのであれば、各当事者の地位はもちろん相矛盾し、従つて同一人がそれを兼併することは、法律的には全く無意味であるが（売買関係において相矛盾する売主買主の地位を同一人が兼ねることは法律的に全く無意味である）、手形関係においてはさらに第三者の参加（例えば裏書による第三者の参加）が当然予想されるため、かかる第三者に対する関係においては、各当事者の地位は必ずしも矛盾するものとはならず、従つて同一人が異る資格を兼併してそれぞれ異なる資格において異る役割を演じてもそれが法律上の意味を有し得ることになるのであつて、その理由はこのような簡単なものなのではなかろうか」と説明され（鈴木一八〇頁。そして同一八一頁註一三は「当事者資格の兼併の認否が、組織法・行為法の対立と直接関係があるとはなし難い。例えば合名会社の設立のような組織法的現象において当事者資格の兼併が認められえないこと、これに対し、運送契約のような行為法的現象においても、荷送人と荷受人とが同一人たることを妨げないことを考えれば、明らかである。加うるに、たとい各手形当事者が支払の実現という大きな目的からみて協力関係にあるとしても、直接の相互間に対立関係が存することを無視するのは行きすぎではないかと思う」とされる）、兼併を広く肯定される（そして、自己指図約束手形について、「振出人と受取人との間では権利義務の関係はないが、形式的には権利義務の関係が存在するものとして処理され、そして現実に第三者が参加すると、そのような形式的な関係がその第三者に対する関係において実質的なものとなる」と述べられる。鈴木一八一頁註一四)。

その他の学説をみるに、大隅教授は、「手形において当事者の兼併が認められるのは、流通の用具としての手形証券を通じてのみ可能とされる手形関係は、人格的関係ではなくして物化された関係であり、その当事者なる概念は極度に形式化せられ、証券上当事者と認められる者の表示がある限り、その実体の存否・真実との符号等を必要としないことの当然の結果であつて、それはまた実質的には手形行為がすべて債権の支払とその流通の確保という共通の目的に向つて奉仕するものとして位置づけられることによつて支持せられる」とのべて、兼併を広く肯定され(大隅八三頁)、石井教授は、田中(耕)博士の説を発展させ、手形行為の特質の一つとしてその「共同的性質」なるものをあげられる(そして「手形関係は結局一定の金額が支払われる目的のために存在する……。従つて各手形行為は、それ自体として独立に、それぞれの手形行為者の異る意図のもとになされるにしても、客観的、全体的にみれば、直接、間接に右の目的の達成に奉仕すべきものとして地位づけられている……。この意味では、それぞれの手形行為者は、各自手形行為の責任に若干の相違を示しつつも、一定の金銭の支払ということを目的とする手形関係においては、手形債権者を中心に一つの手形団体を構成しているともいえるし、またこの共同的性質のゆえに……兼併も広く肯定される」とのべられる。石井三〇頁)。しかし、田中誠二教授は、「各種の手形行為の差異を軽視すべきでなく、また手形行為関係者の利害関係の対立を見のがすことはできない。……債権者と債務者という異質にして対立的なものを含むでこれを団体として法律上取扱う利益はない」として石井説に反対される(そして、為替手形における受取人と支払人との兼併ならびに三当事者の兼併の認否については、「利害関係人に損害を与えないこと」および「実際上の必要あること」の二つの観点から判断すべきであるとし、前者は認め、後者は認められない。田中誠六一頁)(その他、富山「支払人と受取人の兼併」手形小切手判例百選一一六頁、竜田・講座二巻七頁も、ともに兼併を広く肯定されている)。

(三)　私見としては、この当事者資格の兼併の問題については、鈴木教授の見解に賛成したい。田中(耕)博士等の見解は、たしかに興味あるものを多く含んでいると思う。しかし、たとえ各手形当事者が支払の実現という大きな目的から見て協力関係にあるとしてみても、各種の手形行為の差異を軽視すべきではなく、また手形関係者の間の利害関係の対立も見のがすことはできない（鈴木一八〇頁 田中誠六一頁）。また債権者と債務者という異質にして対立的なものを含めて一つの団体としてとらえることにも問題があるように思われる（田中誠六一頁）。

【36】【39】の二つの大審院判決をくらべてみるに、前者には賛成であるが、後者にあらわれている大審院の態度には全く納得しがたい。何故自己指図約束手形を認めないのか。それを認めてはいけない何らかの積極的理由があるのであろうか。あるいは、自己指図約束手形を認めない古い大審院判例（【35】）にしばられたのか。またあるいは、「約束手形ノ振出人ハ手形ノ主タル債務者ニシテ其本来ノ責任者ナルガ故ニ、自己ヲ受取人トシテ手形ヲ振出スモ、振出人ニ対シテ手形上ノ権利ヲ有スルモノナキコトトナルヲ以テ、手形振出行為ハ成立セズ」（第一審における被告の主張）というような考え方に支配されているのであろうか。

六　満　期

一　概　説

満期とは、手形金額の支払わるべき日として手形上に記載されている日のことをいい、満期日ともいわれる（手一4 七五3）。満期は必ずしも「支払ヲ為スベキ日」（手三八Ⅰ）とは一致せず、満期が休日の場合にはこれにつぐ第一の取引日が「支払ヲ為スベキ日」である（手七二）。

満期は手形の要件ではあるが絶対的要件ではなく、これが欠けたときは法上一覧払とみなされる（手二Ⅱ・七六Ⅱ）（詳細は本節四「記載の欠缺」「満期」参照）。

満期はつぎの四種に限られる（手三三Ⅰ）。

（イ）確定日払　何年何月何日・昭和何年大晦日というように確定の日を満期とするもの（詳細は本節二「確定日払の満期の記載方法」参照）。

（ロ）日附後定期払　手形上に記載された振出日附から一定期間の経過した日を満期とするもの。この期間の算定方法については手形法三六条・七三条参照。

（ハ）一覧払　手形所持人が支払を求むるために支払人に手形を呈示した日を満期とするもの。通常、一覧次第あるいは請求次第お支払下さい（お支払いいたします）等の記載がなされる。一覧払手形にあつては、満期の到来が手形所持人のする支払の呈示にかかつているので、手形債務者が不当に長く拘束されないようにするため、法は原則として振出日附から一年の期間（呈示期間）内に支払の呈示をしなければならないことにしている（手三四）。

旧法の下で、大判昭六・三・一三（民集一〇巻二〇六頁）は、「二ヶ月据置三日前通知払」なる記載のなされた手形を一覧払手形ではないとした【9】。現行法の下では、「二ヶ月据置」は二ヶ月間支払呈示を禁止したものとして有効とみ得るが（手三四Ⅱ）、「三日前通知払」が支払委託の単純性を欠くとみられるから、やはり無効というべきであろう（大隅＝河本二三五頁、鈴木一八六頁、小橋「満期の記載方法」手形小切手判例百選一一八頁等）。

（ニ）一覧後定期払　一覧の後一定期間の経過した日を満期とする手形のこと。一覧のための呈示は為替手形では引受のための呈示であるが、約束手形には引受の制度がないので、文字通り一覧のための呈示である。この種の手形にあつても、満期の到来は手形の呈示にかかつているので、法は原則として振出日附から一年の期間（呈示期間）内に引受の呈示をしなければならないことにしている（手二三）。満期の表示方法は右の四種に限定され、これと異なる満期を記載した手形は無効である（手三三Ⅱ）。ところが、手形に支払期日として確定日附が記載され、さらに「甲会社成立後支払う」旨の文言が附記されている場合について、下級審判例で、その附記は支払期日の一定性を害し手形を無効ならしめるとするもの【10】と、その附記のみが無効であつて手形の効力には何等影響がないとするもの【13】とがある。おもうに、この場合は、当事者間の支払猶予の特約が手形面に記載されているものと解しうる。そこで――このような特約は、当事者間の単なる手形外の特約としてのみその効力が認められるものであるから――この特約記載のみを無効とすればよく、手形そのものまでを無効ならしめる必要はないと考える（大隅＝河本二三二頁、大塚「満期と呈示期間」講座四巻五九頁）。

また、満期は手形金額の全部について単一でなければならず、手形金額の一部分ずつに別々の満期を記載したときは、その手形（分割払手形）は無効である（手三三Ⅱ）。これに関する判例としては、一定の満期日の記載のほかに、「但シ毎月五十円入金スルコト」との記載のある手形を分割払手形と認めたつぎのような下級審判例がある【40】。

【40】「本件約束手形ニハ『支払期日昭和五年六月一日』ナル記載アルノ外『但シ毎月五十円入金スル事』ナル分割払特約ノ記載アルコト並ニ該分割払特約ノ記載ハ手形振出ノ際同時ニ為サレタルモノナルコト原告ノ

主張自体ニ徴シ明白ナルトコロ斯クノ如キ分割払特約ノ記載ハ其記載場所カ手形面上支払期日ノ欄下ニ在ラサル場合ト雖モ結局手形金額ニ付昭和五年六月一日以降毎月金五十円宛ノ請求ヲ為シ得ルニ過キサルモノトスルノ趣旨ニ解スルノ外ナク実質上端的直截ニ分割払ノ満期ヲ記載シタルト何ラ択フトコロナキヲ以テ商法第五百二十九条（現手形法七七条）第四百五十条（現手形法三三条）ノ規定ニ違背シ手形自体ヲ無効ナラシムルモノト解セサルヲ得ス」（東京地判昭一二・七・二新聞四一七六・一二）。

おもうに、右のような事例は、分割払手形の典型的な場合であつて、当然に無効と解すべきであろう（大隅＝河本二二七頁等）。

これに対し、満期日として一定の日が記載され、そして支払委託文句の次に「満六ケ月目毎ノ満期日右金額ノ一割相当金ヲ支払ヒアト残金書換継続被下契約也」との附記のある為替手形について、大判大一二・三・一四（民集二巻九六頁）（【12】）は、右附記は手形記載の満期日到来後の書替手形に関するものであり、それ自身が手形上の効力を生じないに止まり、支払委託の単純性を害して手形を無効ならしめるものではないとした。右判旨には賛成すべきであろう（大隅＝河本二二七頁等）。

二　確定日払の満期の記載方法

(一)　確定日払の満期の記載方法に関する従来の判例を整理し、それらを検討してみる。

(1)　まず、満期日として「明治何年何月何日限り」との記載のある場合について、東京控判明三五・五・一四（新聞九〇号六頁）は、その日をもつて満期日としたものと認められるとし、その事件の上告審である大判明三五・七・二二【41】も、「何日限ノ文字ハ必ズシモ期間ヲ意味スルモノト解セザル可カラザル法則アルニアラザレバ」その日を満期日と解しても違法とはいえないとしている。

【41】「原審ハ……約束手形ニ記載シアル一定ノ日限ノ文字ハ何レモ支払ヲ為スヘキ期間ヲ指示シタルニ非スシテ支払ノ満期日ヲ意味スルモノト解釈シタルコトハ其判文上明白ナリ而シテ何日限ノ文字ハ必スシモ期間ヲ意味スルモノト解セサル可カラサル法則アルニアラサレハ原審カ斯ノ如キ解釈ヲ為スモ之ヲ以テ違法ト為スコトヲ得ス」（大判明三五・七・二二新聞一〇五・二五）。

また満期日として「明治何年何月何日迄に」との記載があるときは、その日を満期日としたものと認めることができるとの東京控判年月日不明（新聞二三九号（明治三七・九・五）二〇頁）がある。

(2)　つぎに、「満期日　自大正一〇年一〇月一〇日至大正一一年一〇月一〇日」との記載のある場合について、東京地判昭二・八・一五【42】は、振出日から起算して満一年を経過した大正一一年一〇月一〇日を満期日とする趣旨と解することができるとしたが、同事件の上告審において大判昭三・六・二〇【43】は、「期間ノ表示アルガ故ニ」大正一一年一〇月一〇日の一日だけを満期日と定めたものと解することはできないとして原判決を破棄した。

【42】「……満期日自大正十年十月十日至大正十一年十月十日ナル記載ハ恰モ振出当日ヨリ起算シ満一ケ年ヲ経過シタル大正十一年十月十日ヲ以テ満期日ト為スノ趣旨ナリト解シ得ヘク其日ニ至ル迄ノ全期間ヲ以テ悉ク満期日ト為スノ趣旨ト解スヘキニ非サルヲ以テ該記載ハ何等不適式ニ非ス」（東京地判昭二・八・一五新聞二七五一・九）。

【43】「……本件約束手形ニハ支払期日ナル文字ノ下ニ自大正十年十月十日至大正十一年十月十日ト記載シアリテ期間ノ表示アルカ故ニ大正十一年十月十日ノ一日ノミヲ満期日ト定メタルモノナリトノ解釈ヲ容ルルノ余地ナク其ノ他原判決ノ認定事実ヲ証明スルニ足ルヘキ何等ノ記載アルコトナシ」（大判昭三・六・二〇新聞二八八八・一二）。

(3)　つぎに、振出日としては「明治三六年四月五日」と記載があり、そして支払期日としてはただ「四月二五日」とのみ記載のある場合について、東京控判明三七・三・一一【44】は、「同年内ノ取引ニ在テハ一々其年ヲ記載セザル慣習アルヲ以テ、……慣習上ヨリ観ルモ、将タ文書ノ解釈上ヨリ観ルモ」、振出の年と同年である「明治三六年」の四月二五日を満期日と定めたものと解せられるとし、同事件の上告審である大判明三七・七・五（民録一〇輯一〇二三頁）もこれを支持している。

【44】「……手形ハ厳峻ナル方式ヲ要スル形式証券ナルコト勿論ニシテ推測若クハ類似解釈ニ依リ其方式ヲ補フコトヲ得サルコト明ナリ故ニ手形ノ振出ノ日ノ如キハ商法第四百四十五条第六号（現手形法一条七号）……ニ規定シアル如ク方式トシテ年月日共ニ記載セサルヘカラス其一ヲ欠クトキハ手形ハ無効ナラサルヲ得ス（註 旧法には「振出ノ年月日」と規定）然レトモ満期日ニ付テハ方式トシテ年月日共ニ記載セサルヘカラサルコトヲ規定セス只満期日カ一定スル様記載スレハ足レルコト商法第四百四十五条第七号（現手形法一条四号）……ニ一定ノ満期日ト規定シアルヲ以テ知ルヘシ（註 旧法には「一定ノ満期日」と規定）故ニ年ノ記載ナケレハ満期日カ一定セサルヤノ問題ハ単純ナル形式ノ問題ニアラスシテ手形全体ヲ斟酌シテ決スヘキ自由判断ノ問題ナリ而シテ同年内ノ取引ニ在テハ一々其年ヲ記載セサル慣習アルヲ以テ手形ニ満期日トシテ四月二十五日ト記載シアリテ振出ノ月日タル四月五日ヨリモ後ナルトキハ慣習上ヨリ観ルモ将タ文書ノ解釈上ヨリ観ルモ振出ノ年ト同年ナル明治三十六年ノ四月二十五日ヲ満期日ト定メタルモノナルコトヲ認ムルニ充分ナル」（東京控判明三七・三・一一新聞一九八・九）。

また、東京控判明四〇・六・一七（新聞四三九号一一頁）も、振出日として「明治三九年八月三〇日」、支払期日として「一〇月二日」と記載のある場合について、「手形ハ通常短期限ニ支払ハルルモノナルガ故ニ、支払期日トシテ月日ノミヲ記載シ年数ヲ示サザルトキハ、其支払期日ハ振出ノ年月日ヲ距ル最近キ将来ノ右記載ノ月日ヲ指スモノト解スベキハ当然」であるとしている。

(4)　それからつぎに、満期日として「明治四五年四月三一日」と記載された手形について、京都地判年月日不明（大正五年(レ)五二四号、判例一巻民事一三六九頁）は、右記載は同年四月末日を記載しようとして誤記したものと認むべきであるから、支払期日の記載のない一覧払の手形と解すべきではないとし、また、大判昭五・七・一四【45】も、満期日として「昭和三年一一月三一日」と記載のある場合について、「其記載ヲ以テ十一月末日ヲ表示スルニ足ルモノト做スベク、従テ本件手形ハ所謂『確定セル日』ノ表示ニ何等欠クルトコロ」なしとしている。また戦後の判例では、仙台高判昭三一・一〇・九【46】が、「昭和二八年六月三一日」との記載について同様の結論を認めている。

【45】「按スルニ手形ノ満期日ヲ表示スルニ際リ所謂『確定セル日』ヲ以テスルトキハ当該ノ年月ヲ記載スル外当該ノ日例ヘハ十日ト言フカ如ク一定ノ日ヲ表示スルヲ通常トスルモ又単ニ或ル月ノ末日例ヘハ三月末日ト記載シ特ニ数字ヲ以テ三十一日ト表示セサル事例モ亦之ナキニ非ス而シテ右ノ場合ニ於テ三月末日ハ三月三十一日ノコトヲ意味シ三月三十一日ハ即チ三月ノ末日ニ該当スルモノナルカ故ニ苟クモ其月ノ末日ヲ指スモノト解シ得ヘキ記載アル以上ハ偶々表示ノ方法ニ妥当ヲ欠クモノアリトスルモ尚其月ノ末日ニ該当スルノ日ノ記載アルモノニシテ所謂『確定セル日』ノ表示ヲ欠如セサルモノト做スヲ相当トス今本件手形ニ付テ之ヲ観ルニ前陳ノ如ク満期日ヲ昭和三年十一月三十一日ト記載シアリ十一月ハ所謂小ノ月ニ属シ三十日ヲ以テ其ノ末日トナスコト勿論ナレトモ暦ニ依レハ二月ヲ除ク爾余ノ月ハ其ノ大小ニ依リ三十日又ハ三十一日ヲ以テ其ノ末日ト為スモノニシテ其レ以外月ノ末日ニ該当スルモノ之レナキカ故ニ本件手形ハ結局其表示ノ方法ニ妥当ヲ欠クモノアルモ尚其記載ヲ以テ十一月末日ヲ表示スルニ足ルモノト做スヘク従テ本件手形ハ所謂『確定セル日』ノ表示ニ何等欠クルトコロアルナク其振出ノ有効ナルコト勿論ナリトス」（大判昭五・七・一四新報二五五・一六）。

【46】「被控訴人は本件手形の満期が昭和二八年六月三一日と暦にない日を記載されているから手形要件を欠く無効のものであると主張するけれども、右は六月三〇日となすべきものを誤つて六月三一日と記載したものと認められるばかりでなく、結局満期を六月末日と定めたものと解されるからこれを目して手形要件を欠く

無効のものということはできない」（仙台高判昭三一・一〇・九下民集七・一〇・二八七六）。

(5)　つぎに、「支払期日　大正一二月一月三十日」という記載について、東京地判大一五・三・一〇（新聞二五五〇号一六頁）は、「右ハ大正十二年一月三十日ノ誤ナルコトハ右記載自体ニヨリ明瞭」であるから、右記載は「大正一二年一月三十日」という満期日の記載とみることができるとし、また満期日として「大正一二年一〇月一日」と記載のある場合について、大判昭一二・四・一六（民集一六巻四七三頁）は、右記載は「昭和九年十月一日ト記載シ在ルト同一趣旨ナルコト明瞭ナルヲ以テ、無効ナリト謂フヲ得ズ」と判示している。

(6)　それから、満期日として振出日から二〇余年を隔てた日を記載した場合について、大判大一二・一二・七（民集二巻六五一頁）は、「此ノ如キハ普通手形取引ニ於テ稀ニ見ルトコロナリト雖、商法第四百五十条（註 現手形法三三条）ニ所謂確定セル日ヲ記載セルモノニシテ、固ヨリ満期日ノ記載トシテ有効ナリト云ハザルヲ得ズ」としている。

また、振出日を満期日と定めた場合について、東京控判昭八・六・二七【47】は、手形の支払のための呈示は支払呈示期間内になせばよいことと、たとえそれが不可能でも主たる債務者に対する権利は消滅しないこととの二つの理由から、これを有効と認めるべきであるとしている。

【47】　「手形ノ満期日ハ手形法上償還請求権保全其他ノ場合ニ於テ一定ノ意義ヲ有スルコト勿論ナルモ其本質ハ手形債務ノ弁済期ニ外ナラス而シテ手形取引ノ実際ニ於テ満期日ト振出日トノ間ニ多少ノ日時ノ存スルヲ通例トナスモノナレトモ斯ク満期日ト振出日トノ間ニ日時ノ間隔ヲ存スルコトハ必須ノ要件トシテ法律ノ毫モ

要求スルトコロニ非サルノミナラス満期日ノ性質上又当然斯クアルヘキヲ要スルモノニ非スシテ主トシテ手形債務者ノ便宜ニ出スルモノナルカ故ニ手形ノ振出ニ際シ所持人ヲシテナルヘク速カニ手形金ノ請求ヲ為スコトヲ得セシムル為メ振出日ヲ以テ直ニ満期日ト定ムルコトハ固ヨリ妨ケサルトコロニシテ之ヲ不可ナリトスル理由奈辺ニモ存スルコトナシ尤モ満期日ト振出日カ同日ナル場合ニ於テハ或ハ振出地ト支払場所トノ地理関係ニヨリ若クハ銀行ノ取引時間ノ関係等ノ為メ即日支払場所ニ手形ヲ呈示シテ其ノ支払ヲ求ムルコトノ事実上不可能ナル場合ナキニ非サレトモ手形金ノ支払ハ必スシモ満期日ニ為サルヘキモノタルニ限ラス所持人ニ於テモ必ス満期日ニ手形ヲ呈示シテ其支払ヲ求ムルコトヲ要スルモノニ非スシテ其後二日内ニ手形ヲ呈示スルニヨリ完全ニ手形上ノ権利ヲ保有シ得ヘク又右期間内ニ手形ヲ呈示スルコトナクトモ其主債務者ニ対スル手形金ノ請求権ハ直チニ消滅スヘキモノニ非サルヲ以テ偶々満期日及其後二日間内ニ手形ヲ呈示スルコト事実上不可能ニシテ従ツテ償還請求権ノ保全ヲ為スニ由ナキ場合アリトスルモ之カ為メ該手形ノ振出行為ヲ全然無効ナラシムヘキ謂ハレナキハ論ヲ俟タサルトコロナリ」（東京控判昭八・六・二七新聞三五八五・一一）。

しかし、満期日として振出日付より前の日が記載された場合については、大判昭九・七・三一（法学三巻一四六六頁）をはじめ、これを無効とする判例がいくつかある（詳細は、本節三「振出日より前の満期日」参照）。

(二)　さて、以上の諸判例について検討してみるに、まず、(1)──【41】ほか──については別段問題はないであろう（大隅＝河本二二六頁等。しかし大塚・講座四巻五九頁は、「…迄に」とすれば一覧払手形と解し得る余地があるとされる「…」）。しかし(2)──【43】──には問題がある。この場合、「満期日」の文字にとらわれないで記載の意味を合理的に判断し、その期間内ならば何時でも支払を求めうる一覧払の手形と解すべきではあるまいか（鈴木一八四頁、大隅＝河本二二六頁、大塚前掲五九頁）。(3)──【44】ほか──は当然に是認すべきであろう。しかしその場合、慣習その他の手形外の事情を解釈の材料にすべきではなく、あくまで手形の記載面のみから判断すべきである。そしてこの場合の振出日と満期日の両記載を対比して考えれば、当然このような結論が導かれると思う。

(4)――【45】【46】ほか――および(5)も当然認めらるべきであろう。これらは何れも、手形行為の解釈について形式的な杓子定規な解釈をせず、手形上の記載を材料にして合理的な解釈をなし得ることを示す適例である（大隅＝河本二二六頁）。

(6)の【47】も認めらるべきであろう。

三　振出日より前の満期日

（一）　振出日の記載は、真実振出のなされた日をもつてしなくてもよいというのが、学説・判例の一致して認めるところである。したがつて、手形記載の振出日付と真実の振出日とが喰い違うことが生じうる。そこで一口に、「振出日より前の日を満期日として記載した場合」といつても、実は厳密にいうと、(1)　手形の記載上、振出日付と満期日の前後が逆になつている場合と、(2)　たとえ両者の前後関係は整つていても、――手形記載の振出日付と真実の振出日とが違つていて――満期日が真実の振出日よりも過去の日である場合との二つの場合が考えられるわけである（以下、前者を「(1)の場合」、後者を「(2)の場合」とよぶ。さらに厳密にいうと、この(1)と(2)の重なる場合も勿論考えられる）。しかるに、従来この点をはつきりと区別して考えられて来ているか否かはなはだ疑問である（従来の学説には、(1)の場合だけを考えたり、あるいは両者を混同したりして来ているような傾向が多分に感じられる）。以下、この二つの問題について、判例、学説をながめながら検討してみる。

（二）　まず(1)の場合についての判例、学説をみてみよう。

(1)　判例でこの問題を直接とりあつかつたものとして、まず大判昭九・七・三【48】があり、振出日付は昭和四年一一月二三日（真実の振出日は同年一一月一三日）、満期日は同年一〇月二三日と記載された約束手形の振出人が、相手方の注意により振出日付を同年一〇月一三日と訂正した事案について、「満期日ハ手形ノ呈示支払等ニ付不能ノ日タル可カラザルヤ勿論ニシテ、其性質上振出日以後ナルヲ要スル」ので、訂正前は適正な満期日の記載を欠き、訂正してはじめて約束手形としての要件を具備するに至ると判示している。そしてこれと同趣旨の下級審判例として東京地判昭九・一一・三〇（評論二四巻商法八七頁）がある。

【48】（事案）Y（上告人）はX（被上告人）に宛て、昭和四年一一月一三日、金額千五百円、「振出日同年一一月二三日」、「満期日同年一〇月二三日」……なる約束手形一通を振出し、これをXの代理人訴外Aに交付し、その際、同人の注意によりYは振出日付を「昭和四年一一月一三日」と訂正したが、なほ振出日と満期日とが前後しているので、Aはさらにこの訂正を求めたところ、YはXにおいて適宜振出日付を満期日前に遡って訂正すべきことを求め、欄外に捺印して訂正の権限を付与したので、Aは、これにもとづき日付を満期前の「昭和四年一〇月一三日」と再訂正した。そしてXがこの手形の所持人としてYに支払を求めた。

（判旨）「手形カ法定ノ要件ヲ具備スルヤ否ヤハ手形上ノ記載ノミニ依リテ之ヲ判断スヘク其ノ記載カ真正ナル事実ト符号スルト否トハ之ヲ問ハサルコト手形カ要式証券タル当然ノ結果トシテ一点ノ疑ナキ所ナルヲ以テ本件手形ハ右訂正前ニ於テハ手形トシテ未タ其ノ効力ヲ生スルコトナク訂正後始メテ有効ニ成立スルニ至リタルモノト謂ハサルヘカラス蓋満期日ハ手形ノ呈示支払等ニ付不能ノ日タル可カラサルヤ勿論ニシテ其性質上振出日以後ナルヲ要スル所右訂正前ノ手形ハ此ノ適正ナル満期日ノ記載ヲ欠キ前記ノ如ク日付ヲ訂正スルニ因リテ漸ク約束手形トシテノ要件ヲ具備スルニ至リタルモノナレハナリ故ニ右手形ノ訂正前ニ於テハ之ヲ呈示シテ支払ヲ求ムルモ手形トシテハ其ノ効力ヲ生セサルモノナルヲ以テ振出人ハ固ヨリ支払ノ義務ナク遅滞ノ責ニ任スルコトナシ」（大判昭九・七・三法学三・一四六六）。

最近の判例としては、飯塚簡判昭三八・七・二二【49】が、振出日付は昭和三七年四月二八日（資料からは詳しくはわからないが、真実振出がなされたのは同日であり、したがつておそらく手形記載の振出日付も同日ではないかと思われる）、満期日は昭和二七年五月三〇日と記載された約束手形に関する事件について、振出日付より前の日を満期日として表示した手形は「一般にこれを無効と解すべきである」が、この場合振出人が満期日を昭和二七年五月三〇日と記載したのは、昭和三七年五月三〇日と記載すべきところを誤記したものであることが「他の資料から」明白であるから、少くとも振出人と受取人との間では、これを昭和三七年五月三〇日と記載されたものと解して処理すべきであるとのべている。

【49】「……被告が昭和三七年四月二八日原告に対し原告主張の約束手形八通（尤も㈠の手形の支払期日は原告の主張と異り昭和二七年五月三〇日であることは……明らかである）を振出し、原告が現に所持することが認められる。

ところで㈠の手形は振出日より前の日を支払期日として記載したものであるから、その効力について考えてみる。支払期日は手形の呈示支払等の基準となる日であるから、不能の日であつてはならず振出日より前の日を支払期日として記載した手形は一般にこれを無効と解すべきである。しかしながら、振出人としては振出日より後の日を支払期日として記載する意思であつたのが、不注意で振出日より前の日を支払期日として記載してしまつたことが他の資料から明らかな場合には、振出人と受取人との間では振出人の真意に従つて右記載を補充解釈し手形を有効なものとして取扱う余地もあるものと解する。

本件につきこれをみるに、……被告は、昭和三七年四月二八日、原告会社において、原告に対する修理代金債務金七万四四一九円の支払方法について協議した結果、分割支払の約束ができ、その際被告において原告に対し振出交付したのが本件㈠乃至㈧の各手形であることが認められ、右事実と㈡乃至㈧の手形の支払期日の記載と㈠の手形の支払期日の記載とを対比して考えれば、被告が㈠の手形の支払期日を昭和二七年五月三〇日と記載したのは昭和三七年五月三〇日と記載すべきところを誤記したものであることが明白である。従つて、本件㈠の手形の支払期日は少くとも原被告間においてはこれを昭和三七年五月三〇日と記載されたものと解して処理すべきものであつて、これを無効と解すべきではない」（飯塚簡判昭三八・七・二二判時三四五・五一）。

また、京都地判昭三八・八・二二【50】は、振出日より前の日を満期とする約束手形は無効であるとしている。

【50】「……被告等は、いずれも手形文言の変造の場合の変造前の署名者であるから、原文言に従つて責任を負うべきところ、原文言および適式に補充せられた文言によれば、本件手形は、振出日を昭和三五年三月六日とし満期を同年二月二〇日とするものとなる。そうして、このような振出日よりも前の日を満期とする約束手形は無効であるから、被告等は振出人としても、償還義務者としても責任を負うべきいわれはない」（京都地判昭三八・八・二二金融法務三五五・一九）。

ところが東京地判昭四〇・九・七【51】は、振出日が「昭和三九年一二月一五日」、満期日が「昭和三九年一月一五日」と記載せられている場合について、確定日払手形においては振出日付以前の日が満期日とされていても、手形を無効とするまでのことはないと判示している。

【51】「本件手形……の満期はその振出日より前の日附となつているが、本件手形の如き確定日払手形の振出日は形式的にのみその記載が要求されるものであつて、その記載の実質的な必要性は存在しないものと考えられる。したがつて形式的にその記載がありさえすれば、それが満期より後の日付であつても特段両日附の関係が不合理であることを理由に当該手形を無効とすべきいわれはないものと解するのが相当である。原告は右手形の満期の記載は昭和四〇年一月一五日の誤記と主張するが、手形外の事実を調べて満期の誤記を認定し、

真実記載されるべきだつた日附に補充訂正することは、手形の性質上許されないばかりか、満期と振出日の日附関係如何が前説のとおり手形の無効を来たすことがない場合であれば必要のないことである」（東京地判昭四〇・九・七判時四三〇・四三）（小橋・法時三八・七・八五以下、塩田・立命館法学六三・六四・一四〇以下）。

(2)　つぎに学説をみるに、従来の通説は、かかる手形は、満期日として不能な日を記載したものとして要件を欠いて無効と解している（青木三〇七頁、田中耕二七八頁、薬師寺志林一三四頁、大橋一三三頁、伊沢三一五頁、竹田八四頁等）。これに対して鈴木教授は、「確定日払手形につき振出の日付を記載させる意味がないこと、各要件が一応具備されている以上、各記載間の論理的関係にまで細く注意させることが無理な要求でもあることを考えると、このような解釈には疑問があ」り、「手形を無効とするまでのことはないと思う」とされ（鈴木一八四頁、一九一頁）、大隅・河本両教授は、振出日と満期日とが同日であつてもさしつかえないとする判例（東京控判昭八・六・二七新聞三五八五・一二【47】）が、その理由として、かかる手形でもその後二取引日内に手形を呈示することは可能であり、また、たとえ支払呈示期間内における呈示が事実上不可能であつても主たる債務者に対する権利は消滅しないとのべているのを引用され、「この後の理由で行けば、振出日前の満期の記載された手形でも必ずしも無効とするには及ばないことになるだろう」と説かれている（大隅＝河本一二七頁）。

（三）　つぎに(2)の場合についてみてみよう。

(1)　判例をみるに、かかる場合、手形は要件を欠いて無効であるとするものに松本区判大一三・六・一〇【52】があり、約束手形の振出人が、一旦使用をおわつて受戻した手形を、――記載事項を訂正せずにそのまま――再度使用して振出をした事案（したがつて、手形上の満期日は真実の振出日――再度振出した日――より前の日になつている）について、「斯ル記載ハ満期日ノ記載ナキト同様ナレバ、結局、右手形ハ満期日ノ記載ヲ欠ク不適式ノ手形ナリト謂ハザルヲ得ズ」と判示している。

【52】（事案）　被告Y_1は肥料購入のため、大正一一年六月一二日、金額四〇〇〇円、満期日同年八月一〇日……なる約束手形一通を振出し、被告Y_2の（保証のための）白地裏書を得て、同日M肥料店に代金支払のため差入れた。その後被告Y_1は、同年九月三〇日、代金を弁済して手形の受戻をうけたが、更に原告Xより金融を受けるため、同年一〇月一一日、被告Y_2の不知の間に、再びその手形を、記載事項を訂正せずにそのままXに差入れた（判決はこれを「再度振出」とみる）。

（判旨）　「右手形ハ一旦使用ヲ終リタルモノヲ再度使用シタルモノナルコト明ニシテ再度使用ノ際ニハ被告Y_2ハ之ニ関与セサリシモノナレハ同被告ニハ裏書人トシテ義務ナキモノト謂ハサルヘカラス何トナレハ手形ハ振出ノ目的ヲ遂行シ支払ヲ終リテ振出人ニ戻リタル以上ハ其効用ヲ失フ可キモノト認ム可ケレハナリ然リ而シテ被告Y_1ハ右手形ヲ再度振出シ使用シタルモノナル事前示ノ如クナルモ最初振出ノ儘訂正セス使用シタル為メ右手形ニハ支払期日ヲ『大正十一年八月十日』ト記載シアリ右手形ヲ被告Y_1カ再度振出シ原告ニ差入レタル大正十一年十月十一日以前ノ日ニシテ右支払期日ハ振出日ノ前ナル事ヲ認メ得可ク手形ノ満期日ハ振出日ノ以後ナル事ヲ要スルハ論ナキ処ニシテ斯ル記載ハ満期日ノ記載ナキト同様ナレハ結局右手形ハ満期日ノ記載ヲ欠ク不適式ノ手形ナリト謂ハサルヲ得ス」（松本区判大一三・六・一〇新聞二二九六・二一）。

最近のものでは、大阪高判昭四〇・七・二九【53】が、約束手形の振出人が、満期後の支払により手形を受戻した上、これをそのまま他人に交付した場合について、——傍論として——「かりに旧手形を流用した新たな振出と解しても、既に満期欄には過去の年月日が記載してあり無効な手形である」とのべて、さきの【52】と同様の態度をとっている。

【53】「本件手形は……控訴人Xが直接訴外Aから期限後裏書をうけたものではなく、控訴人Xは共同振出人たる被控訴人Y_1・Y_2のために金を貸与し、被控訴人Y_1・Y_2がその金で手形所持人に手形金を支払つて本件手形を受戻し、かように一旦受戻した手形を控訴人Xに交付したものである。……（本件手形交付の趣旨が）なおも手形として流通に置く主観的意図であつたとしても、約束手形の振出人が支払いのために手形金の全額を支払つて手形の返戻をうけた場合は、満期前（より厳格に言えば、法の予定する流通期間経過前）の戻裏書とは異なり、同手形上の全権利関係は消滅するから、本件各当事者にこのような法律上の知識はなかつたにせよ、右の『事実』を知りながら被控訴人Y_1・Y_2から右手形の交付をうけた控訴人Xは、手形上の権利を取得するに由ないものである。かりに旧手形を流用した新たな振出と解しても、既に満期欄には過去の年月日が記載してあり無効な手形であるから、結論は異ならない」（大阪高判昭四〇・七・二九判時四二八・九〇）（宮川・法律時報三八巻六号八六頁）。

これに対し、かかる場合でも手形は無効とはならないと解するものに、さきの【48】（訂正の結果、振出日「昭和四年一〇月一三日」、満期日「同年一〇月二三日」となつた手形を、真実の振出日は同年一一月一三日であるのに有効としている）のほか、近時の判例として名古屋地判昭三六・八・二三【54】があり、日付ゴム印の押し間違いから、真実の振出日および予定の満期日（それぞれ昭和三三年九月一〇日、同年一一月二〇日）より一年前の振出日、満期日（それぞれ昭和三二年九月一〇日、同年一一月二〇日）が記載された約束手形について、その記載は「不合理なものあるいは存在し得ないものではない」から、「記載された満期を満期とし、且つ記載された振出日に振出された手形として効力が生」じ、振出人には「支払義務あることは明らかである」（しかし裏書人に対する遡求権は失われている）と判示している。

【54】（事案）被告Y_1が本文説明のような手形を被告Y_2に宛てて振出し、Y_2はこれを訴外Aに白地裏書し、Aは昭和三三年一一月二〇日、支払場所においてこれを呈示したが支払を拒絶され、同年一一月二五日原告Xに裏書譲渡した。そしてXがその所持人として$Y_1$$Y_2$に支払を求めた。

（判旨）「……およそ手形上の記載が事実に反する場合でもその記載が不合理なもの或は存在し得ないものでない限り、手形行為はそれによつて効力を左右されるものではなく、手形行為が法定の方式を形式的に具備してさえいれば、それは手形上の記載に従つて当然効力を生ずるのであるから、記載された振出日及び満期が真実の振出日及び満期と違つていても、その記載が右のように不合理なもの或は存在し得ないものでない限り、記載された満期を満期とし且つ記載された振出日に振出された手形として効力が生ずるところ、これを本件についてみるに、……本件約束手形（基本手形）面に記載された振出日は昭和三十二年九月十日であり、同じく満期は同年十一月二十日であつてその間に何ら不合理なものは存在しないことが認められ、……本件約束手形の真実の振出日及び満期は右の記載された振出日及び満期よりいずれも一年後の昭和三十三年九月十日及び同年十一月二十日であること、被告Y_1の担当社員が日付ゴム印を押し間違えたことから右のような事実に反する記載が生じたこと、が認められるからして、本件約束手形は、右の事実と関係なく、昭和三十二年九月十日に満期を同年十一月二十日として振出された手形としてのみ効力を有するものというべきである。従つて、本件約束手形については、真実の振出日たる昭和三十三年九月十日に、満期を同年十一月二十日として振出された手形としての効力を認めることは許されないというべきであるから、真実の振出日及び満期を前提とする原告の新請求と、手形上に記載された振出日及び満期を前提とする従前の請求とは、夫々全く別異の振出行為に基き別個の約束手形金の請求をなすものと解するを相当とするので、請求の基礎に変更がある場合に当るというべきである。よつて、原告の右請求及び請求の原因の交換的変更は不当としてこれを許さないこととする。

……訴外Aの支払呈示は……支払拒絶証書作成期間内になされなかつたこと、訴外Aが被告Y_2より白地式裏書によつて譲渡を受け、また原告Xが訴外Aより裏書譲渡を受けたのはいづれも支払拒絶証書作成期間経過後であることは明かである。従つて、訴外Aの被告Y_2に対する遡求権は……喪失されたものというべきであるから、原告Xも亦、被告Y_2に対し遡求権を有しないことは明かであつて、原告Xの被告Y_2に対する本訴請求は……失当……。しかしながら、被告Y_1は……振出人であるから……支払義務あることは明かである。……（しかし）手形債務者たる被告Y_1は、期限後裏書の裏書人である被告Y_2に対抗しうる抗弁を以つて、その第一の被裏書人たる訴外Aのみならず、第二の被裏書人たる原告Xにも対抗し得るというべきである」（名古屋地判昭三六・八・一九、・二三下民集一二・八・四四）。

(2)　つぎに学説をみるに、一般に、従来の学説は、この(2)の場合を、さきの(1)の場合とはつきり区別して考えて来ていないように思われる。しかしおそらく多数説は、この場合には手形は有効であると解しているのではあるまいか。

(四)　さて、以上の学説、判例をながめながら、この二つの問題について検討してみるに、これにはつぎのような様々な考え方が成り立つのではないかと思う。

(a_1)　すなわち、まず、振出日付と満期日は、ともに、論理的に前後の関係にあることがそれぞれの手形要件として要求されているところから、(1)の場合には、当然、満期日（および振出日付）としての要件を欠くことになる。しかし、両者の前後関係がみたされ要件として整つている限りは、たとえ(2)のような場合でも要件の整否には何等影響なく、その場合、そのような手形で実際に権利行使ができるか否か、あるいはそのような振出は有効か否かは、要件の整否とは別個の問題である、という立場があると思う。そして通説や判例の多くは、おそらく右のように考えているのではあるまいか（以下、これをa_1説とよぶ）。

(b_1)　つぎに、【52】や【53】のとるつぎのような考え方もあるだろう。すなわち、(2)の場合には、所持人がその満期日に支払のための呈示をすることは絶対に不可能であり、したがつて、その手形は、いわば現実に不能な日を満期日として記載したものとして満期日の要件を欠く「不適式ノ手形」であるとし、そして——おそらくは——(1)の場合にもこの考え方をおよぼして、かかる場合も要件は整っていないと考える立場である（以下、これをb_1説とよぶ）。

（b_2）一方これに対しては、(2)の場合にはたしかにその満期日に支払呈示をすることは絶対に不可能であるけれども、その結果失なわれるのは遡求権だけであって、主たる債務者に対する権利には何等影響はないから、かかる満期日の記載も要件としては整っているものと解し、そして(1)の場合にもこの考え方をおよぼして、かかる手形でも要件の整ったものと考える立場もあるであろう（以下、これをb_2説とよぶ）。

以上の三説を、(2)の場合について較べてみるに、結論については$a_1$$b_2$両説が同じで、$b_1$説がこれと異なっている。しかし、その「考え方」という点では、逆に、$b_1$$b_2$両説に共通したものがあり、$a_1$説はこの両者と根本的に違っている。すなわち、$b_1$$b_2$両説は要件の整否の判断に実質的権利行使の成否——そのような手形で実際に権利行使ができるか否か——をおりこみ、b_1説は、現実に権利行使ができないから要件を欠くとし、b_2説は、逆に、それができるから要件は整っていると判断している。これに対しa_1説は、要件の整否は手形の記載面のみから判断すべき問題であって、実質的権利行使の成否とは切り離された別個の問題であると考えている。ここに、およそ手形要件というものに対する二つの異なった見方があらわれている。

同様の問題は、「実在しない振出人（支払人）」や、「実在しない支払地」の問題等についても生じうる。これらについては、学説の多くは、振出人（支払人）は実在することを要しないが、支払地は

実在しなければならないと説いている。その理由はさまざまであるが、たとえば鈴木教授は、「支払地が実在しなければ、権利行使は不可能である。……支払人が実在しない場合には、権利を行使したが支払を受け得ないものとして、支払拒絶になるが、この場合にはそもそも権利の行使が不可能なのだから、両者の効果が違うのは当然である」（傍点筆者）とされている。この結論の当否は暫く措くとして、まず問題はその「考え方」であつて、そのいずれについても、要件の整否の判断に実質的権利行使の成否がおりこまれている（一〇「真実に合致しない（実在しない）記載」参照）。

私見としては、手形要件は、実質的権利行使の成否とは全く切り離された極度に抽象的かつ形式的なものと解すべきであり、そしてその整否の判断にあたつては――あたかも裏書の連続におけると同様に――純粋に、手形記載面における外形的事実のみを問題にすべきである、と考える。その理由は、所持人の保護をできるかぎり厚くするためである。すなわち、振出をはじめ、裏書、保証等あらゆる手形行為は、基本手形の記載事項をその意思表示の内容に含めてなされるが、手形要件を右のようなものと解すれば、要件が整い手形行為が有効とされる率が高くなり、所持人の保護を厚くすることになるのではあるまいか。また、要件が抽象的かつ形式的なものであれば、必然的に、その整否を手形関係者が判断しやすく、このことも、――債務者から要件欠缺の抗弁をもつて対抗される危険からできるだけ所持人をまもるという意味で――所持人の保護につながるのではなかろうか。

したがつて、手形要件としては、「支払地」も「振出人（支払人）」と同様に実在することを要せず、およそ最小独立行政区画の名称と認められるものの記載があればよいと思う。そして「満期日」も、手形記載面において要件として整つておればよく、そしてそれが整つているかぎりは、たとえ(2)の場合のように、それが真実の振出日より過去の日であつても要件の整否には関係はないと考える。

以上のように、私見としては a_1 説にしたがい、(1)の場合には要件を欠くが、(2)の場合にはそれが整つているものと解したい。ちなみに、(2)の場合、主たる債務者に対する権利には何等影響がなく、その行使が可能だから、その振出は有効であると考える。

ところが、これに対しては今一つの考え方——a_2 説——があり、その立場からは、a_1 説に対しつぎのような批判がなされるのではないかと思う。

(a_2)　すなわち、手形要件というものを、実質的権利行使の成否とはきり離された、抽象的かつ形式的なものと解する点については同感であるが、(2)の場合に、主たる債務者に対する権利行使は可能だからその振出は有効であるという考え方に立つ以上、(1)の場合に要件を欠くとするまでのことはないのではあるまいか、と。

これに対してはつぎのように反論したい。すなわち、手形要件というものは、その「結果」——どのようなかたちをとるか——のみならず、その「論拠」ないしは「意味」——なぜそうなるのか——もまた、誰にも理解しやすいように単純に構成されていることが必要であると考える。その理由は、手形関係者の間の混乱と紛争をできるだけ阻止するためである。その点、a_1 説のような、いわば、「振出がなされてから満期日が到来するのが当然であるからだ」というような論拠は、きわめて簡単で理解しやすいが、a_2 説のような立場は、はなはだ複雑で一般に理解しがたいと思う。

なお、鈴木教授は、確定日払手形につき振出日付を記載させる意味がないということと、振出日付と満期日の前後関係に注意させるのは無理であるということの二つの理由から、(1)の場合でも手形を有効とあつかおうとされるが、そのあげられている二つの理由のうち、前者は、解釈論というよりもむしろ立法論ではないだろうか。また後者についても、およそ手形取引を行なおうとする程の者ならば、その程度の注意義務は当然つくすべきではなかろうか。また手形には〝厳正な証券〟としての体裁もあり、振出日付と満期日の前後が逆になつていては、どうしても格好がつかないようにも思われる。したがつて賛成しがたい（拙稿「手形要件についての一考察」論叢七七巻五号八一頁以下）。

四　満期記載の欠缺

（一）「満期の記載なき」の意味　満期の記載のない手形は一覧払手形とみなされる（手二Ⅱ）。ここにいう満期の記載のない場合とは、手形に全然満期日の記載を欠くか、もしくはこれと同視すべき場合に限り、不適法な記載ある場合の如きは含まれない【55】【56】。したがつて、分割払の記載や振出日付前の満期の記載のあるような手形を、手形法二条二項によつて有効にすることはできない。

【55】「満期日大正十五年十月中貴殿ノ漁場切揚船塩鮭ト共ニ函館到着ノトキ」との記載のある事案について「(【8】につづいて)……所謂手形ニ満期日記載セサリシトキハ手形ニ如何ナル時期ニ支払ヲ為ス趣旨ナリヤハ窺フヘキ文言ナキ場合詳言スレハ全然支払ヲ為ス時期ヲ示ス文字ナキ場合若クハ若干支払ヲ為ス時期ヲ示サントシタル如キ文字アルモ其記載整ハス結局支払ヲ為ス時期ヲ示ス意思ナカリシモノト認メラルル場合ヲ意義シ手形ニ明カニ支払ヲ為スヘキ時期ヲ記載シタル場合ハ之ヲ包含セサルモノトス然ルニ本件ノ手形ニハ前示ノ如ク明カニ支払ヲ為スヘキ時期ヲ記載シタルカ故ニ所謂期日ヲ記載セサリシモノナリト謂フヲ得ス果シテ然ラ

ハ本件手形ハ究極商法第五百二十五条（現手七五条）所定ノ約束手形ノ要件タル満期日ノ記載ヲ欠クモノニシテ無効ナリト断セサルヘカラス」（函館地判昭二・一二・三新聞二七八七・九）。

【56】「商法第四百五十一条（現手二条二項）ニ所謂『手形ニ満期日ヲ記載セサリシトキ』トハ手形ニ全然満期日ノ記載ヲ欠クカ若ハ之ト同視スヘキ場合ニ限ルモノニシテ其ノ不適法ナル記載アル場合ノ如キハ之ヲ包含セサルモノト解セサルヘカラス然ルニ本件手形支払期日ノ表示部分ニ記載セラレタル所論『二ケ月据置三日前通知払』ノ文句ヲ稽フルニ満期日ノ表示トシテハ所詮不適法ノモノト認メサルヲ得サルヲ以テ前記法条ハ此ノ場合ニ其ノ適用ヲ見サルモノナルコト勿論ニシテ従テ本件手形ハ之ヲ一覧払手形ト認ムルヲ得サルト同時ニ満期日ノ適法ナル記載ヲ欠如スル結果無効タルヲ免レサルモノトス……」（大判昭六・三・一三民集一〇・二〇三）。

（二）　満期欄に不完全な記載のある場合の判例　　満期記載欄に「明治三十五年」とのみ記載のある場合について、「手形中満期日ヲ表示ス可キ場所ニ年号ノミヲ記入シテ月日ノ記載ナキトキハ、其満期日ヲ一覧ノ日ト見ル可キ」であるとする大判明三七・一二・九（民録一〇輯一五七八頁）をはじめとして、これと同趣旨の下級審判決がいくつかある（たとえば大阪控判明三四・一一・二八新聞六九号五頁は「手形ノ満期日ハ日ヲ以テ基本トスルモノナレハ……日ノ記入ヲ欠クトキハ其年月ハ何等ノ効用ヲ生セス全ク満期日ノ記載ナキ手形トス」とのべている）。

一方これに対しては、満期日として「大正一五年」とのみ記載のある場合について東京地判大一五・七・二六（評論一五巻商法四三三頁）は、「満期日ノ記載ナキ手形ト解センヨリハ、寧ロ後日手形取得者ヲシテ満期日ヲ補充セシムル意思ノ下ニ白地振出ヲ為シタルモノト推定スルヲ相当トス」と認定したうえで、所持人が満期日として「一覧ノ日」と記入したのは適法に補充したものと推定すべきであると判示している。

（三）満期欄空白の場合に関する判例　この場合に関する判例はかなりあるが、それらを年代順にならべてその推移をたどつてみよう。

(1)　まず、古い下級審の判例で、このような手形を一覧払手形と認めるものがいくつかある。その中で、旭川地判年月日不明【57】は、Y_1（被告・被控訴人）が、大正九年七月二五日、手形用紙の満期記載欄を塗抹することなく空白にしたままの（そして振出地、支払地の記載欄も空白になつている）約束手形をY_2（被告・被控訴人）にあてて振出し、Y_2が同日右手形を白地裏書によりX（原告・控訴人）に譲渡し、そしてXがその所持人として、大正一四年二月一八日、その空白を「大正一四年二月二五日」と補充して（そして振出地、支払地の記載欄も補充して）Y_1・Y_2に支払を請求したところ、Y_1・Y_2が、右手形は一覧払手形であり、そして支払呈示期間経過後三年以上経ているので手形上の権利は消滅しているとして争つた事案につき、本件手形は一覧払手形であり（そして振出地、支払地の記載欄の空白は、振出人の肩書地で補充すべきであり）、白地手形として補充してもその効力を生じない旨判示してXの請求をしりぞけた（同趣旨。大阪控判年月日不明新聞二八六号（明治三八年六月二〇日）七頁、東京地判大一四・六・一八評論一四巻民訴三一〇頁）。

【57】「本件手形ニハ振出地支払地支払場所トシテ特ニ其ノ記載ナキモ振出人ノ肩書住所トシテ旭川区四条通八丁目右十トアルヲ以テ振出地ヲ旭川区トシテ又支払地ハ振出地ヲ以テ支払場所ハ右住所ヲ以テ之ヲ定ムヘキモノナレハ本件手形ハ単ニ満期日ノ記載ヲ為サスシテ振出サレタル手形ニシテ商法第四百五十一条ニヨリ一覧払ノ手形トシテ効力ヲ有スルモノト解スルヲ妥当トス従テ控訴人主張ノ如ク白地手形トシテ之ヲ補充スルモ効力ヲ生セサルモノト謂ハサルヘカラサル……」（旭川地判年月日不明、大正一四年(レ)二六号、評論一四商法三四二）。

(2)　ところが、右事件の上告審である大判大一四・一二・二三は、「手形面上満期日ヲ記載スベキ場所トシテ設ケラレタル部分ニ何等塗抹刪削ヲ施シタル痕ノ見ルベキ無ク単ニ之ヲ空白ニシタル儘ノ手形」は、「白地手形トシテ之ヲ観ルベキ」であって一覧払手形としてあつかうべきではないとして、原判決を破棄差戻した【58】。

【58】「受取人トシテ一定ノ人ヲ表示セサルモノハ現行法上所謂無記名式手形トシテ有効ナルハ疑ヲ容レサルト共ニ受取人ヲ表示スヘキ場所ヲ空白トシ何等ノ記載ヲ為シアラサルモノハ他日之ヲ補充セシムル意思ヲ以テ振出シタル白地手形トシテ之ヲ観ルコト当院ノ判例（大正十年（オ）第一三一号同年七月十八日言渡）トスルトコロナリ凡ソ満期日ニ関スル定メヲ手形ニ明記スルコトハ手形振出ノ一要件ニシテ而モ現行法ハ之ヲ四種ニ限定セリ故ニ若シ孰カ其一ナルコトヲ明示セサル限リ振出ノ要件ヲ欠クモノトシテ無効ノ手形タルヲ免レサル道理ナリト雖斯ル場合ヲ一覧払ノ手形トシテ有効ナラシムルハ蓋取引ヲシテ可成無効ニアラシメサル法意ニ外ナラス然ラハ則チ手形面上満期日ヲ記載スヘキ場所トシテ設ケラレタル部分ニ何等塗抹刪削ヲ施シタル痕ノ見ルヘキ無ク単ニ之ヲ空白ニシタル儘ノ手形ニアリテハ之ヲ前示ノ法意ト判例トニ省ルトキハ白地手形トシテ之ヲ観ルヘキモ満期日ノ記載無キ一覧払手形トシテ之ヲ遇スヘキニ非サルハ蓋疑ヲ容レサルトコロナリ原判決ハ此ノ点ニ於テ違法アリ」（大判大一四・一二・二三民集四七六一）。

また、神戸地判大一五・五・七（新聞二五八三号一四頁）も、同様の約束手形について、「別段ノ反証ナキ限リ」、白地手形と「解スルヲ至当トス」として、一覧払手形であるとの裏書人の抗弁をしりぞけて所持人の請求を認めた。

(3)　つぎに大審院は、大正一五年一一月一八日の判決においても同様の結論を認めた。すなわち、同じく手形用紙の満期記載欄を抹消せずこれを空白にしたまま振出された約束手形に関する事案について、原審がこれを白地手形と解すべしとしたところ、上告人（資料からは、上告人および被上告人が手形上のいかなる当事者であるか明らかでない）が、「年月日ノ記載ナキ手形ガ果シテ白地手形ナリヤ一覧払ト解スベキ場合ナリヤハ、専ラ振出人ノ意思ノ如何ニヨリ定マル問題ニシテ、単ニ支払期日ノ記載ガ抹消セラレタリヤ否等ノ形式ニヨリ定メラルベキ何等ノ道理存スルモノニアラズ」とし（そして、さきの【58】を引用し、同判決は、振出地、支払地等の記載もなく白地手形たること疑う余地なきほどの手形について、満期記載欄の抹消なき事実を振出人の意思解釈の材料にしながら、白地手形と認定したに止まり、「塗抹刪削ノ痕ナキ時ハ形式上当然ニ白地手形タルモノト判示セラレタルモノニハアラスト信ス」とのべている）、そして本件の場合、振出人の意思は一覧払手形として振出すの意思であつたと主張したのに対し、大審院は、原審は、手形に記載された「支払期日」の不動文字の抹消あらざる事実により、「振出人ハ後日其ノ下部ニ年月日ノ記入ヲ為シ要件ヲ完備セシムル意思ヲ以テ振出シタルモノ」と認定したものであるとし、そして一覧払手形、白地手形のそのいずれであるかは、「各場合ニ於ケル当事者ノ意思ニ依リ之ヲ定メ得ベキモノ」であり、本件手形の記載状況からは、原審認定のように、「振出人ノ意思ハ後日要件ヲ補充セシムルニ在リシモノト認定シ得」ると判示して上告を棄却した【59】。

【59】「原審ハ手形用紙ノ不動文字支払期日ノ下部ニ年月日ノ記載ナキトキハ之ヲ白地手形ナリト解スヘシト為シタルニアラスシテ本件甲第一号証ノ手形ニ記載アル「支払期日」ノ文字ノ抹消アラサル事実ニ依リ振出人ハ後日其ノ下部ニ年月日ノ記入ヲ為シ要件ヲ完備セシムル意思ヲ以テ振出シタルモノト認定シタルコト原判文上明ニシテ白地手形ノ振出ノ有効ナルコト商慣習法上自明ナレハ満期日ヲ記載スヘキ場所ヲ空白トシタル手形ハ必スシモ一覧払ノ手形タラサルヘカラサルコトナク白地手形タルコトモアルヘキモノナレハ（大正十四年（オ）第七百八十一号同年十二月二十三日言渡当院判決参照）其ノ孰レナリヤハ各場合ニ於ケル当事者ノ意思ニ依リテ之ヲ定メ得ヘキモノトス而シテ本件甲第一号証ノ手形ノ要件記載ノ状況ニ依レハ右原院認定ノ如ク振出人ノ意思ハ後日要件ヲ補充セシムルニ在リシモノト認定シ得ラレサルモノニアラス」（大判大一五・一一・一八新聞二六五〇・一二）。

さきの【58】とこの【59】の二つの大審院判決を比較してみるに、前者は、――当事者の意思の問題には直接ふれることなく——手形面における一定の記載状況（手形用紙の満期記載欄を抹消せず、それを空白のまま残す）から直ちに白地手形との認定を下している。これに対し、後者は、——おそらくは——白地手形か一覧払手形かそのいずれであるかは、当事者の意思にもとづく問題であるから、(1)その意思が明確に表示されていればもちろんそれにしたがい、(2)もしそうでなければ、手形面における記載状況から当事者の意思を「推定」してこれを決すべく、そして本件の場合（記載状況は前と同じ）には、振出人の意思は白地手形とするにあると「推定」しうる（判旨は「認定」という語を用いているが、おそらくは「推定」の意であろう）、という趣旨を示しているのではあるまいか。こう見ると、一見、両者には大きな違いがあるかのようにも感じられるが、しかし、前者といえども、当事者の意思を全く問題にしていないとはとうてい考えられず、したがつて、結局、両者は、基本的には同趣旨であつて、ただ後者は、前者の表現の充分でないところを補足する関係にあるものと判断してよいのではなかろうか。

(4)　つぎに、下級審に注目すべき判例が現れた。それは東京控判昭五・五・一〇であつて、手形用紙の満期記載欄を抹消せずそれを空白にしたまま振出された約束手形について、受取人（被控訴人）がそれを一覧払手形であるとして——空白を補充しないでそのまま——振出人（控訴人）に呈示して支払を請求したところ、振出人が、それは受取人をして補充させる約旨にもとづいた白地手形であると抗弁した事案について、「所謂手形ノ補充権ニ付キテハ二様ノ場合アリテ、其補充権ヲ行使スルニ非ザレバ手形ノ成立ヲ有効ナラシメザルモノト、其補充権ヲ行使セズト雖モ手形法ノ規定ニ依リ手形要件ヲ欠缺セザルモノトアリテ、前者ノ場合ニ於テハ、之ヲ行使スルニ非ザレバ手形法上ノ権利ヲ主張シ得ズト雖モ、後者ノ場合ニ於テハ、補充権行使ニ関スル振出人トノ間ノ契約ニ基キ、之ヲ行使セザルニ付手形法以外ノ法規ニ依ル責任ヲ負フベキコトアルハ格別、手形法上ノ権利ノ行使ニ付テハ之ヲ行使スルト否トハ全ク補充権利者ノ任意ニシテ、振出人ハ手形ノ成立ニ関シ手形法上補充権ノ不行使ヲ争フヲ得ズ。何トナレバ補充権ヲ行使セザル手形トシテ成立ニ付毫モ法律上瑕疵ナケレバナリ。」とのべ、そして本件のような手形は、「一応、振出人ニ於テ満期日ヲ補充スベキコトヲ受取人ニ委シタル白地手形ト観ルベキモノナリト仮定スルモ、手形取得者ニ於テ之ガ補充ヲ為サザルトキハ、……結局、満期日ノ記載無キ一覧払ノ手形トシテ取扱フノ外ナキモノナリ」と判示した【60】。

【60】　本文における引用（前半の部分）につづいて、「加之商法第一条ノ規定ニ従ヒ手形法カ特ニ斯ル手形ヲ有効ニ成立セシムル為メニ設ケタル規定ノ存在ヲ無視スル結果ヲ招来スヘケレハナリ此理ハ為替手形ニ於テ支払地ノ記載ヲ空白トシタル白地手形カ商法第四百五十二条（現手形法二条三項）ノ規定ニ依リ有効トナリ又白地裏書ニヨリ手形ヲ取得シタル者カ被裏書人トシテ之カ補充ヲ為スコト無クシテ有効ニ手形上ノ権利行使ヲ為スコトヲ得ルト同一ノ論理ナリ……本件ニ於テ満期日ノ記載ヲ為スヘキ場所トシテ設ケラレタル部分ノ年月日ノ文字ノ各間ヲ単ニ空白ト為シタル儘手形ノ振出ヲ為シタル場合ハ一応振出人ニ於テ満期日ヲ補充スヘキコトヲ受取人ニ委シタル白地手形ト観ルヘキモノナリト仮定スルモ手形取得者ニ於テ之カ補充ヲ為ササルトキハ商法第五百二十九条第四百五十一条（現手形法七六条）ノ規定ニ従ヒ結局満期日ノ記載無キ一覧払ノ手形トシテ取扱フノ外ナキモノナリ」（東京控判昭五・五・一〇新聞三一三三・九）。

右判決は、まず、判旨の前半において、たとえ白地手形として満期の補充権が明確に付与されている場合でも、所持人は、権利の行使にあたりその補充権を行使すると否とは全く自由であり、それを補充しないで、そのまま一覧払手形として請求することもできる、ということを示しているわけである。そこで、それとの関連の下に判旨の後半をみるに、それは、――本件のように――補充権が付与されているか否か明確でない場合には（おそらく本判決は事案をこのようにとらえているのではあるまいか）、手形用紙の満期記載欄を抹消せずそれを空白のまま残している事実があれば、一応、白地手形と推定すべきであるが、この場合、所持人は、権利行使にあたり、――なおさら当然のこととして――それを補充すると否とは自由である、という趣旨を示しているもののように読みとれる。いずれにせよ、さきの大審院判例とは全く違った立場に立つ興味ある判決である。

(5)　ところが大審院は、昭和七年一一月二六日の判決においては、従来とは反対の結論を認めた。すなわち、事案の詳細はわからないが、手形用紙の不動文字「支払期日年月日」を抹消せずその間を空白にしたまま振出された約束手形について、原審がそれを一覧払手形と認定したのに対し、大審院は、このような手形は、「振出人ニ於テ支払期日ヲ定ムル意思ナカリシニ因ルモノニシテ、其ノ記入ヲ為スコトヲ手形所持人ニ許シタルモノニアラズト認メ得」るとして、原審の認定は違法ではないと判示した【61】。

【61】　「本件約束手形ノ支払期日トアル下部ニ年月日ト順次空白ヲ残シテ不動文字ヲ存スルノミニシテ各文字ノ上ニ年号及ヒ数字ノ記載ナキハ振出人ニ於テ支払期日ヲ定ムル意思ナカリシニ因ルモノニシテ其ノ記入ヲ為スコトヲ手形所持人ニ許シタルモノニアラスト認メ得ラレサルニアラス又原判決カ支払場所変更ノ権限付与ノ欄外押捺ノ印ナリト認メタル所謂捨印カ所論ノ如ク満期日年月日支払地岡山市支払場所ノ三項目ニ共通セル場所ニ押捺シアリタリトスルモ必スシモ反対ノ認定ヲ為スコトヲ要スルモノニアラサルカ故ニ原審カ本件約束手形ヲ以テ商法第五百二十九条同第四百五十一条（現手形法七六条）ノ規定セル所謂一覧払ノ手形ナリト認定

シタルハ違法ナリト云フヘカラス」（大判昭七・一一・二〔六法学二・七〇九〕）。

右判決は、詳細がわからないので、その充分な分析はできないが、おそらくは、さきの【58】【59】とはその結論は異つても、考え方は共通しているのではあるまいか。すなわち、満期記載欄空白の手形が白地手形か一覧払手形かそのいずれであるかは、当事者の意思にもとづく問題であるから、その意思が明確に表示されていればそれにしたがい、もしそうでなければ、手形面における記載状況から当事者の意思を推定してこれを決すべく、そして本件の場合には振出人の意思は一覧払手形とするにありしものと推定し得る、という趣旨を示しているのではなかろうか。いずれにしても本判決は、このような結論をとる唯一の大審院判決であつて注目すべきである。

(6)　つぎに、裁判所により補充権の付与が確認されたとみられる唯一の判例として東京地判昭九・六・三〇があり、つぎのような事案にもとづいて、満期記載欄空白の手形を白地手形と認めた。すなわち、――裁判所の認定によれば――Y（被告）が、昭和二年一二月二日、満期記載欄を空白にした約束手形一通（金額二万円）をA会社にあてて振出したが、この手形は、Bが、A会社を連帯保証人として、同年一一月二一日、C銀行から四万円を借受けたので、将来A会社の保証債務の履行によりBがA会社に対し負うことになるべき求償債務を、Yが保証するために、――他の一通の約束手形（金額二万円）とともに――A会社に交付されたものであつた。そして右手形の振出に際し、YとA会社との間において、BがC銀行に対する債務の履行を遅滞し、そのため同銀行より保証人たるA会社に請求をなしうべき状態に立至りたるときは、A会社又はその後の手形所持人において任意に右手形の満期日の補充をなし得べき旨約されていた。そしてA会社は、昭和八年三月中に右手形をD（A会社代表社員）に、Dは同月中にX（原告）に順次裏書し、そしてXは同月中に満期日をDに「昭和八年四月五日」と補充記載させてYに対し支払を請求した（資料からは詳細はわからないが、おそらく、この場合、Bの履行遅滞はすでに生じているものと思われる）。これに対しYは、振出の際何等の特約もなかつたので本件手形は一覧払手形である（したがつて手形上の権利はすでに時効消滅している）、仮りに白地手形であるとしても、A会社の保証債務履行期到来の日を満期日として補充すべき旨約されていたと主張して争つた。裁判所はYの抗弁をしりぞけ、以上認定の各事実に、「手形面上満期日ヲ記載スベキ場所トシテ設ケラレタル部分ニ何等塗抹刪削ヲ施シタル痕ノ見ルベキモノナキ事実」をも合わせ考慮して、本件手形を白地手形と認めてXを勝訴せしめた【62】。

【62】「本件手形中満期日ヲ記載スヘキ場所トシテ設ケラレタル部分ヲ空白ニシタル儘振出サレタル事実ハ前段認定ノ如ク満期日ノ記載ヲ除キ其ノ余ノ部分ハ成立ニ付争ナキ甲第一号証ノ表面ニヨレハ手形面上満期日ヲ記載スヘキ場所トシテ設ケラレタル部分ニ何等塗抹刪削ヲ施シタル痕ノ見ルヘキモノナキ事実ヲ窺フニ足ルヘク以上ノ各事実ト……Dの証言……Bの証言並ニ原告X本人ノ供述ヲ合セ考フレハ被告Yカ右手形振出ニ際シ訴外A会社トノ間ニ於テ訴外BカC銀行ニ対スル前記債務ノ履行ヲ遅滞シ之カ為メ同銀行ヨリ保証人タル訴外A会社ニ請求ヲ為スヘキ状態ニ立至リタルトキハ右訴外A会社又ハ其ノ後ノ手形所持人ニ於テ任意右手形ノ満期日ノ補充ヲ為シ得ヘキ旨約シタル事実並ニ原告Xニ於テ昭和八年三月中訴外会社代表社員Dヲシテ右満期日ヲ昭和八年四月五日ニ補充記載セシメタル事実ヲ認メ得ヘク……然ラハ本件手形カ一覧払ノ手形ナルコト又ハ右満期日ハ訴外A会社ノ保証債務履行期到来ノ日トナスヘキ特約アリタルコトヲ前提トスル被告Yノ抗弁事実ハ爾余ノ点ニ付判断ヲ須ツ迄モナク失当ナリ」（東京地判昭九・六・三〇評論二三商法六一七）。

(7)　大審院は、昭和一一年六月一二日の判決【63】において、再び、さきの【58】【59】と同様の結論をとつた。すなわち、満期記載欄として「支払期日」とのみ印刷され、その下部に「年号年月日」の不動文字のない手形用紙を用い、そしてその「支払期日」の文字を抹消せずその下部を空白にしたまま振出された為替手形の所持人（被上告人）（おそらく裏書譲受人ではないかと思われる）が、その空白を補充して支払を請求した事案について、原審が、このような手形は、「反証ナキ限リ……後日手形所持人ヲシテ任意満期日ノ記載ヲ補充セシムル意思ノ下ニ白地振出ヲシタルモノト推定スルヲ相当トス」と判示したところ、上告人（おそらく引受人ではないかと思われる）が、「若シ『年月日』ノ文字ヲ存スルトキハ年月日ヲ記入スベキコトノ予想アリシモノト認メ得ラルルモ、其ノ之レナキ本件ノ手形ハ支払期日欄ニ何等ノ記載ナキモノナルヲ以テ、四五一条（現手形法二条二項）ノ規定ニ適合シ一覧払ノ手形ナルコト明カナリ」とし、さらに所持人（被上告人）に補充権を付与したことなき旨主張して上告したのに対し、大審院は、【59】を引用しながら、このような手形は「白地手形ナリト認ムルヲ相当トス」とし、そしてその場合、満期記載欄に「年号年月日」の文字がなくても右認定を防げないとのべ、そしてさらに、「補充権ハ振出人又ハ引受人ト受取人トノ間ノ契約ニ因リ生スルモ、爾後手形ト共ニ輾転シ、白地手形ヲ取得シタル者ハ法律上当然其補充権ヲ取得スルモノトス」と判示して上告を棄却した。ついで大判昭一八・四・二一（新聞四八四四号八頁）も同趣旨の判決を行なつている。

【63】「為替手形カ其手形面上『支払期日』ナル不動文字ヲ存シ其下方即満期日ヲ記載スヘキ場所ヲ全然空白ノ儘トシテ振出サレタルトキハ満期日ノ記載ナキ為メ一覧払ノ手形ト為スヘキニ非スシテ後日所持人ヲシテ満期日ヲ補充セシムル意思ヲ以テ故ラニ之ヲ記載セスシテ振出シタル白地手形ナリト認ムルヲ相当トス（大正十四年（オ）第七八一号同年十二月二三日当院判決参照）右満期日ヲ記載スヘキ場所ニ『年号年月日』ノ文字

ナキモ右ノ認定ヲ妨クルモノニ非ス」（大判昭一一・六・一二新聞四〇一一・八）。

これらは、その判旨はきわめて簡略で充分な意味はとらえにくいが、おそらくさきの【58】【59】の立場をそのまま踏襲しているもののように思われる。

下級審判例で右と同趣旨のものとしては、旭川区判昭一一・一〇・六（新聞四二二六号七頁）（Y_1（被告）が、昭和三年九月二十日、Y_2（被告）にあて、満期、支払地、支払場所の記載欄を空白としその欄下に捺印した約束手形一通を振出し、同日Y_2はこれをX（原告）に裏書譲渡し、そして後日Xがその所持人として満期を「昭和十年十二月二十日」と記入し（支払地、支払場所も記入し）Y_1Y_2に対し支払を請求したところ、Y_1Y_2は、右手形は一覧払手形であり、手形上の権利は消滅していると抗弁した事案について、「斯ル手形ニ在リテハ白地トシテ他日之ヲ補充セシムル意思ノ下ニ振出サレタル所謂白地手形ナリト看ルヲ相当トス右認定ヲ覆スヘキ証左ナシ」と判示してXを勝訴せしめた）、東京控判昭一五・二・二八（評論二九巻商法一八三頁）（詳細はわからないが、振出日および満期の記載欄を空白にしたまま振出された約束手形について、「手形用紙ノ支払期日トカ満期トカノ文字ヲ消スコトナクソノ下ニ月日ヲ書キ入レスニ白クノコシテアルタケテハ特別ニ証拠カナイ限リ白地手形ト認ムヘキ」であると判示した）のほか、戦後の判例として横浜地判昭三六・七・二四【64】があり、満期記載欄空白のまま振出された約束手形の所持人X（原告）が、その空白を補充して振出人Y_1および裏書人Y_2・Y_3（いずれも被告）に支払を求めたところ、一覧払手形であるとして支払を拒絶された事件につき、「手形がその用紙の満期の日の記載欄を空白にしたまま振出された場合には、反対の特約がない限り、振出人は受取人に対し暗黙に、右満期の日の補充権を与える趣旨であつたと解するのが相当である」と判示して原告の請求を認めた。

【64】「被告Y_1は、右約束手形の振出に当り、被告Y_2会社に対し満期の日の補充権を与えなかつた旨主張するけれども、手形がその用紙の満期の日の記載欄を空白にしたまま振出された場合には、反対の特約がない限り、振出人は受取人に対し暗黙に、右満期の日の補充権を与える趣旨であつたと解するのが相当であるところ、本件約束手形の振出人たる被告Y_1と受取人たる被告Y_2会社との間に反対の特約があつたことを認めるに足りる証拠はないから、被告Y_1は右約束手形振出に当り被告Y_2会社に対し暗黙に満期の日の補充権を与えたものと解

すべきである。

被告Y_1は又、取引社会において一般に手形の満期の日は振出の日から三十日ないし百二十日となす旨の事実たる商慣習があると主張し、これを前提として右約束手形はその満期の日から三年を経過したことにより消滅時効が完成したと主張するけれども、取引社会に満期の日を白地として振出された手形につき、その満期の日を被告Y_1の主張のように定めることの事実たる商慣習のあることはこれを認めるに足りる証拠はないから、同被告の右主張は理由がない」（横浜地判昭三六・七・二〇四金融法務二八五・六）。

右判決は、手形用紙の満期記載欄を空白にしたまま手形が振出された場合には、白地補充権は付与しない旨の特約がない限り、暗黙に白地補充権は与えられているものと解しようという立場であつて、従来の――当事者の意思が明確でない場合、手形用紙の満期記載欄を抹消せずそれを空白のまま残している事実から白地手形と「推定」しようとする――判例の立場に較べ、白地手形の認定に、より一歩積極的な態度をうち出しているもののように感じられる。

以上の諸判例をながめて、それらのうちのほとんどは、当事者の意思が――白地手形として発行するか否か――明確でない場合に関するものであること、そしてそれらのうちの多くは、裏書譲受人と手形債務者との間の争いに関していることに注意すべきである。そして、これら判例の推移を、今一度、要約してのべればつぎの通りである。すなわち、手形用紙の満期記載欄を抹消せずそれを空白のまま残している場合について、古くは、一覧払手形と認めようとする下級審判決があつたが、大審院は、【58】【59】において、白地手形か一覧払手形かそのいずれであるかは当事者の意思にもとづくが、それが明確でなければ、右のような手形面の状況からは白地手形と「推定」すべきであるとした。そしてその後大審院は、【61】においては、これと同様の場合について、逆に一覧払手形と「推定」したが、【63】において再び従前の立場に戻った。そして下級審の判例も――【60】は除いて――右の【58】【59】および【63】に示された大審院判例の態度にしたがって来ている。

（四）学説　つぎに学説をみるに、大橋博士は、「満期の記載なき手形は法律上当然に一覧払手形とする以上は、満期を白地とする白地手形は考えられないことになる」と説かれるが（そしてその理由として、「かかる白地手形もあり得ると解するに於ては、満期を補充せざる限り永久に履行期が来ない訳であつて、終に白地補充権の行使期間の算定の標準がなくなるであろう」とされる。新統一手形法論(上)一一八頁）、その他の学説は、満期を白地とする白地手形の成立することを認めている。しかし、このような白地手形と一覧払手形との区別いかんの問題については見解が分かれ、手形用紙の満期記載欄を抹消せずそれを空白にしたままで発行された場合について、あるいは、「判例は此等の場合に白地手形と認めんとするが、是れ補充の委託の事実が立証されざる限り認め得られざる所である。然し不動文字印刷の部分を殊更に塗抹することをなさずして放置したる故を以て要件が記載なきものとして之を遇することもできない。斯る場合には手形を無効と認むる外途はない」とし（田中耕三一〇頁）（そして、判民大正一四・一二二事件において、「所持人は之により甚だ不利なる法律上の地位におかれるのであるが、この不利は、手形の無効なることを振出人其の他手形行為者が主張して責任を免るることを得ざることになれば、……救済することを得ぬであろうか」とされている）、あるいは、「各場合の証拠によつて決すべく、一途に白地振出の推定あるものと解すべからず、又一覧払手形なりとの推定も下し兼ねる」とし（本間志林六七三頁。伊沢三一六頁が「当事者が白地手形を発行する意思なりしや否やの事実問題によつて決定せらるべきものである」とするのも同趣旨であろうか）、あるいは、「白地手形であることの立証がない限り一覧払手形と解すべきである」とし（大隅八一頁。田中誠一七三頁が「当事者か白地手形を発行する意思であつたかどうかを確める必要があるが、もし不明なときは手形法二条二項により一覧払と解すべきである」とされるのも同趣旨であろうか）、またあるいは、「一覧払手形を発行することは実際上はむしろ特殊な場合であるとすれば、……とくに一覧払として振出されたことが明かでない限り白地手形と推定すべきであろう」とする（大森「白地手形」講座二巻四六頁）。

このほか、鈴木教授は、「書面の外形上、欠けている記載が将来補充を予定されているものと認められる場合（手形用紙の満期……の記載欄が抹消されないで空白のまま残されている場合のごとし）には、このような書面であることを認識し又は認識すべくして署名をすれば、それにより当然補充権を与えたものと認められ、……補充をすればそれが有効な補充としてその文言による効力を生ずることになるが、補充をしなければ、満期の記載のない一覧払の手形……として権利を行使しうる」とし（鈴木二〇七頁）、また大隅・河本両教授も、前掲【60】の趣旨を是認しながら、満期記載欄を空白にした手形は、「所持人においてこれを白地手形ともあるいは……一覧払手形ともみなすことが可能である」として（大隅＝河本二六頁。大塚「満期と呈示期間」講座四巻七四頁もこれに賛成する）、ともに、このような手形に二様の効力を認められている。これに対し上柳教授は、「満期の記載がない手形が白地手形であるか、一覧払手形であるかは、当事者が白地手形として発行する意思であつたか否かで定まると考える」とし、「当事者の意思が明かでない場合には……白地手形と推定すべきであろう」とのべられる。そしてさらに、「しかし、このような手形が第三者に譲渡された場合には譲受人の信頼を保護することを考えなければならないので、白地手形として振出されたのであつても、振出人は重大な過失なしに一覧払手形と信じてこれを譲受けた者に対しては、手形法一〇条（手七七Ⅱ）により一覧払手形でないことを対抗できず（満期の記載がない手形を一覧払とみなす旨の手形法の規定があるため、このような譲受人は、他の要件が白地である白地手形の不当補充後の取得者と同様に取り扱うべきである）、逆に一覧払手形として振出されたものと解すべき場合であつても、重大な過失なしに一定の範囲の補充権がある白地手形であると信じてこれを譲り受けた者に対しては、振出人は手形法一〇条の類推適用により白地手形でないことを対抗できない（この場合の譲受人は、振出の当事者間の関係で定まる範囲を越える補充ができると信じて白地手形を譲受けた者（…この者には手形法一〇条が適用されると考える）に準じて取り扱うべきである）と解すべきである」とされる（上柳「白地手形の譲受と補充権の時効」商法演習Ⅲ二一三頁）。

（五）　私見　さて、この問題は、「そもそも白地手形というものをどのようにとらえるべきか」という問題とも密接に結びついた、きわめて難かしい問題であるように思われる。そこでこの問題の解決に先立ち、まず、「白地手形」というもののとらえ方について検討してみたい。

白地手形の成立については色々な考え方があるが、通説はいわゆる「主観説」の立場に立ち、白地手形であるがためには、白地手形行為者からその所持人たるべき者に対して白地補充権が、明示又は黙示の合意によつて附与されていることが必要であるとする。そしてその附与が立証された場合は問題はないが、その附与の合意の有無が不明確な場合には、当事者の意思の合理的解釈によつて決すべく、そして要件の各項目名が不動文字で印刷された手形用紙に、要件の内容を白地としたまま署名してこれを発行したような場合などは、特別の事情がないかぎり、補充権を附与したものと推定するのが合理的であるとしており、判例の多くもまた同様に解している。

一方これに対しては、手形取引の安全を保護するために、一般に、「署名者の具体的意思いかんに関せず、外観上署名者が補充を予定して署名したるものと肯定し得れば、即ち白地手形なりと観るべきものとし、したがつて、既成の手形用紙が用いられたような場合には、署名者の意思いかんにかかわらず白地手形とみるべきであるとする、いわゆる「客観説」がある（升本一三四頁）。

また、基本的には「主観説」の立場に立ちながら、白地手形の成立のためには必ずしも補充権の附与の具体的意思を必要とせず、既成の手形用紙を用いた場合のように、「その書面の外形上、欠けている記載が将来補充を予定されているものと認められる場合には、このような書面であることを認識し又は認識しうべくしてこれに署名した以上、それによつて当然補充権を与えたものと認める」べきであり、これによつて白地手形が成立する、とするいわゆる「折衷説」もある（鈴木二〇七頁）。

ところで、これらの説を通じて、「手形取引の安全の保護」ということが一般に重視されているように感じられる。すなわち、「客観説」や「折衷説」が主張されるのは、そもそも手形取引の安全の保護を徹底ないしは強化するためであることは言う迄もないし、また、「主観説」の多くが、一定の場合に白地手形としての推定を与えるのも、それが通常の当事者の意思に合致するということのほかに、やはりそこに手形取引の安全の保護のための考慮が強く働いているからではなかろうか。

さて、私見としてはつぎのように考えたい。すなわち、この問題を、(1)振出人と受取人との間の関係（約束手形の場合。以下同じ）と、(2)振出人と裏書譲受人との間の関係との二つの関係に分つて考察すべきである。そして(1)の関係においては、純粋な「主観説」の立場に立つて問題を処理すべきである。なぜならば、受取人は、振出人の手形授受の直接の相手方であり、彼と振出人との間の原因関係上の「ある特別の事情」にもとづき、要件白地の手形が振出交付されたわけであるから、受取人自身については、善意者の保護ないしは取引安全の保護ということは別段考慮する必要はないと思われるからである。そこでもつぱら「主観説」の立場を徹底させて、補充権附与の合意があれば白地手形、それがなければ要件欠缺の無効手形と解し、そしてもし当事者の意思が明確でない場合には、原因関係を仔細に分析、検討して補充権附与の合意の有無を究めるべきである（しかし、それでも明かでない場合には、白地手形と推定すべきであろう）。

そして一方(2)の関係においては、善意者の保護ないしは取引安全の保護のための考慮が強く働かれるべきである。なぜならば裏書譲受人と振出人との間の関係は間接的であつて、裏書譲受人は、要件白地の手形が発行されるにいたつた振出人と受取人との間の原因関係上の事情いかんについては、本来関知しないのが通常であるからである。そこで、もしそれが要件欠缺の無効手形であつたとしても、彼が裏書を受けるに際し、一定範囲の補充権のある白地手形であると信じ、かつそう信ずるにつき重大な過失がなかつたときは、手形法一〇条の類推適用により、振出人は白地手形でないことをもつて彼に対抗しえないと解すべきではあるまいか。そして、要件白地の手形の裏書を受ける第三者はそれを白地手形と信じるのが通常であり、ことにそれが不動文字で印刷された手形用紙を用いているような場合には尚更であろう。したがつて、この(2)の関係については、私見のような考え方は、――結果的には――「客観説」ないしは「折衷説」の立場に非常に接近したものになるであろう。

さて、以上のような考え方を基礎にして、この満期白地の手形の問題について検討してみよう。

(1)　まず、振出人と受取人との間の関係においては、その手形が白地手形であるか一覧払手形であるかは、結局、当事者がそれをいかなる手形として発行する意思であつたかによつて定まる（上柳・前掲二一三頁）。すなわち、満期白地の白地手形としてその補充権が附与されている場合には白地手形であり、その他の場合――すなわち、(i)一覧払手形とする意思で振出された場合、(ii)および完全な手形として振出されたが、故意または過失により満期の記載が欠けていた場合——には一覧払手形である。そして当事者の意思が明確でない場合には、原因関係を仔細に分析、検討して補充権附与の合意の有無を判断すべきである（上柳・前掲二一三頁は、「当事者の意思が明かでない場合にはどのように推定すべきかが問題となるが、……振出の実質関係が金銭の消費貸借である場合には、その消費貸借契約上の返還時期（……）を満期とする補充権が与えられた白地手形と推定すべきであろう」とされる）。

(2)　つぎに振出人と裏書譲受人との間の関係においては、裏書譲受人の信頼の保護をはからなければならない。そこで——振出人と受取人との間では——一覧払手形とみなされるべき場合であつても、重大な過失なしに一定範囲の補充権のある白地手形であると信じてその手形を譲受けた第三者に対しては、振出人は手形法一〇条の類推適用により白地手形でないことを対抗できないと解すべきである（上柳前掲二一三頁）。そして逆に、——振出人と受取人との間では——白地手形として振出された場合であつても、重大な過失なしに一覧払手形であると信じてこれを譲受けた第三者に対しては、同じく振出人は、手形法一〇条により一覧払手形でないことを対抗できないと解すべきであろうと考える（上柳前掲二一四頁）。

七　支払地

一　概　説

支払地とは、手形金額の支払がなされるべき地域をいう（手一5七五4）。支払のなさるべき地点である支払場所とは異なる。支払場所は、支払地内の主たる債務者の営業所・住所または第三者方払手形の第三者方であつて、支払地の表示はこの支払場所の探究に手がかりを与えるためのものである【65】。

【65】「商法ニ手形ノ振出地ト称スルハ如何ナル地域ヲ指スモノナルカ此点ニ付キ法文上明カニ規定シタルモノナキモ同法中『支払地ニ於ケル支払ノ場所』ト謂フカ如キ文詞アルニ依リ考フレハ……商法ニ支払地又ハ振出地ト称スルハ同法ニ所謂場所ヨリモ広キ地域ヲ指スモノナルコトヲ推知スルコトヲ得ヘシ」（大判大二・一〇・二〇民録一九・八三三）。

従つて、もし、支払地なる標題の下に、番地まで記載されているときは、すでに振出人によつて支払地ならびに支払場所の記載がなされたものとみるべきであるから、もはや引受人は支払場所の記載ができないと解すべきである（大隅＝河本一〇頁）。しかし振出人自身が、支払地「東京都中野区沼袋三一一番地池田方」、支払場所「株式会社第一銀行沼袋支店」という記載をしているときは、支払地の記載は中野区を示す限りで意味をもち、以下の地番の附記は無意味な記載とみるべきであるとの判例がある【66】。

【66】「手形の支払地は、手形の支払がなさるべき一定範囲の地域をいい最小独立行政区画に相当する地域を以て表示すると解されており、支払地内の特定の場所を意味することはない。従つて本件手形の支払地欄に『中野区沼袋三一一番地池田方』とある記載は支払地が中野区であることを示す範囲で支払地の記載としての意味をもち、『沼袋三一一池田方』はもし本件手形に他に支払場所の記載がなければ振出人の意思は或は支払場所を表示したものと判断することもできるであろうが、本件手形のように支払場所欄に中野区内にある『株式会社第一銀行沼袋支店』が表示されている場合にはこれが支払場所であつて『沼袋三一一池田方』の記載は無意味なものにすぎないというべきである。従つて本件手形は被告Aの主張するように支払場所が支払地外にあると見ることはできないから、原告は適法な支払場所に適法に呈示したものということができる」（東京地判昭二六・一〇・一八タイムズ二一・五七）。

右判旨には賛成すべきであろう（大隅＝河本一〇頁、境「支払地・支払場所」講座四巻一一一頁等）（ただし鈴木一九五頁は、支払地は地点でもよいとの見解に立つて、右判決につき、支払地「東京都中野区……池田方」という記載があるときは、支払地の記載と同時に支払場所の記載もあるのだから、これ以外に支払場所「株式会社沼袋支店」と記載してもその記載は無効であるとのべて反対される）。

判例は、支払地の「地」とは独立の最小行政区画（市町村・東京都の区）を意味し、支払地の表示としては少なくとも独立の最小行政区画を推知するに足る記載をしなければならないとしている。しかし学説においては、社会的に通用する一定の地域を示す名称を記載すれば足り（ただし、支払場所探究の手がかりを与えようとする趣旨を没却するような広汎な地域の記載であつてはならない）、必ずしも行政区画に拘泥する必要はないと解するものが多い（詳細は、本節二「支払地の意義とその記載方法」参照）。

支払地は実在の地でなければならないとするのが通説である（詳細は、一〇「真実に合致しない（実在しない）記載」参照）。

通常は手形用紙の「支払地」なる印刷文字の下に記載されるが、法律上は必ずしもその必要はなく、手形面のいずれの部分にあらわされていてもよい。したがつて、とくに支払地の記載がなくとも、支払場所の記載が地の記載を含んでいるか、又は、支払場所の記載から当然支払地を推知できるならば、支払地の記載があるものと認めてよい（大隅＝河本一一頁、鈴木一九〇頁、境前掲一〇七頁）（詳細は本節二「支払地の意義とその記載方法」参照）。

しかし、補箋上の支払地の記載は手形を無効ならしめる【67】。

【67】振出人が手形を振出するあたり、手形に補箋を附し、これに契印を加え、そこに支払地と支払場所を記載した事案について、「商法ノ手形ニ関スル規定中厳ニ其記載事項ヲ定メ其方式ニ依ラシムルモノハ手形債務ニ関スル意思表示ハ手形券面ニ存シ之ト一体ヲ為スモノニ非サレハ其効力ヲ有セス従フテ其券面ハ極メテ簡明ニシテ容易ニ変改シ得サル如キモノナルコトヲ要スルニ由ルナリ故ニ商法ハ……手形券面ニ記載セシムルコ

トハ事実上困難ナルヘキ特別ノ場合ヲ予想シ其場合ニ限リ券面ヲ補フ紙片即チ補箋ヲ使用シ之ニ必要ノ記載ヲ為スコトヲ認許シタリ蓋シ手形ノ裏書ハ之ヲ為ス度数ニ於テ其制限ナキヲ以テ一手形ニ付キ幾多ノ裏書アルヘキコトヲ予想セサルヘカラス而モ若シ手形券面ノ記載ニ依リテノミ裏書ヲ為スヘキモノトスルトキハ之ヲ為ス必要アル場合ト雖モ余白ヲ存セサル為メ所持人ヲシテ其裏書ヲ為スコト能ハサラシムル如キ不便ナキヲ得セス然ラハ商法第四百五十七条（現手形法一三条）ニ於テ裏書ハ補箋ニモ之ヲ為スコトヲ得シメタルハ右ノ如キ不便ヲ除去スル目的ヲ以テ特ニ設ケタル例外規定ナリト謂ハサルヘカラス……同法第四百九十七条ニ於テ手形債務ヲ保証スルニハ補箋ニ其記載ヲ為スコトヲ認許シタル如キモ亦……同一事由ニ基クモノト云フヘシ何トナレハ手形債務ノ保証ハ啻ニ其振出人又ハ支払人ノ為メニ之ヲ為スヘキノミナラス裏書人ノ為メニモ亦之ヲ為ス事例乏シカラサルヲ以テ裏書ニ補箋ヲ要スル事情アル如ク保証ニモ亦之ヲ使用スルコトヲ許ス必要アリト云フコトヲ得レハナリ是ニ由リテ之ヲ観レハ原院カ商法ニ補箋ノ使用ヲ禁止シタル規定ナシト云フ理由ヲ以テ手形ノ記載ハ其如何ナルモノタルヲ問ハス補箋ニ関スル商法ノ規定ヲ不当ニ適用シタル不法アリト云ハサルヘカラス」（大判明三五・一〇・二一民録八・九・一〇二）。

単に「東京」、「大阪」というような記載については、かつて「東京」なる記載も慣習上東京市をさすものとして有効とされたが【68】、都制実施後の現在では不適法である。「大阪」、「京都」等の記載は、大阪市、京都市とみて現在でも有効であろう。

【68】「……振出地トシテ約束手形ニ記載スルニハ必ラス其地域ノ行政上ノ名称ヲ以テセサルヘカラストノ法則ナシ故ニ行政上ノ名称ニ依ラス他ノ名称ヲ以テスルモ之ニ依リテ行政最小区画ヲ表示スルニ足ルノ場合ニ於テハ振出地ノ適法ナル記載アルモノトシテ認メサルヘカラス今本件ニ於テ原裁判所カ東京ナル文字ハ慣習上東京市ナル行政区画ヲ意味スルモノナルカ故ニ之レヲ振出地トシテ記載シタル約束手形ハ振出地ノ適法ナル記載アルモノナリト判示シタルハ是振出地ノ記載トシテハ行政上ノ名称ニ依ラスシテ慣習上東京市ナル行政区画

ヲ示スヘキ文字ヲ用ユルモ可ナリトノ趣旨ニ出テタルコト明カニシテ若シ東京ナル文字カ東京市ナル行政区画ヲ意味スル慣習アリトセハ此判定ハ固ヨリ相当ナリ」（東京控判明三八・四・一九新聞二七六・一八）（同旨大判明三五・三・一四民録八・三・一、東京地判明三五・三・三一新聞八三・七、東京地判大九・二・二七評論九商一三三等）。

同一の地名が二箇以上あるときも、それを識別する記載を附せずとも、手形の形式上は完全である【69】【70】。従つて、所持人は手形上はそのどちらでも支払を求め得るが、ただ何れの地であるかを知つている者に対しては、それを人的抗弁事由とすることができると解すべきであろう（鈴木一八九頁、大隅＝河本一三三頁、田中耕二八五頁、伊沢三三三頁、竹田八六頁、境・前掲一〇八頁等）。

【69】「手形ノ振出地トハ市町村ノ如キ独立シタル最小ノ行政区画ヲ謂フモノナレハ手形ニ振出地タル市町村ヲ記載スレハ足ルモノニシテ郡県ノ如キハ之ヲ記載スルコトヲ要スルモノニ非ス随テ二三ノ県下ニ同一名称ノ市町村アル場合ニ於テ其市町村ヲ振出地トシテ記載スルトキハ果シテ何レノ県下ノ市町村ヲ指示スルヤ手形面ニ於テハ知ルコト能ハサルモ之ヲ以テ手形ノ要件タル振出地ノ記載ナキモノト為スコトヲ得ス」（大判明三五・六・一七民録八・六・一〇一）。

【70】「約束手形ニ記載スヘキ振出地ナルモノハ苟モ最小独立ノ行政区画タル地域ヲ記載スルトキハ其形式ハ完備スルモノニシテ偶其記載シタル地域ト同一ノ名称ヲ有スル最小独立ノ行政区画二箇以上アリテ其指定スル所正確ナラサル如キ場合ニ在リテモ毫モ形式ノ瑕疵トナルヘキ理アルコト無シ何トナレハ手形ノ形式完備スルヤ否ハ手形自体ニ依リテ定マルモノニシテ四囲ノ事情ヲ参酌スヘキモノニ非サレハナリ」（大判明三七・一二・一九民録一〇・一四九九）。

支払地の表示中、誤記があつても、最小行政区画の表示に誤りがない以上、支払地の記載として無効とはならない。大判昭九・一・三〇（法学三巻六七二頁）は、「富士郡田子浦村」を「庵原郡田子浦村」と誤記した場合について右の結論を認めたが、近時これと同趣旨のつぎのような下級審判例【71】がある。

【71】「被告組合は、本件手形の支払地、振出地及び振出人の肩書地の各表示につき長野県埴科郡坂城町大字南『条』とあるべきが、長野県埴科郡坂城町大字南『篠』と誤記されているから、右約束手形は無効である旨主張し、右誤記は原告及び被告組合の間において争のない事実であるけれども、最小行政区画たる長野県埴科郡坂城町を以つて完全なる支払地等の記載というべきであり、これを除く外の記載即ち大字南『篠』と誤記した部分は無用の記載と認むべく、これがため支払地等の記載を無効ならしめるものではない」（長野地上田支判昭三七・七・三〇金融法務三一八・八）。

また、振出人が振出地と支払地を逆に記載したものであることが手形面から明白である場合には、手形の効力に影響がないとするつぎのような下級審判決がある【72】。

【72】「支払地東京都港区」、「支払場所光信用金庫駒込支店」、「振出地東京都文京区」と記載された約束手形について、「原告本人尋問の結果及び同結果により成立を認める甲第二、三号証の各一〈中略〉によれば、原告主張事実を認めることができる（もつとも、甲第二、三号証の各一によれば、振出人の肩書地として東京都港区芝海岸通一丁目十一番地と記載されてあることが認められるので前記支払地と振出地の記載は誤記であつて、支払地東京都文京区、振出地欄に東京都港区と記載する意思で、右のごとく、逆に記載したものと認められるが、右のように誤記であることが手形面から明白である場合には、手形の効力に影響がないし、手形所持人が満期日に右手形の支払場所に呈示したことも有効であると解する）。右事実によれば、原告の本訴請求は全部正当であるから、これを認容する」（東京地判昭三七・一一・六判時三二四・三二）。

右判決は妥当であろう。

支払地は単一かつ確定することを要し、重畳的又は選択的記載は手形の効力を害するというのが通説である（詳細は九「手形要件の複数的記載」参照）。

なお支払地の記載は絶対的要件ではなく、その記載がない場合にも、為替手形においては支払人の肩書地が、そして約束手形においては振出地――それもなければ振出人の肩書地――が、それぞれ「特別の表示がない限り」、支払地とみなされることになる（手二Ⅲ・七六Ⅲ）。

支払地の記載として独立最小行政区画の記載を要求する判例の立場からは、それに代る肩書地あるいは振出地も、右区画を示すかないしはこれを推認せしめる地名を含んでいなければならない。そして肩書地としては町名番地まで記載されていることが通例であろうが、支払地の補充としては独立最小行政区画を示す部分のみが利用される（鈴木一八八頁、大隅＝河本二九頁）（これらの問題に関する判例しては、「兵庫柳原」なる肩書地を不可とする大阪控判明三九・月日不詳新聞四四一・一一、振出人が附記したものでなく、支払人が引受署名に附記した地には二条三項による効力は与えられないとの東京控判大一〇・一一・一二評論一〇商五五九、振出人と支払人とが同一人であるときは、振出人の署名の肩書をもつて支払人の名称に附記した地となすことができるとの東京控判大一三・一〇・二八新聞二三三三・一九、同大一四・三・一二評論一四商二七二等がある）。

そして支払地の記載が全然ない場合はもちろん、不適法（厳密にいえば不完全）な記載――たとえば「大阪府下」――がある場合にも、本法により――肩書地の「大阪市」で――補充を認めるべきである（大判大六・六・一四新聞一三二三号三二頁等）。しかし、肩書地（あるいは振出地）の記載と、支払地に関する記載（それが不完全とはいえ）とが相矛盾する場合――たとえば、肩書地が「神戸市」、支払地が「大阪府下」――には、その補充は許されない（鈴木一九一頁・大隅＝河本二九頁）。したがつて、旧法下において、約束手形の振出地（旧法では約束手形の振出地は為替手形の支払地にあたる）としての「信州軽井沢」なる記載を不適法とした上で、振出人の肩書中の「嬬恋村」なる記載をもつて振出地の記載あるものとした大審院判例（後掲【79】）があるが、以上のような考え方からすれば許されないことになる。

いわゆる「特別の表示」がない場合とは、手形上の記載から肩書地（あるいは振出地）を支払地としない趣旨が認めえない限り、という意味である。支払地と明記された記載がなくとも手形面上——たとえば「支払場所甲銀行A地支店」なる記載から——それの推知されるときは、支払地の記載のある場合であるから補充は認められないが、「特別ノ表示ナキ限リ」というのは、主としてかような場合を見ての立言であろう（詳細は本節二「支払地の意義とその記載方法」参照）。

二　支払地の意義とその記載方法

（一）支払地（および振出地）は最小独立行政区画（市町村および東京都の区）のことと解するのが古くからの判例の立場である。もつともその記載方法については、それを推知しうる文字の記載で足りるとして来ている。ところが、学説の多くは、今日一般にこれに対して批判的である。近時の有力説は、最小独立行政区画より広い地域は、支払地の記載を要求した法の趣旨を無にするから認めえないけれども、それより狭い地域ならば、それが社会的に通ずる称呼をもつて表示され、そしてその範囲が客観的に確定している限り、それを支払地と認めて何らさしつかえないと解している（そして振出地については、学説はほとんど一致して、振出行為の準拠法決定の基準になりうる限り最小独立行政区画より広狭いずれでもさしつかえないとしている）。

以下、支払地の「意義」とその「記載方法」に関する判例ならびに学説の変遷を概観し、ついでそれらを分析しながらこの問題を検討してみよう。

ところで、この問題を考えるにあたり、つぎの諸点に注意しなければならない。

(1) まず、旧法（現行手形法の施行以前）においては、支払地は、為替手形の要件ではあるが約束手形の要件ではないこと、そして、約束手形に支払地の記載のないときは、振出地（これは反対に、約束手形のみについての要件であつて、為替手形の要件ではない）をもつてその支払地とみなされることである。すなわち、旧法における約束手形の振出地は、――現行手形法における振出地とは異り――支払地としての意味をもあわせ有しているわけである。したがつて、この問題の考察にあたつては、旧法下の振出地の「意義」と「記載方法」に関する判例を、全てその対象にとりあげなければならない。

(2) つぎに、従来の支払地に関する判例は、そのほとんどが約束手形の場合であり、かつそれらは、――ことに旧法下において――多くは、支払場所の記載と関連していることである。すなわち、前記のように、旧法においては約束手形に支払地の記載がなければ振出地をもつてその支払地とされるが、判例にあらわれた事件は、その多くは支払地の記載はなく（あるいは不完全で）、支払場所の記載のある約束手形の場合であつて、そこでは、その支払場所の記載が支払地の表示を含んでいると解しうるか否か、したがつてその支払場所は支払地内に存在するか否かが争われているものである。

(二) 従来の振出地および支払地の「意義」と「記載方法」に関する判例を、つぎの四つの時期に区分してみよう。すなわち、(i) 最小独立行政区画と確定する以前の時期（これを「前期」とよぶ）、(ii) 最小独立行政区画と確定以後、その記載方法に厳格さが要求された時期（大判明三四・一〇・二四以降――これを「第一期」とよぶ）、(iii) その厳格さが漸次緩和されて来た時期（大判大五・六・三〇以降――これを「第二期」とよぶ）、および(iv) 最小独立行政区画を推知しうる文字の記載で足るとされるようになつた時期（大判大一五・五・二二以降――これを「第三期」とよぶ）である。

〔前期〕（最小独立行政区画と確定する以前）

旧商法（明治三二年廃止）下の判例は別として、新商法（明治三二年施行）施行後のものをみるに、明治三三年から三四年にかけて、大審院と下級審のいくつかの判例がある。それらはすべて約束手形に関するものであり、そしてそのうちのほとんどは、振出地の記載はなく振出人の肩書地の記載がある場合であつて、最小独立行政区画が示されているものもあればそうでないものもある。これらに対する判例の態度はまちまちであるが、そのなかで注目すべきは東京地判明三四・六・二九【73】であつて、振出地、支払地の「地」とは「東京大阪ノ如ク経済上一ノ独立シタル地域ナラザルベカラズ」とし、そして「経済上独立ノ地域ナルヤ否ヤハ事実上ノ問題」であると判示している（同旨、東京地判年月日不明新聞四九号（明治三四・八・二六）二二頁、東京地判明三四・一〇・一四新聞六〇号六頁）。

【73】「約束手形ノ振出地ト為スコトヲ得ルモノハ東京大阪ノ如ク経済上一ノ独立シタル地域ナラサルヘカラス……抑モ一ノ地方カ経済上独立ノ地域ナルヤ否ヤハ事実上ノ問題ニシテ時ニ変遷ナキコト能ハス之ヲ判別スル標準モ亦種々アリト雖モ貨物ノ集散取引所ノ位置金融ノ状況等ハ其主要ナルモノナリトス今此等ノ標準ニ拠リテ審査スルニ東京ハ経済上ノ独立シタル一地域ト云フコトヲ得ルモ日本橋区ハ然ラス……商法カ商号ノ登記及ヒ商人相互間ノ売買ニ関シ特ニ明文ヲ以テ其地域ヲ市町村ニ定メタルニ拘ラス手形ノ振出地ニ関シ何等ノ規定ヲ為ササルニ徴スレハ立法者ノ意思ハ振出地ニ関シ其地域ヲ市町村トスルニ至ラサルコトヲ窺知スルニ足ル加之商号ノ登記ニ関シテハ商号専用権ノ及フ範囲ヲ確定シ又商人相互間ノ売買ニ関シテハ買主ニ特種ノ義務ヲ負ハシムルヤ否ヤニ付キ明文ヲ以テ一定ノ地域ヲ限定シ以テ権義ノ関係ヲ明ニスル必要アリト雖モ手形ノ振

出地ノ如ク時勢ノ変遷ニ依リ其地域ニ異同ヲ生スヘキモノニ付テハ法文ヲ以テ之ヲ限定スル必要ナシ」（東京地判明三四・六・二九新聞四四・九）。

右判決のいう「経済上独立ノ地域」とはいかなるものを指しているのか、充分に明かでない。そして「事実上ノ問題」ということばの意味にも問題があるが、おそらくは、それは、「実質的に判断して定まる問題」という意味ではなかろうか。

〔第一期〕（最小独立行政区画と確定以後、その記載方法に厳格さが要求された時期——大判明三四・一〇・二四以降）

（Ⅰ）振出地　まず振出地についてみるに、大判明三四・一〇・二四（明治三四年(オ)四七二号）が、はじめて明確に、振出地とは市町村のような「行政区画中独立シタル最小地域」のことである（したがって、「深川区」のごとき地域は振出地として記載すべき適法な地域ではない）と判示した。そしてその理由として、「振出地トハ如何ナル地域ノ謂ナルヤハ法律上ノ問題ニシテ事実上ノ問題ニ非ズ。何トナレバ……振出地トシテ記載シタル地域ハ果シテ振出地ニ相当スル事実アルヤ否ヲ判断スルヲ要スルガ如キハ、手形ノ流通ヲ阻碍スル恐アル」とし、また、「其地域タルヤ必ズ全国通有の地域タラザル可カラザルヤ誠ニ明ケシ。何トナレバ、若シ某々地方ニ存在スル地域ニシテ他ノ地方ニ存在セザルモノナルトキハ、手形ノ行使全国ニ普及スルニ便ナラザル結果ヲ生ズベケレバナリ」とのべている【74】。

【74】「抑モ振出地トハ如何ナル地域ノ謂ナルヤハ法律上ノ問題ニシテ事実上ノ問題ニ非ス何トナレハ既ニ振出地ノ記載ヲ以テ手形ノ要件ト規定シアルヲ以テ此ニ振出地トシテ記載シタル地域ハ果シテ振出地ニ相当ス

ル事実アルヤ否ヲ判断スルヲ要スルカ如キハ手形ノ流通ヲ阻碍スル恐アルノミナラス若シ振出地ノ地域法律上一定セサルトキハ其他所払ノ手形ナルヤ否ヲ甄別スヘキ標準ナキニ至レハナリ夫レ既ニ振出地ノ地域ハ法律上一定シタルモノナリトスレハ若シ手形ニ振出地トシテ記載シタル地域法律ニ於テ振出地ト称スルコトヲ得サランカ仮令其地域ハ著名ノモノナリトモ又一種特殊ノ区画ヲ為スモノナリトモ其手形ハ振出地ヲ記載セサルモノト云ハサルヲ得ス何トナレハ法律ニ於テ手形ニ特殊ノ効力ヲ附与シタル所以ノモノハ其他ノ債権証書ト異ナリ法律ニ規定シタル事項即チ要件ヲ記載スルカ故ニ外ナラサルヲ以テ其要件ハ最モ厳正ニ遵守スルヲ要スヘキコト必然ノ理ナレハナリ然レハ即チ法律ニ於テ振出地ト称スル地域果シテ如何ト尋繹スルニ其明文ハ闕如スト雖モ其地域タルヤ必ス全国通有ノ地域タラサル可カラサルヤ誠ニ明ケシ何トナレハ若シ某々地方ニ存在スル地域ニシテ他ノ地方ニ存在セサルモノナルトキハ手形ノ行使全国ニ普及スルニ便ナラサル結果ヲ生スヘケレハナリ由是之ヲ観レハ法律ニ於テ振出地ト称スル地域ハ市町村若クハ北海道（沖縄）ノ区ノ如キ行政区画中独立シタル最小地域ノ謂ナリト論断セサルヲ得ス今之ヲ本訴ノ事実ニ適用センニ深川区ノ如キ地域ハ東京京都大阪ノ如キ二三ノ地方ニ特在スルモノニシテ仮令法律上或事項ニ関シテ特殊ノ地域トシテ規定スル所アルニセヨ要スルニ独立シタル行政区画ニ非サルヲ以テ手形ニ振出地トシテ記載スヘキ適法ノ地域ニ非サルコト復弁スルニ足ルモノ無シ」（大判明三四・一〇・二四（明治三四年(オ)四七二号）民録七・九・一二四）。

右判決の判旨前半の意味するところは、おそらくは、振出地とはいかなる地域のことであるかが――東京地判明三四・六・二九【73】のいうように――「実質的に判断して定まる問題」であるとすれば、記載された地域が果して振出地としての実質をそなえているや否やの争いを生じ手形の流通を阻碍するおそれがあるので、それは「形式的」、「画一的」に定められていなければならないというのではあるまいか。

そしてこれにつづいて、同趣旨の大審院判決があいついで出されている。すなわち、大判明三五・

六・一七（民録八輯六巻一〇一頁）（【69】）は、「振出地トハ市町村ノ如キ独立シタル最小ノ行政区画ヲ謂フモノナレバ、手形ニ振出地タル市町村ヲ記載スレバ足ルモノニシテ、郡県ノ如キハ之ヲ記載スルコトヲ要スルモノニ非ズ」とし、大判明三六・一〇・三一（民録九輯一二〇一頁）は、「振出地ハ独立シタル最小ノ行政区画ヲ指スニ外ナラズ。而シテ……市内ニ於ケル区ノ如キハ最小ノ行政区画ト謂フコトヲ得ベキモ独立シタルモノニ非ザルガ故ニ、之ヲ以テ振出地ト為スコトヲ得ズ」とし、また、大判明三七・一一・一九（民録一〇輯一四九九頁）（【70】）は、「振出地ナルモノハ苟モ最小独立ノ行政区画タル地域ヲ記載スルトキハ其形式ハ完備スルモノニシテ、偶、其記載シタル地域ト同一名称ヲ有スル最小独立ノ行政区画二箇以上アリテ其指定スル所正確ナラザル如キ場合ニ在リテモ、毫モ形式ノ瑕疵トナルベキ理アルコト無シ」としている。さらに大判明三九・一〇・二五（民録一二輯一三四一頁）は、旧商法（七一六条）にいう「振出ノ場所」とは、新商法の振出地と同じく最小独立行政区画のことである（したがって「日本橋区云々」とのみでは「振出ノ場所」の記載を欠く）とし、大判大二・一〇・二〇【75】は、振出地は「市町村ノ如キ行政区画」をいうが、その記載には必ずその市町村を示すべき文字の記載があることを要し、単にその市町村が振出地たることを推知しうべき文字の記載があるのみでは法律上の要件を具備しないとして、「下谷区」とあるだけでは「東京市」が記載されているとは認められないと判示している（また大判明三五・三・一四（民録八輯三巻一頁）も、――振出地は最小独立行政区画であることを前提にして――振出地として「東京」または「大阪」と記載したときは、「東京市」または「大阪市」のことであるとしている）。

【75】　「商法ニ手形ノ振出地ト称スルハ市町村ノ如キ行政区画ヲ謂フモノト解スルヲ相当トス是レ本院従来

ノ判例ノ認ムル所ナリ……手形ノ振出地ノ記載方法ニ付テハ勿論何等ノ制限ナキモ之ヲ示スヘキ文字ヲ記載セサルヘカラサルコトハ商法五百二十五条（現手形法七五条）ノ規定ニ依リ明カナリ然レハ本件手形ニ付テハ其振出地トシテ必ラス東京市タルコトヲ示スヘキ文字ノ記載アルコトヲ要スヘク単ニ東京市カ振出地タルコトヲ推知シ得ヘキ文字ノ記載アルノミニテハ法律上ノ要件ヲ具備シタルモノト謂フコトヲ得サルモノトス」（大判大二・一〇・二〇民録一九・八三三）。

これら多数の大審院判決によつて、振出地（したがつて支払地）は最小独立行政区画と解すべきであるということは、ここに確固たる判例法として確立したものといえよう。

一方、旧法においては、現行手形法二条四項および七六条四項（振出地の記載なき手形は、振出人の名称に付記した地において振出されたるものとみなす規定）にあたる規定はなかつたが、大判明三四・一〇・二四（明治三四年(オ)四六〇号）【76】と大判明三四・一一・三〇（民録七輯一〇巻一四八頁）は、ともに、振出地の記載がない場合でも、振出人の肩書に振出地たりうべき地域の記載があれば、それを振出地と認めて手形を有効ならしめるべきであるとし、また大判大二・六・一八（民録一九輯四四六頁）も、住所地欄の記載から振出地を認知できれば、振出地の記載があるものと認められるとのべている。

【76】　「約束手形振出人ノ肩書ノ地ハ之ヲ振出地ト認ムヘキヤ将タ振出人ノ住所地ト認ムヘキヤト云フニ振出地ハ約束手形ニ記載スヘキ要件ナルモ住所地ハ其要件ニ非サルヲ以テ証券ハ寧ロ有効ニ解釈スヘシトノ法理ニ依リ要件ニ非ル住所地ヲ記載シタルモノト解釈シテ手形ヲ無効ナラシムルヨリハ寧ロ要件タル振出地ヲ記載シタルモノト解釈シ手形ヲ有効ナラシムルハ当然……而シテ商法ハ約束手形ニ振出地ヲ記載スルヲ要スルコトヲ規定シタルモ振出地ノ文字ヲ併記スヘキコトヲ規定シタルニ非レハ振出地ノ文字ナキモ手形面上ノ記載ニ依リ解釈法上肩書ノ地ノ振出地タルコトヲ明カニ認ムルコトヲ得ヘキ場合ハ法律上ノ要件タル振出地ノ記載ヲ欠

クモノト謂フコトヲ得ス」（大判明三四・一〇・二四（明治三四年(オ)四六〇号）民録七・九・一二二）。

下級審の判例も多いが、そのほとんどは、以上の大審院判例にしたがっている（たとえば、「振出地東京」との記載で要件が具備しているとの東京控判明三五・三・三一新聞八三号七頁、振出地として「現住所」、肩書地として「東京市下谷区云々」と記載があれば振出地は東京市であるとの東京地判明三五・四・二八新聞八七号七頁、「振出地東京府」では最小独立行政区画としての振出地の記載を欠くとの東京地判明三五・一二・一八新聞一二一号一〇頁、「振出地南区」とのみあり最小独立行政区画たる大阪市の記載のない手形は振出地の記載を欠くとの大阪控判年月日不明新聞一六一号一三頁、振出地としては市町村を記載すればよく郡県の記載は不要だから、「橋木町大字東家」で振出地の記載ありとの大阪控判明三六・一一・一〇新聞二三二号六頁、振出地として「飯能町大字云々」と記載があれば、大字以下の小区画を詳記したからといって最小独立の行政区画たる記載を害するものではないとの東京控判明四〇・六・一七新聞四三九号一一頁、振出地として「近江国野洲郡江頭」とのみでは最小の行政区画たる北里村の記載がないから振出地として不適法であるとの大阪控判明四一・五・二一最近判二巻一二八頁、振出人の肩書に「下谷区云々」とあっても最小独立行政区画の記載がないから振出地の記載を欠くとする東京控判大二・一・二一新聞八五〇号二三頁等。このほか、振出人の肩書に振出地たりうべき地域の記載があるときは、それを振出地と認めるべきであるという趣旨の判例が多数ある）。しかしそのなかで、東京地判年月日不明【77】が、特定の市町村の名称たる文字を掲記しなくても、一見明瞭に一定の市町村を推知しうべきときは、振出地の記載として有効であるとして、振出人の肩書にある「麹町区紀尾井町六番地」の記載から、「東京市」が振出地と記載されているものと認めているのに注目すべきである。

【77】「約束手形ノ振出地ノ記載トシテ最小独立ノ行政区画タル市町村ヲ表示スルコトヲ要スルハ勿論ナルモ現ニ記載セラレタル所ヨリ一見明瞭ニ一定ノ市町村ヲ推知シ得ヘキトキハ特定ノ市町村ノ名称タル文字ヲ掲記セサルモ其推知シ得ル市町村カ振出地トシテ記載セラレタルト同一ニ見做シ振出地ノ記載トシテ有効ナリト解スルヲ相当トス例ヘハ東京市又ハ京都市ニ於ケル或区名ヲ表示シタル場合ノ如キハ区名ノ表示ノミニヨリテ東京市又ハ京都市内ノ区ナルコト一見明瞭ナルニ依リ此場合ニハ東京市又ハ京都市ヲ振出地トシテ記載シタルト同一ニ解スヘキカ如シ……手形ノ要件ノ記載ニ付キ法律ハ其形式ヲ定メサルヲ以テ如何ナル形式ニ従テ記載スルモ其記載自体ヨリ特定ノ事項カ一見明瞭ニ推知シ得ラルル場合ニハ手形ノ要件ノ記載ノ方法トシテ何等瑕疵ナキモノト謂ハサルヘカラス」（東京地判年月日不明新聞六四五（明治四三年六月五日）・一二）。

（Ⅱ）支払地　つぎに支払地についてみるに、まず、支払場所として「東京南千住隅田川大和運送店ニテ支払」との記載があれば、支払場所を定めるとともに、それを包含する南千住町を支払地としたものと認められるのと東京控判明四〇・五・二一（最近判一巻八五頁）をはじめ、これと同趣旨の下級審判決がいくつかある。

つぎに銀行を支払場所に指定したものは数多くあるが、そのなかで、まず銀行の所在地が附記されているものについては、大判明三五・六・一〇（民録八輯六巻四二頁）が、「本件手形金員ハ期日ニ至リ宇佐郡柳ヶ浦村株式会社大分銀行長洲支店構内ニ於テ支払可申候也」との文言から、宇佐郡柳ヶ浦村を支払地とし、同村内にある株式会社大分銀行長洲支店構内を支払場所としたものと認め、そしてこれと同趣旨の下級審判例も二、三みうけられる。

つぎに所在地の附記のない場合についてみるに、大決明三六・五・一九【78】は、「支払場所株式会社浪速銀行神戸支店」と記載がある場合について、支払地の記載なきにより振出地（大阪市）をもって支払地とみなすべく、したがって支払場所として有効な記載があるとは認められない（支払の呈示は大阪市内の振出人の営業所でなされるべきである）とし、下級審にもこれと同趣旨の判例が多数あるが（「支払場所東海銀行浅草支店」――東京地判明四一・一・二八新聞四八一号七頁、「支払場所株式会社第一銀行」――東京控判大二・三・八新聞八七二号二五頁、「支払場所株式会社羽田銀行」――東京地判大三・一二・九評論四巻商法二四頁、「支払場所株式会社第七銀行浜松支店」――東京控判大四・一一・一五新聞一〇六九号一一頁等）、これに対し、「支払場所佐野銀行東京支店」との記載から東京市を（東京地判明四四・五・二九新聞七二九号二一頁、東京控判明四四・一一・一六新聞七六六号一九頁）、「支払場所東海商業銀行大森支店」との記載から大森町を（東京地判大三・五・一一新聞九五六号二四頁）、そして「支払場所合名会社村井銀行渋谷支店」との記載から渋谷町を（東京控判大五・一一・一八新聞一〇八三号一一頁）それぞれ支払地と認めるものもある。

【78】「本件約束手形ニハ特ニ振出地トシテノ記載ナキヲ以テ振出人……ノ肩書地ナル大阪市ヲ以テ本件手形ノ振出地ナリト認ム而シテ約束手形ノ振出人カ特ニ支払地ヲ記載セサルトキハ其振出地ヲ以テ支払地ト看做スヘク又支払ノ場所ハ支払地以外ニ定メ得ヘキモノニアラサルコトハ……明カナルヲ以テ本件約束手形ニ其支払地ナル大阪市以外ニ在ル株式会社浪速銀行神戸支店ヲ支払場所ト為ス旨ノ記載アルハ支払場所トシテ有効ノ記載ナリト認メラレス故ニ同手形ニ関スル支払ノ為メノ呈示ハ支払地タル大阪市内ニ在ル……営業所住所若クハ其居所ニ之ヲ為ササルヘカラス」（大決明三六・五・一九民録九・六二九）。

なお、旧法においては、為替手形に支払地の記載がないときは、四五二条（現手形法二条三項相当）により支払人の住所地をもつてその支払地とされるが、これについて大阪控判年月日不明（新聞四四一号（明治四〇・八・五）一〇頁）が、支払地とされる支払人の住所地も、支払人の居住する最小独立行政区画を記載しなければならないから、単に「兵庫柳原」とあるのみでは足りないとしている（なお、この判決は、為替手形の支払地も最小独立行政区画でなければならないことをはじめて明示した判決である）。

（Ⅲ）　学説　この時期の学説は概ね判例に賛成のようであるが、そのなかで注目すべきは青木徹二博士の説であつて、博士は、振出地の「地」とは「如何ナル土地ノ区域ヲ指スカ之レ商法発布以来甚シク法曹実務家ヲ悩マシタル問題ナリ」とのべ、そして大体において判例を支持しながら、振出地の記載はこれを略記し、あるいはその地における小区画を記載するのみでさしつかえなく、「日本橋区ト記載アレハ其東京市内ニ在ルコト一見明瞭ニシテ余リニ当然ナルカ故ニ当事者ハ之ヲ略記シタルモノト解シ其手形ヲ有効トスヘキナリ……手形ハ厳格ナリ要式ナリトスルモ之ヨリシテハ其記載ヲ窮屈ニ解スヘシトノ法理上ノ結論ハ断シテ生セサルナリ」と説かれている（青木・改正手形法論（大正二再増版）三一〇頁）。

〔第二期〕（記載方法についての厳格さが漸次緩和されて来た時期――大判大五・六・三〇以降）

〔第二期〕（記載方法についての厳格さが漸次緩和されて来た時期──大判大五・六・三〇以降）

（Ⅰ）振出地　この時期に入ると、振出地に関する判例はめだつて少なくなるが、特定の市町村の名称を明確に掲記しなくても、その記載から明かに一定の最小独立行政区画を推知しうるときは、振出地の記載として有効であるという趣旨のものが下級審にいくつか現われる（たとえば、「神田松富町三」との記載から東京市を振出地と認める東京地判大九・三・一三評論九巻商法一三二頁、「東京府下池袋八一一番地」との記載から、池袋を包含する「西巣鴨町」を振出地と認める東京地判大一一・五・二九評論一一巻商法三三五頁等）。

一方、振出人の肩書地による振出地の補充に関しては、まず振出地の記載のない場合について、大判大七・一二・二四（民録二四輯二四二四頁）と大判大一一・一一・二〇（民集一巻八五七頁）（田中耕判批・判民大正一一年度五〇九頁以下）が従来と同じくこれを肯定し（その理由として、いずれも、「約束手形ニ在リテ振出地ハ其ノ手形ノ支払ハルヘキ地ナルヲ通常トスルノミナラス支払地ニ関シ商法第四百五十二条ニ為替手形ニ支払地ヲ記載セサリシトキハ支払人ノ氏名又ハ商号ニ付記シタル地ヲ以テ其支払地トストアルヲ参照シ法律ノ精神ヲ考フルトキハ斯ル解釈ヲ是認」すべきであるとのべている）、下級審もこれにしたがつている。

つぎに、振出地の記載が不適法な場合については二つの大審院判決がある。一つは大判大六・六・一四（新聞一三二三号三三頁）で、振出地欄には単に「東京府下」とあつても、振出人の肩書に「渋谷」との記載があれば渋谷町を振出地として記載したものと認められるとし、これと同趣旨の下級審判例もかなりある。今一つは大判大一三・三・一四【79】であつて、振出地として「信州軽井沢」、そして振出人の肩書に「群馬県吾妻郡孀恋村」と記載のある場合について、「軽井沢」は「独立シタル最小行政区画タル地域ヲ示シタルモノト認ムルコトヲ得ザルヲ以テ、振出地ノ記載トシテハ無効ニシテ、其ノ記載ナキモノト同視スベキ」であるから、振出人の肩書中の「孀恋村」を振出地と解すべきであるとし、そして「特ニ振出地トシテ軽井沢ト記載シアルガ為ニ、振出人ノ肩書中ニアル孀恋村ヲ振出地ト認ムルノ妨ゲトナルベキ理由アルヲ見ズ」とのべている。

【79】（事実）　本文説明のような約束手形について、原審は、「約束手形ニ振出地ノ記載ナキ時ハ……振出人ノ肩書地ヲ以テ振出地ト解スルヲ妥当トスヘキモ手形面ニ特ニ振出地トシテ或一定ノ地域ノ記載アル時ハ該手形ハ振出地ノ記載ヲ欠如セルモノト認メ得サルヲ以テ其ノ記載ニ付適否ヲ判断スヘキモノトス」とし、そして本件手形には「振出地トシテ信州軽井沢ト明記シアリ信州ナル記載ハ長野県ヲ表示スルモノナルコト顕著ナルニヨリ本件手形ノ振出地カ長野県下ナル軽井沢ナルコト明瞭ニシテ振出人ノ肩書ニ群馬県吾妻郡嬬恋村トアレハトテ長野県下ニ非サル嬬恋村ヲ以テ右手形ノ振出地ト目スヘキニ非サル」旨のべて、「軽井沢」は最小独立行政区画ではないから本件約束手形は振出地の記載を欠き無効であると判示した。

（判旨）　「……該手形面ニハ振出地ト表示シアル其ノ下ニ信州軽井沢ト記載シアリテ振出人ノ氏名ヲ記載シアル其ノ肩書ニ群馬県吾妻郡嬬恋村トアリ而シテ右記載中軽井沢トアルハ原判示ノ如ク独立シタル最小行政区画タル地域ヲ示シタルモノト認ムルコトヲ得サルヲ以テ振出地ノ記載トシテハ無効ニシテ其ノ記載ナキモノト同視スヘキニ反シ振出人ノ肩書中ニ嬬恋村トアルハ独立シタル最小行政区画タル地域ヲ示シタルモノナレハ之ヲ以テ振出地ヲ記載シタルモノト解シテ該手形ヲ有効視スルコトハ敢テ不可ナキ所ニシテ寧ロ解釈ノ当ヲ得タルモノト謂フヘク該手形面ニ特ニ振出地トシテ軽井沢ト記載シアルカ為ニ振出人ノ肩書中ニアル嬬恋村ヲ振出地ト認ムルノ妨ト為ルヘキ理由アルヲ見ス」（大判大一三・三・一四民集三・一一六）（山尾判批・判民大正一三年度二二事件）。

右二つの判決のうち、前者は、振出地欄の記載と振出人の肩書地の記載とがあい矛盾しない場合であるのに対し、後者は、その両者が矛盾する場合であることに注意すべきである。

（Ⅱ）　支払地　大判大五・六・三〇（民録二二輯一二九九頁）が、「支払場所株式会社第七銀行浜松支店」との記載がある場合について、その記載は「浜松ニアル第七銀行支店ヲ以テ支払場所トスル旨ヲ言明シタルモノニ外ナラズシテ、之ニ依リテ其支払場所ノ所在地タル浜松市ヲ以テ支払地トスル旨ヲ表示シタルコト一見明瞭ナレバ」」、その手形面には、浜松市を支払地とする旨の記載あるものと認めるべきであると判示した。この判決は、支払場所として記載された銀行の営業所名に、それの所在する一定の最小独立行政区画を示すべき文字が冠せられているときは、支払地の記載あるものと認めようというものであつて、従来争いのあつたこの問題に一つの決着を与えた注目すべき判決である。

その後の判例をみるに、右判決と全く同様の事例に関するものとしては、「合資会社左右田銀行東京支店」から東京市を(大判大九・四・二民録二六輯四三一頁、東京控判大九・八・七評論九巻商法三六五頁)、「株式会社中井銀行川口支店」から川口町を(東京地判大一三・一二・一八新報三三号二〇頁)、そして「株式会社川崎銀行舟橋支店」から舟橋町を(東京控判大一四・一〇・二七評論一五巻商法一五七頁)それぞれ支払地と認めるものがあり、これらとは若干事例が異なるが、同じく適法なる支払地の記載があるとするものに、「東京株式会社第三銀行」から東京市(東京地判大九・一〇・二七評論九巻商法六六四頁)、「東京共栄銀行」から東京市(東京地判大一一・四・二六新聞二〇四二号二七頁)、「株式会社高知商業銀行」から高知市(静岡地判大一一・七・二〇評論一一巻商法三七四頁、東京控判大一二・二・一七新聞二一五九号二三頁)、そして「有限責任信用組合東京金庫」から東京市(東京地判大一五・三・二九評論一五巻商法二六三頁)を、それぞれ支払地と認めるものがある。

一方、適法な支払地の記載があると認めないものとしては、大審院判例では、大判大一〇・四・二九(新聞一八四四号一九頁)が、「支払場所株式会社百十三銀行」との記載からは、同銀行の所在地である函館区を支払地とする趣旨とは到底認められないとし、また大判大一三・一二・五【80】が、約束手形に支払地を記載するには、振出地と同じく、最小独立行政区画の表示が必要であるが、「支払場所株式会社泉山銀行」との記載からは、その営業所の所在する最小独立行政区画(八戸町)が支払地として表示されているとは認められない（したがつて振出地たる五戸町をもつてその手形の支払地とし、その支払地内にない泉山銀行で呈示しても償還請求権は生じない）、と判示している。

【80】「商法ノ規定ニ従ヒ約束手形ニ記載スルコトヲ要スル振出地ハ市町村ノ如キ独立シタル最小ノ行政区画タル地域ヲ指称スルコトハ従来本院判例ノ示ス所ニシテ支払地ハ約束手形ノ記載要件ニ非スト雖為替手形ニ於テ之ニ記載スルコトヲ要スル支払地ハ約束手形ニ於ケル振出地ト同シク独立シタル最小行政区画タル地域ヲ指示スルモノト解スルヲ当然トシ約束手形ニ於テハ支払地ノ記載ヲ要件トセサレハトテ之カ為ニ其ノ記載ヲ為ス場合ニ於テ同一ノ地域ヲ表示セサルモ不可ナシト解スヘキ理由ナキノミナラス振出人カ約束手形ニ支払地ヲ記載セサリシトキハ振出地ヲ以テ其ノ支払地トスル商法ノ規定ニ徴シテ考フルモ約束手形ニ支払地ヲ記載スル場合ニ於テハ之ヲ表示スルニ振出地ト同シク独立シタル最小ノ行政区画タル地域ヲ以テスルコトヲ要スルモノト解スルヲ相当トス本件ノ約束手形ニハ『支払場所株式会社泉山銀行』ト記載シアリテ其ノ記載ハ支払ノ場所トシテ泉山銀行ノ営業所ヲ指シタルモノト解シ難キニ非スト雖之ヲ以テ其ノ営業所ノ所在地タル支払地トシテ独立ノ最小行政区画タル地域ヲモ示シタルモノト謂フコトヲ得ス又……同銀行カ八戸町ニ存在スルコトハ必スシモ裁判所ニ於テ顕著ナル事実ナリト論断スルコトヲ得ス……其ノ記載以外ニモ支払地ヲ示シタルモノナキコト原判示ノ如クナル以上ハ原裁判所カ商法ノ規定ニ従ヒ該手形ニアル記載ニ依リ振出地ヲ示シタルモノト認メタル五戸町ヲ以テ支払地ト為シ且支払場所ハ支払地内ノ場所タラサルヘカラサルノ故ヲ以テ支払地タル五戸町内ニ在ラサル場所ニ於テ該手形ヲ呈示シ支払ヲ求メタルニ過キサル上告人ニ償還請求ノ権利ナシト判定シタルハ正当ナリト謂ハサルヘカラス」（大判大一三・一二・五民集三・五二六山尾判批・判民大正一三年度一〇六事件）。

なお右判決は、為替手形の支払地ならびに約束手形の支払地はいずれも最小独立行政区画でなければならないということを、はじめて明示した大審院判決である。

下級審の判例で適法な支払地の記載がないとするものとしては、支払場所として、「株式会社豊国銀行」（東京地判大七・一一・五評論七巻商法七一二頁）、「株式会社第百十三銀行」（函館控判大一〇・一二・八新聞一八一六号二三頁）、「株式会社八洲銀行」（東京地判大一一・二・一五新聞一九七八号一〇頁）、「株式会社三井銀行」（東京控判大一一・六・二一新聞二〇六三号二一頁）等と記載されている場合に関するもののほか、「株式会社東海銀行堀ロ支店」（東京地判大七・一〇・九評論七巻商法七一六頁）、「株式会社川崎銀行番町支店」（東京控判大一三・一〇・二八新聞二三三三号一九頁）、「株式会社深川銀行本所支店」（東京地判大一三・一〇・一八新聞二三二二号二二頁）等と記載されている事例を取扱うものがある。

しかし、これに対し、下級審に、支払場所として「株式会社第十五銀行蠣殻町支店」とあれば、蠣殻町が東京市にあることは一般取引上顕著であるから東京市を支払地と記載したものと解すべきであるとするもの（東京地判大一〇・一〇・一〇評論一〇巻商法五三五頁）や、支払場所として「広部銀行神田支店」とあれば、同支店が東京市神田区今川小路三丁目一番地に存することは顕著であるから、その支払場所の所在地である東京市を支払地と認めるもの（東京控判大一四・二・一三新聞二三八一号二〇頁）もあることは注目に値する。

（Ⅲ）　学説　この時期も学説の多くは判例に賛成であるが（須賀・手形法論（大正五初版）八八頁、松本（大正七初版）二〇六頁、水口（大正八増版）二三九頁、山尾・手形法提要（大正一二初版）一三八頁等）、そのなかで山尾時三氏は、大判大一三・三・一四【79】の批評（判民大正一三年度二二事件）において判例の態度に反対し、振出地（支払地）となしうる地域は最小独立行政区画よりも広狭いずれでもさしつかえなく、「手形権利行使の確実と迅速の為に具体的に振出地と指示された地域の範囲が客観的に一定している事と、其の表示が社会的称呼を以てなさることが必要となるのみであると考える」と説き、「信州軽井沢」をもつて、振出地として有効な記載とあつかわれる（そして、振出地として「信州軽井沢」と記載のある以上、「当事者の意思表示としては軽井沢を振出地たらしめんとした事が証券上明白なるからは、其の記載は肩書地が振出地と認定せられるのを妨ぐる力を有するものではないかと思う」とされる）（なお、大判大五・六・三〇については、松本（商法判例批評録両一五四頁）、竹田（商法判例批評第一巻一六一頁）博士の批評があり、いずれも賛成であるが、竹田博士は、「支払地の記載ありや否やは専ら手形面上に於ける直接の記載のみより之を決すべく、手形面上に直接の記載なき以上は、仮令他の理由より支払地の其地たることを推理し得るときと雖も之を以て支払地の記載あるものと云うことを得るものに非ず」とのべられている）。

〔第三期〕（最小独立行政区画を推知しうる文字の記載で足るとされるようになつた時期――大判大一五・五・二二以降）

（Ⅰ）　振出地　この時期も、振出地についての判例は少ない。旧法下の判例でとりあげるべきものは、振出人の肩書による振出地の補充を認めるいくつかの大審院判例と、共同振出の場合にもその補充を認める大判昭二・一一・一九（民集六巻六四六頁）ぐらいである（なお、大判大一五・五・二二は振出地にも関係しているが、これについては支払地のところでのべる）。

現行手形法――そこにおいては、旧法におけると異なり、振出地は為替手形、約束手形の双方の要件であること、そしてもし振出地の記載がないときは、明文の規定（手二Ⅳ七六Ⅳ）により振出人の肩書地で補充されることに注意すべきである――の下においては、東京地判昭三二・二・一一（下民集八巻二号二五二頁）（【90】）が、「振出地の記載は、主として手形振出行為の準拠法を定める基礎として意義を有するにとどまるものであるから、必ずしも最小独立の行政区画を以て指定する必要はなく」、単に「東京都」とのみ表示されていても振出地の記載に欠けるところはないとし、つづく東京地判昭三三・九・一八（時報一六四号三四頁）および東京地判昭三五・三・一〇（法曹新聞一五〇号一七頁）も、ともに「東京都」とあるのみで振出地の記載として適法と解している。しかし、この点につき、最高裁はいまだ態度を明らかにしていない。

（Ⅱ）　支払地　大審院は、大正一五年五月二二日の連合部判決において、支払地および振出地の記載方法に関し、つぎのような画期的な判旨をのべた。事件は小切手に関するものであるが、判決は、「本院従来ノ判例ニヨレバ、支払地又ハ振出地ヲ表示スルニハ、単ニ手形面上ニ独立シタル最小行政区画タル地域ヲ推知シ得ベキ文字ヲ記載スルヲ以テ足レリトセズ、必ズ其ノ地域ヲ表示スル文字ヲ記載スルモノ」とされているが、「斯クノ如キハ厳ニ失シ却テ手形ノ流通ヲ阻害スルノ虞アルノミナラズ、法律ハ単ニ支払地又ハ振出地ヲ記載スルコトヲ要求スルニ止リ、之カ表示方法ニ付テハ特ニ規定スル所ナキヲ以テ、苟モ手形面ノ記載ニヨリ所謂独立シタル最小行政区タル地域ヲ推知スルニ足ル以上ハ、支払地又ハ振出地ノ記載アルモノトナスヲ以テ相当ナリ」として、小切手に支払人として記載された「株式会社深川銀行本所支店」なる表示につき、「本所区」が東京市内に存することは明瞭であるから、右記載は、独立した最小行政区画たる東京市を支払地として表示したものと認められるとした【81】。

【81】「小切手ニハ之ヲ要件トシテ支払地ノ記載ヲ要スルコトハ商法第五百三十条第七号（現小切手法一条四号）ニ規定スル所ニシテ振出人カ特ニ支払地ヲ記載セサリシトキハ支払人ノ氏名又ハ商号ニ附記シタル地ヲ以テ支払地ト為スヘキコトハ同法第五百三十七条ニヨリ準用シタル第四百五十二条（現小切手法二条二項）ノ規定ニヨリ明瞭ナリトス然リ而シテ其ノ所謂支払地又ハ支払人ノ氏名又ハ商号ニ附記シタル地トハ市町村ノ如キ独立シタル最小行政区画タル地域ヲ指称スルモノナルコトハ本院カ約束手形ノ振出地ニ付屢次宣言シタル判例ニ徴シテ疑ヲ容レス然ラハ其ノ支払地又ハ支払人ノ氏名又ハ商号ニ附記シタル地ヲ小切手面ニ表示スルニハ如何ナル方法ニ依ルヘキヤ本院従来ノ判例ニヨレハ支払地又ハ振出地ヲ表示スルニハ単ニ手形面ニ独立シタル最小行政区画タル地域ヲ推知シ得ヘキ文字ヲ記載スルヲ以テ足レリトセス必ス其ノ地域ヲ表示スル文字ヲ記載スルモノトナシタリ（大正二年（オ）第九二号同年十月二日第二民事部判決参照）是畢竟手形ハ其ノ性質上記載事項ハ手形面ニ於テ明確ナラサルヘカラストノ理由ニ基因スルモノニ外ナラス然レトモ斯ノ如キハ厳ニ失シ却テ手形ノ流通ヲ阻害スルノ虞アルノミナラス法律ハ単ニ支払地又ハ振出地ヲ記載スルコトヲ要求スルニ止リ之カ表示方法ニ付テハ特ニ規定スル所ナキヲ以テ苟モ手形面ノ記載ニヨリ所謂独立シタル最小行政区画タル地域ヲ推知スルニ足ル以上ハ支払地又ハ振出地ノ記載アルモノト為スヲ以テ相当ナリトス従テ此ノ点ニ関スル前

示判例ハ之ヲ変更スルノ必要アリト認ム本件ニ於テ上告人カ振出シタル……小切手ニハ特ニ支払地ノ記載ナキモ支払人トシテ株式会社深川銀行本所支店ナル表示アルコトハ原院ノ認ムル所ニシテ其ノ所謂本所支店ナル文字ハ本所区内ニ存在スル株式会社深川銀行ヲ指示スルモノニ係リ即前示第五百三十七条第四百五十二条（現小切手法二条二項）ニ規定セル支払人ノ氏名又ハ商号ニ附記シタル地ヲ表示スルノ意義ニ外ナラサルモノト解スヘキモノトス然リ而シテ本所区カ東京市内ニ存スルコトハ明瞭ナルヲ以テ右ノ記載ハ畢竟独立シタル最小行政区画タル東京市ヲ表示シタルモノト認メ得……」（大判大一五・五・二二民集五・四二六（田中耕判批・判民大正一五年度五四事件））。

ついで大判昭二一・一二・三（新聞二七七八号六頁）は、約束手形に「支払場所株式会社中井銀行大塚支店」と記載のある場合について、「若モ手形面上支払地トシテ独立シタル最小行政区画タル地域ヲ推知スルニ足ルベキ文字ノ記載アルトキハ、以テ支払地ノ記載アルモノト為スニ足ルコトハ当院判例ノ示ス所……ナルト同時ニ、本件約束手形面ニ支払場所トシテ記載セラレタル株式会社中井銀行大塚支店ノ東京市内ニ存在スルコトハ一般取引上顕著ナル所ニシテ、該記載ニ依レバ前記銀行大塚支店ノ所在地タル東京市ヲ以テ支払地ト為シタルコトヲ推知スルニ余リアル」と判示した（傍点筆者）。

右判決は、一見、同支店が東京市内に存在することが「一般取引上」顕著であるということから直ちに結論を導いているかのようにも感じられるが、しかしよく注意して読むと、実はそうではなく、判旨前半の「手形面上」最小独立行政区画を推知しうる文字の記載があれば支払地の記載があるものと認められるということ（すなわち、この場合の「大塚」という文字から支払地としての「東京市」を推知しうるということ）と、判旨後半の上記のこととの二つのことから結論を導いていることがわかる。そして——おそらくは——右の二つのうち重点は判旨前半にあるのであつて、後半、すなわち同支店が東京市内に存在することは「一般取引上」顕著であるということは、単なる「付言」としてつけ加えられたものに過ぎないのではあるまいか。

つぎに、現行手形法――そこにおいては、旧法におけると異なり、支払地も、為替手形・約束手形の双方の要件となつている――の下における判例をみるに、戦前のものはごくわずかしかない。戦後の判例のなかからいくつかをあげると、まず、下級審判例では、支払地として「東京都」、支払場所として「株式会社大阪銀行虎ノ門支店」と記載のある場合について、「右『虎ノ門』が東京都港区内に存することは公知の事実であるから、……本件手形はその手形面の記載により『東京都港区』を以て支払地とする趣旨であることを容易に推知することができる」との東京高判昭二八・五・三〇（東高民時報四巻一号三二頁）、支払地として「東京都」、支払場所として「株式会社帝国銀行池袋支店」と記載のある場合について、「同支店の所在する東京都豊島区を以てその支払地とする適法な支払地の記載あるものと解するのが相当である」との東京高判昭二八・九・四（東高民時報四巻五号一四一頁）をはじめ、これと同趣旨のものがいくつかある（「支払地東京都」、「支払場所東京都三井銀行王子支店」とあれば、支払地としての最小独立行政区画たる地域を推知しうるとの東京地判昭三二・九・二五法曹新聞一二六号八頁、「支払地東京都」、「支払場所横浜興信銀行原町田支店」とあれば、支払地は同支店の所在地である原町田町と認められるとの東京高判昭三二・一一・七東高民時報八巻一一号二六六頁、支払地として単に「東京都」とのみ記載されていても、支払場所として「虎ノ門」という名称が記載してあれば、「東京都港区」が支払地であることを推知できるとの東京地判昭三三・九・一八時報一六四号三四頁等）。

ところが、これに対し、東京地判昭三二・二・一一【82】が、「支払地東京都」「支払場所共積信用金庫本店」と記載のある場合に、同本店が東京都台東区内に存することが当事者間に争いがないから、支払地は「東京都台東区」と定められたものということができるとしているのに注意すべきである。

【82】「本件……約束手形は、支払地及び振出地をともに単に『東京都』とのみ定められ、最小独立の行政

区画を以て表示されていないけれども、支払地は、東京都台東区内に存することが当事者間に争のない共積信用金庫本店が支払場所に定められているところからいつて、『東京都台東区』と定められたものということができる（いやしくも手形取引に関係しようとする程の者ならば、右手形の支払地及び支払場所の記載自体からして共積信用金庫本店が東京都台東区内に所在することを容易に知ることができるはずである）」（東京地判昭三二・二・一一下民集八・二五二）。

右判決は、——手形記載面から「東京都台東区」を推知しうるとするのではなく——同本店が東京都台東区に所在することが手形取引上明らかである（手形取引に関係する程の者ならば誰でも容易に知ることができる）というところからその結論を導いている。したがつて、一見、前掲大判昭二・一二・三と似ているかのようにも感じられるが、同大審院判決を前述のように解すべきものとするならば、両者の立場は基本的に違つている。

つぎに、最高裁判例をみるに、昭和三五年一〇月二一日の判決【83】は、「支払地 東京都」、「支払場所大同信用金庫池袋支店」と記載のある場合について、支払地は右支店のある「東京都豊島区」と解すべきであるとしている。

【83】　「手形に振出地及び支払地として単に東京都と記載されていても、振出人の肩書に東京都墨田区東両国2の17と記載され、支払場所に大同信用金庫池袋支店と記載されているときは、振出地は東京都墨田区、支払地は右池袋支店のある東京都豊島区と記載されているものと解すべきである（大正一五年五月二二日大審院民事連合部判決、民集五巻四二六頁参照）」（最判昭三五・一〇・二一ジュリスト二一七・二一四）。

また昭和三七年二月二〇日の判決（後掲【101】）は支払地は最小独立行政区画であることを再確認している【84】。

【84】「約束手形の支払地となしうる地域は最小独立行政区画であると解すべきであり、東京都においては区が最小独立行政区画をなすものであるから、本件約束手形の支払地として単に東京都とのみ記載したのは手形要件の記載としては不完全なものであることはいうをまたない」（最判昭三七・二・二〇民集一六・二・三四一）。

（Ⅲ）学説　まず戦前のものについてみるに、田中（耕）博士は、大判大一五・五・二二（【81】）の批評（判民大一五・五四事件）において判例の立場を批判するとともに、同判決は従来の態度を「撤回するに至つていぬけれども其の方向に一歩を進めたもの」と評され、そして「手形法概論」（昭和五年初版）において、「一般的に行はるる社会的地名、例えば駒込とか目白、信州軽井沢の如き呼称を記載しても支払地の記載として無効たるものと云うを得ずして、畢竟するに、市町村の如きものが支払地として記載せらるるに適するのは、社会的に一般に通用するからであり、手形法上必ず之れでなければならぬわけはない。理論上は、市町村よりも広い地域にても差支えない。唯だ其地域が余りに広汎に過ぎ……権利行使又は保全の行為に支障を生ぜざれば差支えなきものと解する」とのべられ（しかし、判民大正一五・五四事件においては、「丸の内ビルディング」というが如き記載も差支えないとされていたが、「手形法概論」においては、そのような点はひっこめられている）、これに賛成する学説も多い（大橋・新統一手形法論（上）（昭和七）一二一頁、升本・手形小切手法論（昭和一〇）五四四頁、薬師寺＝本間志林（昭和一〇）二四四頁、伊沢・手形法小切手法（昭和一二）一二〇頁、納富（昭和一六）二二六頁、等）。　これに対し判例の立場に立つものの少なからずあり（須賀（昭和一〇）一一一頁、鳥賀陽（昭和九）一〇一頁、島本・手形法及小切手法（昭和九）一〇〇頁、大浜（昭和九）三二九頁、西島（昭和一三）一二一頁等）、たとえば、大浜教授は、「市町村を単位とすることが最も取引の実状に適する」とされ、また西島教授は、「最小の行政区画たる市町村を明確に知り得べき程度に記載すべきであり、且つそれにて足る」とのべられている。

戦後の学説では、つぎのものが注目を惹く。鈴木教授は、「法が地の記載を要求するのは、地域を記載すれば足り、地点までの記載を要しないというだけのことと考えるから、当事者が地点まで限定しようと欲してこれを記載した以上その効力を認めてさしつかえないと思う」とされ（鈴木（昭和三二）一八七頁）、大隅・河本両教授は、「支払地は一般に通用するものであり、かつそれによつて表わされる地域の範囲が明確でなければならないとともに、またそれで足る」とされている（大隅＝河本（昭和三四）一一二頁）。しかし竹田博士は、判例の立場を支持しながら、「独立の最小行政区域内のある地域又は地点の記載されあるに過ぎざる場合にも、独立の最小行政区域が明かに推知され得るならば、支払地の記載ありと解すべきである」とのべられている（竹田（昭和三〇）八六頁）。

(三)　以上の判例の変遷を要約するとつぎの通りである。(1)　すなわち、支払地および振出地の「意義」については〔第一期〕以来今日に至るまで、一貫して、それは最小独立行政区画のことと解されて来ている。(2)　これに対しその「記載方法」に対する態度は、漸次、変遷をとげて来ている。

(イ)　まず記載場所（どの欄に記載するか）についてみると、振出地は振出人の肩書に表示されていればよいということは、〔第一期〕のはじめ以来認められて来ている。しかし支払地の表示は支払場所の記載に含まれうるかについては、〔第一期〕にはそれを否定するものが有力であつたが、〔第二期〕になつて一般に認められるようになつた。

(ロ)　つぎに表現方法（どのような文字で記載するか）については、支払地、振出地ともに、当初は最小独立行政区画を明確に示すべき文字の記載が要求されていたが、〔第二期〕にそれを推知しうる文字の記載で十分であるとの下級審判例が現われはじめ、〔第三期〕になつて大審院も同様な立場をとるに至つた。

右のうちでとくに注目すべき点は、第一に、初期の段階、すなわち明治三四年頃から大正の初期にかけて、多数の大審院判決により、振出地（したがって支払地）は最小独立行政区画のことであるということがいわば確固たる「判例法」として確立し、それが今日にまでおよんでいることと、第二に、その記載方法は漸次緩かになり、今日では最小独立行政区画を推知しうる文字の記載で足りるとされるようになり、一見、近時の有力説の説くところと余り大きな差はなくなつているかのように感じられることである。

(四)　さて、以上の判例ならびに学説の推移をふりかえつて、現在の時点で、この問題につきいかなる解釈を行なうべきであろうか。

まず、支払地の「意義」については、私見は、確定判例を支持し、それを最小独立行政区画のことと解したい。その理由は、まず第一に、所持人の権利行使の容易、確実を期するためである。すなわち、支払地として最小独立行政区画が記載されれば、(1) まず何よりもその地域の所在がわかりやすく（最小独立行政区画は行政上の重要な単位である。その名称は一般に広く知られているし、また、もし所持人が偶々それを知らなくても、然るべき方法により調べればその地域の所在は必ずわかる）、(2) その範囲（境界線）がきわめて明確であり、(3) 広さも一般に適度であり（ただし、この点は近時の市域の拡大等によりかなり問題がある）、(4) 問合わせるべき官公署が容易に見出せ、(5) また管轄裁判所が明確に定まる。

第二に、所持人の地位の安定と手形流通の円滑をはかるためである。すなわち、判例の基準は、形式的、画一的であるとともに、内容的にも――「市町村を記載せよ」というように――非常に単純でわかりやすい。(1) したがつて、このことが、まず何よりも初期の段階において、手形取引界の混乱と紛争を抑止し、手形取引に明確な方向づけを与えるうえで大きな役割を果したのではなかろうか。というのは、手形要件についての判例のうち、振出地および支払地の意義と記載方法に関するものがひときわその数が多く、しかもそれらは、商法制定後間もない初期の段階（明治三十年代から大正初期にかけて）にとくに多いことは注目に値する。このことは何を意味するかについて考えてみるに、まず、手形要件のなかで、「振出地」や「支払地」は、――他の要件とは異なり、「地域」といういわば〝漠然としたもの〟であるだけに――色々な面で、また様々の角度から問題にし争われやすいものであろう。そしてそのうえ、初期の段階においては、振出地や支払地として「いかなる地域をいかに記載すべきか」につき手形取引界に大きな混乱があつたであろうことが考えられ、そしてこの混乱に乗じて、振出地や支払地の記載が、狡猾な手形債務者により責任免脱の絶好の手段として利用され、それが手形関係者の間の多くの紛争を招いたのではあるまいか。そしてこの場合、判例が、当初から――大判明三四・一〇・二四以来――最小独立行政区画という明確な基準をうち出していたから、それが手形取引界にはつきりとした方向づけを与えまとまりがついたものの（その後、判例の数はめだつて減少する）、もしその場合、近時の有力説のような実質的、弾力的基準をもつてそれにこたえていたならば、あるいはなお一層紛糾し、収拾のつかないような事態も生じていたのではあるまいか（以上のような意味における、判例の初期の段階において果した役割は、少くとも認めるべきではあるまいか）。

(2) またこのような判例の立場は、現在においても、――取得者にとつては支払地欄に市町村の名称の記載があるか否かを確認するだけで要件の整否の判断がつき、また、振出人にとつても、支払地としては市町村の名称さえ記載すればよいのだということになり――所持人その他の手形当事者にいわば一つの「安心感」を与え、それが手形流通を円滑にしているといつてもよいのではあるまいか。手形要件というものは、形式的、画一的であるとともに、内容的にも単純でわかりやすいものでなければならないと思う。その理由は、その整否の判定を容易にし、当事者間の紛争をできるだけ阻止するためである。

ところで、このような――最小独立行政区画という――形式的、画一的な基準を設けた場合には、手形関係者が広く一般にそれを認めそれにしたがうよう、その基準を手形取引界に広く周知徹底させなければならないと思う。そしてそのために裁判所が、相当の期間に亘つてその趣旨の判例をつみ重ねなければならないと考える。そこでその点についてみるに、初期の段階、すなわち明治三四年から大正初期にかけて、振出地（したがつて支払地）は最小独立行政区画のことであるとの大審院判決がくり返し行なわれて、それが確固たる判例法を形成し、その判例法が今日にまで維持され、そしてそれによりこの趣旨が手形関係者の間に充分に滲透し、今日では――おそらくは――手形取引界に、支払地としては最小独立行政区画を記載するのだということが、確固とした商慣習として確立しているといつてもよいのではあるまいか。

つぎに、支払地の「記載方法」についてみるに、判例は、大判大一五・五・二二以来、それには最小独立行政区画を推知しうる文字の記載で足るとして来ており、一見、現在の判例の立場は、近時の有力説の立場と、結果的に余り大きな差はなくなつているかのようにも感じられる。しかし果してそうか。またこのような判例の立場を認めるべきか、について以下検討してみよう。

支払地の「記載方法」についての判例の態度は変遷して来ているが、その判例の変遷と、それの果して来た客観的役割は――裁判所の主観的な意図はともかくとして――つぎのようにとらえることができるのではないかと思う。すなわち、初期の段階においては、振出地および支払地は最小独立行政区画のことという趣旨を手形関係者の間に強くうえつけるべく、その記載方法に厳格さを要求した判決がくり返し行なわれた。しかしその後その趣旨が手形関係者の間に次第に滲透し、混乱や紛争がおさまつて行くにしたがつて、その記載方法も漸次緩和され、そして後期の段階になると、それがすでに手形関係者の間にしつかりと定着したことを前提にして、最小独立行政区画を推知しうる文字の記載で足るという立場をとつて、所持人に対するより一層の保護をはかるようになつた、と。

このように、「最小独立行政区画を推知しうる文字の記載で足る」との判例の立場は、後期になつて、そして最小独立行政区画という基準が手形取引界に定着したことを前提にして、付加されたものといえるのではないかと思う。

したがつて、支払地の「意義」と「記載方法」に関する現在の判例の立場は、結局、つぎのように言いあらわすことができるのではあるまいか。(1) すなわちそれは一方において、手形関係者に、「最小独立行政区画を記載せよ」と命ずる。そしてそれは、明治、大正、昭和の三代に亘る判例の累積と、それにもとづく手形取引界の確固たる商慣習によつて裏づけられている――つまり、そのような趣旨の判決が、長期間、くり返し行なわれて来たことによつて、今日、広く手形関係者の間に、「支払地として、最小独立行政区画を記載すべきだ」との「意識」が強くうえつけられ、それにもとづいて、現に、広く一般に、支払地として最小独立行政区画が記載されている――。(2) 他方、支払地としてなされた記載が、偶々、最小独立行政区画を直接示していなくても、それを推知しうるかぎり救済する、と。

このように、判例の立場と、近時の有力説のそれとは、平面的に見ればかなり接近しているようでも（どのような記載までが有効な支払地の記載としてあつかわれるかという点については、たしかに余り大きな差はなくなつている）、以上のようにほり下げて検討してみれば、実質的にはまだ相当のへだたりがあるように感じられる。そしてこの判例の立場は、現在においても、権利行使の容易、確実と、手形流通の円滑を期するうえで、依然として重要な意義を保持しているものと考える。

したがつて、支払地の「意義」についてのみならずその「記載方法」についても、この判例によつてきずかれて来た解釈をそのまま肯認すべきではないかと考える（しかし振出地については、――旧法と現行法とではその意義を全く異にしているのでその判断は難しいが――そこでは所持人の権利行使の容易、確実という問題は考慮する必要はないので、私見としては通説の立場に賛成しておきたいと思う）（拙稿「手形要件についての一考察」論叢七七巻五号五四頁以下）。

八　振出日および振出地（手一7、七五6）

一　振出日

振出日附とは、手形が振出された日として手形上に記載された日のことである。振出日附は日附後定期払手形の満期、一覧払手形及び一覧後定期払手形の呈示期間等を定める基準となる。振出人の能力、代理権の有無等の決定については、真実に振出のなされた日を基準にすべきであるが、手形は手形上の振出日に振出されたものと推定しうる。確定日払手形の振出日附にはこの意味しかない。振出日の記載は真実振出のなされた日をもつてしなくともよい（詳細は一〇「真実に合致しない（実在しない）記載」参照）。しかし可能な日でなければならない。したがつて、暦に存しない日——たとえば「大正一四年一一月三一日」等——を記載した手形は無効と解するのが判例の大勢である【85】【86】。

【85】「商法第五百二十五条（現手形法七五条）ノ規定ニ依レハ約束手形ニハ振出ノ年月日ヲ記載スルコトヲ要スルコト明カニシテ其ノ年月日ハ暦ニ存スル日タルコト論ナキカ故ニ若シ約束手形ニ振出ノ日トシテ暦ニ存セサル日ヲ記載シアルトキハ其ノ手形ハ要件ヲ欠キ無効タルヲ免レサルモノトス……本件約束手形ニ振出日トシテ記載セラレタル日附ハ大正十四年十一月三十一日ナリト云フニ在ルヲ以テ右手形ハ無効ナルコト前記説明ニ依リ明白ナリ」（大判昭六・五・二二民集一〇・二六二）。

【86】「……振出ノ日ヲ昭和六年九月三十一日ト記載シタル本件約束手形ノ無効ナルコト明ニシテ右日附ノ記載カ振出人ノ誤記ニ基クモノナル場合ニ於テモ亦其ノ誤記ナルコトヲ知了セル約束手形ノ受取人ト其ノ振出人トノ間ニ於テモ其ノ無効ナルコトニ毫モ消長アルコトナシ」（大判昭一〇・五・八法学五・一〇八）。

これに対し「振出日昭和二九年二月三〇日」との記載は、振出日として昭和二九年二月の末日を表示したものと認められるとの下級審判例【87】がある。

【87】「……振出日として昭和二九年二月三〇日という記載のある(1)の手形の効力如何ということが問題となるわけであり、この点については被告主張と同旨の判例が存在し、又学説上も争いのあるところである。ところで、本件では、右振出日の補充をしたのは所持人たる原告であつて、手形所持人が意識してわざわざ実在しない日を白地に補充するというようなことは普通には考えられないところであるから、右は前記のとおり二月の末日の日を記載する積で二月三〇日と誤つて記載したものと考えられるし、二月の末日の日を表示するた

め二月三〇日ということは世上しばしば犯されるあやまちであり、右手形面の昭和二九年二月三〇日の記載は、それ自体により社会通念上同月の末日の日を表示したものと解釈せられるから、当裁判所は右は振出日をして昭和二九年二月の末日の日を表示した記載のある有効な手形であると解するものである」（大阪地判昭三二・九・九下民集八・九・一六八六）。

おもうに、手形行為の解釈については手形外の材料をもつて補充訂正することは許されないが、手形上の記載そのものを社会通念に従つて合理的に解釈することは当然許されることであるから、この問題については【87】の立場を支持すべきであろう。

ところで、近時確定日払手形にあつては振出日の記載は手形要件ではないとする下級審判例が散見される【88】。

【88】「本件約束手形のような確定日払手形にあつては、振出日の記載は、手形要件を手形要件たらしめる実質的な理由である手形上の権利の内容又は義務者の確定に必要な事項ではなく、単に真実に振出のなされた日を推測させる材料となり得るというだけの意味しか持たないものであるから、手形要件（手形の必要的記載事項）ではないと解すべきである。すなわち手形法第七五条第七六条が振出日の記載を手形要件としているのは、日付後定期払手形や一覧払及び一覧後定期払手形のように振出日の記載を手形要件とすることに意味のある手形についてだけであると解すべきである」（京都地判昭三九・二・五金融法務三七二・九、同旨横浜地判昭三六・三・一四下民集一二・三・四六六、飯塚簡判昭三九・三・三〇判時三七〇・四四等）。

これに対し、近時の下級審判例で、確定日払手形にあつても振出日の記載は手形要件であつて、それを欠くときは手形は無効であると判示するものも少なからずある【89】。

【89】「（もつとも、この点に関し、確定日払の約束手形については、振出日の記載は手形要件でないとし、或は、約束手形の振出日の記載は、手形の権利内容に関する事項でないなどの理由から、振出日の記載を補充

することなく白地のままなされた呈示を以て手形法上適法な呈示と解する見解がないでもないが、振出日の表示は手形の振出行為自体の構成要件の一部として、手形法は約束手形の種類を問わず振出日を手形面上の必要的記載事項と定め、振出日の記載を欠いた約束手形を無効としている（手形法七六条）のに鑑み、当裁判所は右のごとき見解に左袒することができない。）」（大阪高判昭三九・二・二〇判時三七八・三一。同旨東京地判昭三二・三・一六下民集八・三・四八三、横浜地判昭三五・三・三〇法曹新聞一五一・二、東京地判昭三二・三・一六下民集八・三・四八三、東京高判昭三九・五・二五高民集一七・四・二三五等）。

おもうに、立法論としてならばともかくとして、解釈論としては、【88】のような立場をとることは許されないであろう（学説は一般にこのような見解をとっている。津田教授は、振出日がとくに手形要件に加えられたのは、「手形に厳正な証券としての体裁を整えしめる（同時に手形関係者に対しそれが良い加減な書面ではないという警告を与える）ため」であると説明される。手形小切手判例百選一二七頁。また小橋教授は、「重要な文書とくにある意思を表明する文書において、いつの日付をもってその意思を表明するかを明らかにすることは、現在の社会において一般的に行なわれるところであり、それが重要な意味をもちうることは否定できない。その社会的事実の上に、手形法もまた振出日付を手形要件としていると考えられる」と説明される。〔法時三八巻七号八六頁〕）。

二　振出地

振出地は、国際手形法における準拠法の決定（手八八Ⅱ）および手形法三七条・四一条四項との関連において意味をもっている。しかし振出行為の準拠法決定の基準となる地は事実上振出行為の行われた地であって、手形の振出地は一応の推定力を有するにすぎない。また三七条・四一条四項との関係においても、問題を生じたときには、支払地を基準にすれば足り、振出地を明確にする必要はない。

振出地の意義が右のようなものであるところから、その記載方法については、準拠法決定の基準になりうる限り、最小独立行政区画より広狭いずれでもさしつかえないとするのが通説である。判例も、近時の下級審判例でこの趣旨のものが若干認められる【90】。

【90】「振出地の記載は、主として手形振出行為の準拠法を定める基礎として意義を有するにとどまるもの

であるから、必ずしも最小独立の行政区画をもって指定する必要はなく、従って単に『東京都』とのみ表示されていても振出地の記載に欠けるところはないものというべきである……」（東京地判昭三二・二・一下民集八・二・二五二。同旨東京地判昭三三・九・一八判時一六四・三四、東京地判昭三五・三・一〇法曹新聞一五〇・一七等）。

しかし、最高裁はいまだこの点について態度を明らかにしていない。私見としては、現行法の下における振出地は――旧法におけると異なり――手形所持人の権利行使の容易・確実をはかるという点については何等考慮する必要はないので、通説と同様に、振出地となしうる地域は最小独立行政区画より広狭いずれでもさしつかえないと解する。

振出地の記載は真実の振出地でなくとも手形の効力には影響がない（詳細は一〇「真実に合致しない（実在しない）記載」参照）。

振出地の記載がなくても、振出人の名称の肩書地があれば、それが振出地とみなされる（手二条四項）。

九 手形要件の複数的記載

一 総 説

(1) 支払人、支払地その他の手形要件の複数的記載の問題については、従来、一般に、一口に、それらの「重畳的又は選択的記載は可能か否か」（更に「順次的記載」ということをとりあげるものもある）というようなかたちで論じられて来ている。そして「重畳的記載」というのは、例えば「甲及び乙」のごとく、そして「選択的記載」というのは、例えば「甲又は乙」のごとく（そして「順次的記載」というのは、例えば「まず甲に、然る後に乙に」のごとく）記載がなされている場合であると説明されて来ている。

しかし、この問題を考えるにあたり、つぎの二つのことを明確に区別しなければならないと思う。すなわち、(1) それら複数の記載事項——たとえば複数の支払人、あるいは複数の支払地——は、（a） 共同的ないしは集合的に——すなわち、記載された全てのものが支払人として、あるいは記載された全ての地域が支払地としてあつかわれるものとして——記載されているのか、（b） それとも択一的に——すなわち択ばれた一人のもの、あるいは択ばれた一個の地域のみが、支払人あるいは支払地としてあつかわれるものとして——記載されているのか、という問題と（以下、これを「(1)の問題」とよぶ）、(2) 支払人あるいは支払地が、上述の意味で共同的ないしは集合的に記載されている場合に、所持人は、（a） 全ての支払人による、あるいは全ての支払地における支払拒絶があつてはじめて前者に遡求できるのか、（b） それとも、一人の支払人による、あるいは一つの支払地における支払拒絶あるのみで遡求できるのかという問題（以下、これを「(2)の問題」とよぶ）の二つである（上述の意味で択一的に記載されている場合には、当然、その択ばれた一人のものによる、あるいは択ばれた一つの地域における支払拒絶によつて遡求できることになる）。

ところが、従来の学説・判例においては、必ずしも、これらがはつきりと意識して区別されているとはかぎらず、又、「重畳的」、「選択的」という語の用い方自体も統一していないように思われる。すなわち、旧い学説においては、比較的よくこの二つの問題が区別して考えられ、そして「重畳的」、「選択的」の語は、一般に、前者すなわち「(1)の問題」について用いられている（そして「及び」とか「又は」とかいうようなことばは、「(1)の問題」における（a）と（b）を示すことばであると説明される）のに対し、近時の学説においては、概して、この両者の区別が明らかでなく、そして、なかには、「重畳的」、「選択的」の語を、「(2)の問題」について用いようとするものも見うけられる（そしてこのような立場においては、「及び」とか「又は」とかいうようなことばは、「⑵の問題」における（a）と（b）を示すことばであると考えられている）（しかし、近時の学説においても、「受取人」の複数的記載の問題に関しては、皆、それを「⑴の問題」としてあつかい、それに「重畳的」、「選択的」の語を用いている）。

そこで、以下、混乱を避けるために、私見としては、「⑴の問題」については『集合的』記載——（a）の場合——と『択一的』記載——（b）の場合——という語を、そして「⑵の問題」については『重畳的』記載——（a）の場合——と『選択的』記載——（b）の場合——という語をそれぞれ用い、このように、ことばを使いわけて説明して行きたいと考える。

⑵　手形の記載に関して、「単純性（単一性）の原則」であるとか、「一定性（確定性）の原則」であるとかいうようなことがよくいわれている。それらの意味するところは必ずしも明らかではないが、おうよそつぎのような趣旨で用いられているのではないかと思う。すなわち、手形上の権利の行使と手形流通の確実、円滑を期するため、手形の各記載事項は原則として単一でなければならず（単純性の原則）、また内容的にも一定していることを要し、もし複数的記載を認めた場合には、『択一的』記載では内容を不確定にするから、それらは『集合的』記載でなければならない（また遡求条件についても「重畳的」でなければならず、「選択的」は認められない）（一定性の原則）、と。

おもうに、このような原則を、ただ抽象的、形式的な——そして実質的裏づけのない無内容な——ものとしてふりかざしてみても全く無意味である。手形の各記載事項が単一でなければならないか、あるいは内容的に確定していなければならないか否かは、結局、個々の具体的な場合に、そのいずれが各手形当事者——所持人、主たる債務者ならびに遡求義務者——の利益にかない、手形上の権利の行使と手形流通をより確実、円滑ならしめるかを実質的に判断することによつて定まる問題ではなかろうか。そして、普通一般の場合には、それが単一に確定しているのが各当事者の利益にかない、手形取引の確実、円滑の要請にもよくこたえているところから、そこに、いわゆる手形記載についての「単純性」、あるいは「一定性」の原則なるものが一応存在しているといつてもよいのではあるまいか。したがつて、各当事者の利益を増進し、手形取引をより確実、円滑ならしめる方向でならば、これらの原則も、当然、ある程度曲げられて何らさしつかえないけれども、それとは反対の方向へそれらを曲げることは絶対に許されないものと考える（たとえある当事者にとつてプラス（利益）であっても、他の当事者にはマイナス（不利益）になるような場合には許されないであろう。他の当事者にもプラスか、あるいは少くともマイナスにならないことが必要であると考える）（拙稿「手形要件についての一考察」論叢七七巻五号七七頁。鈴木一七四頁と伊沢二八二頁の趣旨も、このようなものではないかと考えられる）。

二　手形の主たる債務者――為替手形の引受人（支払人）・約束手形の振出人

（一）　手形の主たる債務者の複数的記載の可否を直接問題にした判例はいまだ見当らない。

そこで、以下、従来の学説を整理しながらこの問題を検討してみよう。

(1)　戦前の学説をみるに、まず松波博士が、手形当事者の複数的記載の問題につき詳細に論じられ（松波五九六頁以下）、その複数的記載には、「集合的（cumulative）ノモノト選択的（alternative）ノモノアリ」とされる。そして為替手形の支払人については、その「集合的記載」は有効であるとし、その場合、支払拒絶による遡求には支払人全員の拒絶を要するが（その理由として「振出人カ集合支払人ヲ記載シタルハ彼等ヲシテ集合シテ全額ヲ支払ハシメン為ナリ甲カ支払ハサルモ乙丙ハ支払フヘク……三人ニテ如何様ニモシテ手形金額ノ全部ヲ支払フト信シテ委託セルナリ」とのべられる）、引受拒絶による遡求には――その手続としては、まず支払人全員に対する引受請求が必要であるが——一人の支払人の拒絶あるのみで足りるとされる（その理由として、「引受請求ハ手形ノ支払ノ鞏固ヲ試ムル一手段ナリ……集合支払人ノ一人カ引受ヲ拒絶シタルトキハ夫レ丈支払ノ鞏固ハ害セラレ……所持人ハ……安心スルヲ得ス」とのべられる）。しかしその「選択的記載」は無効であるとし、その理由として、「支払人カ定マラサルトキハ所持人ハ何人ニ対シテ請求スヘキカ明カナラス随テ如何ナル支払人ノ拒絶アリタル際ニ償還ヲ請求スヘキカハ不明ナレハナリ」とのべられる（松波六〇六頁以下）。そして約束手形の振出人についても、「之ヲ集合的記載トシ凡テノ者ヲ振出人トスルトキ」は有効であるが、「選択的記載トシ其中ノ或者ノミカ振出義務ヲ負フトセハ」その振出は無効であるとされる（松波一一九七頁）（以上、傍点筆者。以下同じ）。ついで松本博士もこれと大体同意見であるように感じられるが（松本一九一頁）、水口博士が、為替手形の支払人につき、「二人以上タルヲ得……而シテ其表示方法ニ於テ二人ヲ共同支払人トシタルトキハ支払ニ付二人ニ呈示スルヲ要スヘキモ其間ニ選択ヲ為シ得ヘキトキハ其一人ニ対スル呈示ヲ以テ足ル」とのべられているのに注意すべきである。

その後の学説をみるに、ほとんどのものは、この主たる債務者の複数的記載の問題をもっぱら為替手形の支払人のみについて論じながら、その「重畳的記載」（「甲及び乙」のごとく記載されている場合であると説明する）は有効であるが、その「選択的記載」（「甲又は乙」のごとく記載されている場合であると説明する）は無効であるとする（大浜三一七頁、烏賀陽九六頁、田中耕二七三頁、升本五〇頁、薬師寺＝本間志林一二六頁、西島一一七頁、納富二二〇頁等。須賀一〇〇頁は、このことを明示していないがおそらく同趣旨であろう）（さらに、「順次的記載」については、その第一順位のものを支払人とみ、他を予備支払人とみて有効とあつかおうとする立場がある。烏賀陽九六頁、薬師寺＝本間志林一二七頁、納富二二〇頁等）。

そしてその理由として、あるいは、「重畳的」に記載することは「単に支払人の数を増加したるに過ぎず、少しも手形関係の単純性を破るものではない」のに対し、「選択的」に記載すれば「選択前に於ては支払人確定せず、従つて手形関係の単純性を害する」ということをあげ（薬師寺）、あるいは、「重畳的記載」の場合には「所持人に対し……其権利の満足を得る見込を多からしむる利益がある」とし（須賀）、また、あるいは、「選択的記載」の場合には、「何れの支払人の引受又は支払の拒絶でも前者の償還義務の原因となり、斯くして手形流通に必要なる償還請求の条件の一定を害する」とする（田中耕）。そして、「重畳的」に記載されている場合、支払拒絶による遡求には、皆一致して、支払人全員の拒絶を要求するが、引受拒絶による遡求については、一人の支払人の拒絶あるのみで足るとするもの（薬師寺。「支払人の一人が引受を拒絶するときは、その手形は不信用なる烙印を押されたのも同然であつて、流通せしめる価値なし」とされる）と、支払人全員の拒絶を要するとするもの（大浜、田中耕、須賀、西島、納富等）とに分かれる。

ところが大橋博士はこれらとは異なり、「選択権が手形権利者に在る限りは手形義務者も選択的に記載し得る」とされる。そして支払人その他の手形義務者が「甲又は乙」というふうに記載されているときは、「通常は何人を義務者として選択するかの選択権が手形権利者に委ねられていると見るべき」であり、このような場合には「手形権利者の選択するところに従いその中のある者のみが義務を負う」とのべられる（そして、支払人が「重畳的」に記載されているときには、支払人全員の引受拒絶、あるいは支払拒絶があつてはじめて遡求できるとする）。

以上のように、戦前の学説においては、主たる債務者の複数的記載の問題につき、大体において、前述の(1)と(2)の二つの問題が区別して考えられ、そして「重畳的」、「選択的」という語は、一般に、「(1)の問題」について——すなわち私見のいう『集合的』、『択一的』の意味において——用いられている（そして、「及び」とか「又は」とかいうようなことばは、この「集合的」、「択一的」を示すことばとして考えられている）ことがわかる。すなわち、多数説は——私見のいう——『集合的』記載のみを認め（そしてその場合、支払拒絶による遡求の問題については、それらを——私見のいう——「重畳」的記載としてあつかう）、『択一的』記載は認めないが、大橋博士は、所持人に選択権のある『択一的』記載をも有効と認められるわけである（ただし、水口博士の所説は明らかでない。あるいは、大橋説と同じく、所持人に選択権の「択一的」記載を認められる趣旨であるのかもしれない）。

(2)　つぎに戦後の学説をみるに、伊沢教授と竹田博士は、いずれも従来の多数説の立場に立っておられるもののように思われるが（伊沢三〇二頁、竹田八四頁。いづれも引受拒絶による遡求には一人の拒絶で足るとする）、鈴木教授は、約束手形の振出人について、「振出人が数人いても、振出人自身について云えば、各振出人が合同責任を負うだけのことであるから、さしつかえない。しかし、このように振出人が数人いる場合には、数人の振出人の全員が支払を拒絶したとき始めて償還請求ができるのか、それとも、その一人でも支払を拒絶したら償還請求ができるのか、裏書人等償還義務者との関係で問題がないではない。……前者はいわゆる重畳的記載（甲及び乙）にあたり、後者は選択的記載（甲又は乙）にあたるが、もしその趣旨が表示されていれば、いずれも有効と認めてよいであろう」とされる（そして「為替手形の支払人についても、重畳的、選択的ともに有効と認めてさしつかえない」とされる）。そして「通常は振出人の署名又は記名捺印が列記されているに止まると思うが、その場合には所持人にとつて有利な選択的記載と解するのが妥当と考える」とされ、「選択的記載である限り当然所持人が選択権を有すべきもの」であるとのべられる（鈴木一七八頁）。

この鈴木教授の見解で注目すべき点は、前述の「(1)の問題」は全く考慮されることなく、――すなわち、おそらくは私見のいう『集合的』記載のみが認められることを当然の前提として、――主たる債務者の複数的記載の問題をもっぱら「(2)の問題」として――すなわち、私見のいう『重畳的』又は『選択的』記載の問題として――とらえ、そしてこの問題について、「重畳的」、「選択的」の語を用いている（そして「及び」とか「又は」とか、いうことばもこれらを示すものとして考えられている）ことである（このように、従来の通説と鈴木説とは「重畳的」、「選択的」の語の用い方自体が違っているのであるから、両者はうまくかみ合わない）。

その他の学説をみるに、大隅・河本両教授は、一応、従来の通説の立場に立っておられるもののように見受けられるが（大隅＝河本八頁）、前述の(1)と(2)の二つの問題の区別や、「重畳的」、「選択的」の語の用い方が、いま一つはつきりしないように思われる（遡求条件のみを問題にする鈴木説と、「集合的」、「択一的」記載を問題にする従来の通説や大橋説とを同一平面で――同じ「重畳的」、「選択的」の語を用いて――比較される）。それから最近のものでは、竜田、塩田両助教授は、いずれも、鈴木教授と同様に、主たる債務者の複数的記載の問題をもっぱら「(2)の問題」としてとらえ、「重畳的」、「選択的」の語をこの場合について用いられているようである（竜田「手形要件」講座二巻二八頁以下。塩田「手形の共同振出」講座二巻八五頁以下。竜田二九頁註三は「約束手形の振出人が選択的でありうるのは支払人としての資格においてのみであつて（遡求の関係）、主たる債務者としての責任は全員が負うとみなければならない」とし、塩田八七頁註三は「ここで選択的というのは、債務者を特定の者に限定することではなくて、所持人において呈示の相手方を選択することを意味する」とする。これらの意味するところはいずれも充分に明らかではないが、おそらく前記のような趣旨であろう）。そしてともに、「重畳的記載」のみならず、所持人に「選択権」のある「選択的記載」をも認めている（竜田二八頁は、「所持人が選択権をもつかぎり認められる」とするのに対し、塩田八七頁は、「選択権はつねに所持人側にあるものと解すべきである」とする）。

（二）　さて、この主たる債務者の複数的記載の問題について、以下、検討してみよう。

(1)　まず『集合的』記載（記載された全てのものが義務を負う）は認められるか。従来の学説は皆一致してこれを認めている。私見ももちろん認めたい。その理由は、この場合、一方、所持人にとつては、権利行使を容易にしかつ支払を受け得る確実性を増し、他方、振出人にとつては、手形の信用を高め、その流通性を増すというように、所持人と振出人の双方にとつて利益があるからである（塩田講座二巻八五頁。拙稿「基本手形の記載事項についての一考察」大分経済論集一六巻一号七六頁）。

それでは『択一的』記載（択ばれたもののみが義務を負う）は認められるか。従来の学説はほとんどこれを認めない。私見も認めるべきではないと思う。その理由は――たとえ所持人に「選択権」があると解しても――所持人の地位は著るしく不安定になり、その利益が害されるからである。

つぎに、これらの表示方法であるが、従来の通説――ことに旧い学説――は、『集合的』記載とは「甲及び乙」のごとく、そして『択一的』記載とは「甲又は乙」のごとく記載されている場合であるとするが、私見も同感である。したがつて、手形に、もし後者のごとき記載がなされているときは、その手形は無効となるものと解する（あるいは、このような「又は」ということばのみを無効とみて、つぎにのべるような観点からこれを「集合的」記載とあつかおうという立場もあるかもしれない）。しかし、通常は、支払人の名称あるいは振出人の署名又は記名捺印が単に列記されてあるにすぎないと思うが、その場合には、それらは『集合的』に記載されているものと解すべきであろう。けだし、それが所持人の保護につながるとともに、振出人の通常の意思にもよく合致すると思われるからである。

(2)　つぎに、主たる債務者が『集合的』に記載されている――通常は単純に列記されている――場合に、それらは『重畳的』（全員の拒絶がなければ遡求できない）と解すべきか、それとも『選択的』（一人の拒絶があれば遡求できる）と解すべきか（もし「択一的」記載を認めたならば、その場合、択ばれたもの一人の拒絶によつて、当然遡求できることになる）（近時の一部学説は、「重畳的」記載とは「甲及び乙」、そして「選択的」記載とは「甲又は乙」のごとく記載されている場合であるとするが、それは間違いで、前述のように、それらは「集合的」あるいは「択一的」の趣旨を示す記載である。そして、「重畳的」あるいは「選択的」の趣旨を手形面上に表わそうにも表わしようがなく、結局、「集合的」に記載されているものを、そのいずれと解すべきであるかということに帰着する）。まず支払拒絶による遡求の場合についてみるに、従来の通説は『重畳的』記載のみを認め、近時の一部学説は、『重畳的』、『選択的』ともに認めている。私見としてはつぎのように考える。この問題については、手形記載の「一定性の原則」から『重畳的』と解すべきである、とでもいうような形式的な判断をなすべきではない。主たる債務者の『集合的』記載を『重畳的』と解すべきかそれとも『選択的』

と解すべきかは、結局、所持人と遡求義務者の双方の利益、不利益を実質的に較べ合つて、そのいずれの保護を重くすべきであるか、ということに帰着するのではなかろうか。すなわち、もし『重畳的』と解すれば、遡求義務者にとつては――遡求される率が低くなり――プラス（利益）であるが、逆に、所持人にとつては――遡求権を失う危険性が大きく――マイナス（不利益）である。これに対し、もし『選択的』と解すれば、先の場合とは反対に、所持人にとつては――遡求権を容易に保全でき――プラスであるが、遡求義務者にとつては――遡求される率が高くなつて――マイナスである。そこで、あるいは、支払場所が一つであるとか、そうでなくともそれらが少数でかつ近接しているような場合には『重畳的』と解し、その他の場合は『選択的』と解して、両者の利益の調和をはかるというのも一つの妥当な解決方法であるかもしれない。しかし、この二つの場合の限界をはつきりと画することはおそらく不可能であろう。それで結局、『重畳的』とした場合の所持人の不利益と、『選択的』とした場合の遡求義務者の不利益とを一般的に比較し、そのいずれをより重く保護すべきかによつて、主たる債務者の『集合的』記載を、一律に、『重畳的』か『選択的』かのいずれかに決するほかはないのではあるまいか。

そこで両者を較べてみるに、『重畳的』とした場合の所持人の不利益は、前述のごとく、「遡求権を失う危険性が大きい」ということであつて、それはいわば〝かなり大きな不利益〟である。一方、『選択的』とした場合の遡求義務者の「不利益」なるものは、遡求を受ける率が『重畳的』とした場合に比して相対的に高くなるというただそれだけのことであつて――主たる債務者が一人の場合に、その者の支払拒絶によつて直ちに遡求に応ぜねばならぬことと対比して考えれば――果してそれを不利益といえるかどうかは疑問であり、ただ強いていえば、――ある債務者を信用し、所持人も彼に呈示するであろう（したがって遡求されることはないだろう）と期待して裏書したところが、他の債務者に呈示され遡求されることになつたというような――いわば「期待に反した」という意味の不利益は考えられる。しかし、いずれにしてもこれは〝小さな不利益〟にすぎない。

以上から明らかなように、保護を厚くしなければならないのは、当然、所持人の側であり、したがつて私見としては、主たる債務者の『集合的』記載は、一律に、『選択的』であるものと解したい。なおその場合の「選択権」（まず誰に呈示するかを決める権利）は――遡求権を失う危険から所持人を保護するために『選択的』と認めたのであるから――当然所持人がもつと解すべきである（鈴木一七八頁、塩田前掲八六頁、拙稿前掲七六頁以下）。

つぎに為替手形における引受拒絶による遡求の問題については、従来の通説と同様に、それを『選択的』（一人の引受拒絶により遡求できる）と解すべきであろうと考える。

三　その他の手形当事者

（一）　受取人　(1)　受取人の複数的記載の問題に関しては、つぎの二つの判例がある。

一つは大判大一五・一二・一七であり、X（上告人）が――他の二名とともに――Y（被上告人）と訴外Aを「共同受取人」として約束手形を振出し、そしてその後Yが、Aよりその手形の裏書を受け、その手形の単独の所持人としてXに支払を求めた事案について、原審が、「共同受取人」の一人が単独でなした裏書は有効であり、この場合、Yは手形金全部につき権利を取得したものであるとしてYの請求を認めたところ、Xが「共同受取人」の裏書は共同してのみこれをなすべきであり、この場合のAの裏書は無効であるとして上告したのに対し、大審院は、「手形ノ受取人ハ之ヲ数人ト為スコトヲ妨ケズト雖、此ノ場合ニ於テ共同受取人ハ共同ノ権利ヲ取得シ各自権利ヲ取得スルモノニ非ルヲ以テ、共同シテ手形行為ヲ為スコトヲ要スルモノニシテ単独ニ之ヲ為スコト得ザルモノトス。」と判示して、Xの上告を認め原判決を破棄した【91】。

【91】（本文における引用に続いて）「果シテ然ラハ原審カ上告人ハ第一審被告加藤久之助、八重樫万次郎ト共ニ被上告人及訴外宮川雄三ヲ受取人トシテ大正十一年四月七日金額七百円振出地盛岡市支払期日大正十一年五月二十五日支払場所盛岡市本町沼宮内源太郎方ト定メタル約束手形ヲ振出シ被上告人ハ同年六月七日右雄三ヨリ之カ裏書譲渡ヲ受ケタル事実ヲ確定シタルニ拘ハラス共同受取人ノ一人カ単独ニテ為シタル裏書ヲ以テ有効ナルモノト為シ被上告人ノ請求ヲ認容スルニ至リタルハ失当ナリ」（大判大一五・一二・一七民集五・八五〇）。

今一つは下級審のものであつて、「数人ヲ重畳的共同ノ受取人トシテ」手形を振出すことができ、その場合、原則として、「数人ノ受取人ハ共同シテノミ其ノ権利ヲ行使シ得ベキモノ」であるが、そのような手形を現に所持する者は、通例、「明示又ハ黙示ノ委託」により全員のためその権利の保全及び行使をなすべき責任と権限を有するものであるから、そのものは「全員ノ為ニ手形金全額支払ノ請求ヲ為スコトヲ得ルモノ」と解すべきであるとしている【92】。

【92】「手形ノ受取人ハ必スシモ一人タルコトヲ要セサルヲ以テ数人ヲ重畳的共同ノ受取人トシテ手形ヲ振出スコトヲ得ヘシ然レトモ手形ハ所謂完全有価証券ノ一種ニ属スルヲ以テ其権利ノ行使ハ手形ノ呈示又ハ其交付等現実ニ手形ヲ以テスルニ非サレハ之ヲ為スコトヲ得サルモノナルカ故ニ原則トシテ一手形ニ於ケル数人ノ

受取人ハ共同シテノミ其ノ権利ヲ行使シ得ヘキモノト謂ハサルヘカラス従ツテ斯ル場合ニ於ケル手形上ノ権利ハ其ノ性質上共同ノ数人ニ対シ不可分ノ関係ニ在リテ受取人各自ハ其ノ持分ニ付単独ニ手形ノ裏書譲渡ヲ為シ又ハ其ノ支払ヲ請求スルコトヲ得サルモノト謂フヘシ然ラハ共同受取人中ノ一人又ハ数人カ手形上ノ権利ノ行使ニ同意セスシテ之カ協力ヲ肯セサルトキハ如何ニスヘキカ此ノ点ニ関シ商法ニ別段ノ規定ナク又商慣習上定マレルモノナシ惟フニ手形上ノ権利亦一ノ債権ニ属シ共同ノ権利者数人中ニ付不可分ノ関係ニ在ルトキハ民法第四百二十八条ニ定ムル不可分債権ニ該当スルモノト観ルヘキヲ以テ商法第一条ニ依リ之ニ民法ノ規定ヲ適用シ各受取人ハ総受取人ノ為ニ支払ヲ請求シ又支払人ハ総受取人ノ為ニ各受取人ニ対シテ支払ヲ為スコトヲ得ルモノト為ササルヘカラス若然ラストセンカ共同権利者中ノ一人ノ意思ニ因リテ他ノ者ハ竟ニ其ノ権利ヲ行使スルコト能ハサル不当ノ結果ヲ生スレハナリ但シ此ノ場合ト雖手形ヲ呈示シテ支払ノ請求ヲ為スヘク又手形ト引換ニ非サレハ支払ヲ為スコトヲ要セサルヲ以ツテ総受取人ノ為メニ支払ヲ請求シ又ハ支払ヲ受クヘキ受取人ハ現ニ手形ヲ所持セル者ナラサルヘカラサルハ言ヲ俟タス（中略）然リ而シテ数人共同ノ権利ニ属スル手形ヲ所持スル者ハ通例明示又ハ黙示ノ委託ニ依リ全員ノ為其ノ権利ノ保全及行使ヲ為スノ責ヲ若ハ其ノ権能ヲ有スルモノナルヘキヲ以テ不可分債務ニ関スル前記民法ノ規定ヲ適用スルコトハ対内関係ニ於テモ敢テ不当ノ結果ヲ生スルコトナシト謂フヘシ是ヲ以テ約束手形ニ於ケル数人共同ノ受取人ハ各自単独ニ其ノ持分ニ付権利ヲ行使スルコトヲ得スト雖現ニ手形ヲ所持セル者ナルニ於テハ一人又ハ数人カ全員ノ為ニ手形金全額支払ノ請求ヲ為スコトヲ得ルモノトス」（朝鮮高判昭六・六・五評論二〇巻商法八三六頁）。

右二つの判例において用いられている、「共同」ないしは「重畳的共同」という語は、おそらくは、私見のいう『集合的』――記載された全ての者が受取人としてあつかわれる――と同じ意味であろう。

(2)　受取人の複数的記載の問題に関しては、従来の学説は、ほとんど皆一致して、いわゆる「重畳的記載」と「選択的記載」――すなわち、私見のいう『集合的』記載（記載された全ての者が受取人としてあつかわれる）と『択一的』

記載（振出人により択ばれた者のみが受取人としてあつかわれる）――のいずれをも有効と認めて来ている（松波六〇一頁、松本一九四頁、水口二二八頁、大浜三三七頁、烏賀陽一〇七頁、田中耕二七三頁、須賀一一五頁、升本五五頁、西島一二四頁、納富二三〇頁、大隅一二八頁、伊沢三三〇頁、竹田八七頁、鈴木一七九頁、大隅＝河本一四頁、大森九一頁、小橋八一頁、竜田前掲二八頁等。但し青木二九四頁は「共同受取人」のみを認める）。そして『択一的』記載を有効と認める理由として、かかる手形でも「振出人が何れかに手形を交付することによってその者が手形権利者たることに確定するから、手形関係の不明確を生ずるおそれはない」（大隅＝河本一四頁）とする。このなかで注目すべきは、近時の一部学説であって、それらは、前述のごとく、一方において、主たる債務者の複数的記載の問題につき、単なる遡求条件の意味（全員の拒絶がなければ遡求できないか、それとも一人の拒絶で遡求できるか）において「重畳的」、「選択的」の語を用いながら、この場合には、その同じ語を、私見のいう『集合的』、『択一的』の意味において用いていることである（鈴木一七九頁は、「数人の受取人が重畳的に記載されても、その数人が共同的に権利を取得するにすぎぬから、さしつかえなく、また、選択的に記載されても、そのいずれか手形を交付された者が権利を取得するから、これまたさしつかえない」とされる。竜田前掲二八頁も同趣旨）。

そしてこれら従来の学説は、『集合的』記載の場合（「甲及び乙」というふうに記載されている場合であるとする）には、権利の行使あるいは裏書は全員共同してのみなすことができるが（しかし、前掲【92】を引用しながら、「共同受取人の一人が現に手形を所持する以上、全員の代理人として手形金額全額につき支払請求することができる」とするものもある。大隅＝河本一四頁）、『択一的』記載の場合（「甲又は乙」というふうに記載されている場合であるとする）には、振出人により受取人として択ばれた――すなわち手形を交付された――もののみが単独で有効に権利行使あるいは裏書をなすことができるとする。なお、複数の受取人が単純に並記されてある場合については、「これを共同受取人と解釈するのが、かかる記載方法に対する社会通念ではないかと思われる」とするものがある（大隅＝河本一五頁）。

私見としても、これら判例・学説に賛成したいと思う。

（二）　為替手形の振出人　為替手形の振出人についても複数的記載は当然に認められるものと解

すべきである。

そして――約束手形の振出人における共通の問題になるが――複数的記載（共同振出）の方式としては各振出人が連署するか、振出人の一人が自己のための署名と並んで他の振出人の代理人として署名する。法人格を有しない組合が振出人となるときも、組合員全部が振出人となるわけであるから共同振出の一場合であるとする判例がある【93】。

【93】「……本件手形は、組合の代表者が、その権限にもとずき、組合のために、その組合代表者名義をもつて振出したものである以上、同組合の組合員は、手形上、各組合員の氏名が表示された場合と同様、右手形について共同振出人として、合同してその責を負うものと解するを相当とする」（最判昭三六・七・三一民集一五・七・一九八二）。

四　支払地

（一）　支払地の複数的記載の問題については、一般に、一口に、「支払地の重畳的または選択的記載は可能か否か」というようなかたちで論ぜられているが、しかし、実は、これはつぎの二つの場合に分けて考えるべき問題ではないかと思う。すなわち、(1)　一人の主たる債務者（為替手形の支払人・約束手形の振出人）――たとえば甲――について複数の支払地――たとえばＡ地、Ｂ地――を設けることができるか否かという問題と、(2)　主たる債務者が複数である場合に――たとえば甲、乙――そのおのおのについてそれぞれ異つた支払地――たとえば甲についてはＡ地、乙についてはＢ地――を設けることができるか否かという問題である。しかるに、これらが、――旧い学説においては比較的よく区別されているようであるが――近時の学説において、果して充分に区別して考えられているか否かはなはだ疑問に思う。

(1)　まず、一人の主たる債務者について複数の支払地を記載しうるか。この問題に関する判例はいまだ見当らない。

学説をみるに、従来の通説は、一貫して、支払地は単一かつ確定的でなければならず、その「重畳的記載」も「選択的記載」もともに認められないとして来ている（松波五四九頁、松本二〇八頁、水口二四〇頁、大浜三三一頁、烏賀陽一〇四頁、田中耕二八五頁、升本五四頁、薬師寺＝本間志林二五〇頁、西島一二二頁、納富一二七頁、大橋一三五頁、伊沢三二四頁、竹田八六頁、田中誠一七六頁、大森九〇頁、小橋八一頁、境「支払地・支払場所」講座四巻一〇五頁等）。そしてこれに対する少数説の立場に立つものとして、戦前では、山尾時三氏があり、「重畳的記載」も「選択的記載」もともにさしつかえないとされる（山尾一九二頁）。ところで、以上の学説の多く——ことに旧い学説——は、主たる債務者の複数的記載の問題におけると同様に、「重畳的」、「選択的」の語を、私見のいう『集合的』（記載された全ての地域が支払地となる）、『択一的』（択ばれた地域のみが支払地となる）の意味に用いているもののように思われる。

ところが鈴木教授は、「重畳的記載は所持人を害するから認められないにしても、選択的記載は、所持人が選択権を有する以上、これを認めてもさしつかえないのではないかと思う」と説かれ（鈴木一八八頁。そして同頁註二八は「重畳的記載は遡求条件の一定性を害しないが、短い支払呈示期間内にA地とB地とで支払の呈示をしなければならず、所持人の利益があまりにも害されるから認むべきではない。選択的記載は遡求条件が一定しなくなるが、この点を絶対視する必要はない。……所持人に選択権があるのならば、所持人の利益は害されない」とされる）、これに賛成するものもあるが（竜田前掲三〇頁）、これらにおいては、「重畳的」、「選択的」の語は、単なる遡求条件の問題として——すなわち、私見のいう『重畳的』（全ての支払地における支払拒絶がなければ遡求できない）、『選択的』（一つの支払地における支払拒絶があれば遡求できる）の意味において——用いられているように感じられる。

そこで、以上のことを用語を統一して今一度説明すれば、従来の通説は、『集合的』記載も『択一的』記載もともに認めない（そして山尾氏はそれらをともに認める）のに対し、鈴木教授らは、『集合的』記載を——所持人に選択権のある『選択的』記載であるかぎり――認められる、ということになるわけである。
私見としては、この問題に関しては、従来の通説の立場に賛成したい。その理由は後述する。

(2)　つぎに、複数である主たる債務者――『集合的』記載のみが認められる――のおのおのにつき、それぞれ異つた支払地を定めることができるか。

判例をみるに、従来、複数の支払地（または振出地）に関係のある判例は、そのすべてが共同振出（私見のいう振出人の「集合的」記載）にかかる約束手形の場合――そしてそのうちの多くは、各振出人の肩書地が異り、かつ振出地および支払地の記載がないかまたは不完全な場合――であることに注目すべきである。つぎにそれらを列挙すると、まず、(a)　かかる場合は、その手形は一定の振出地（したがって支払地）の記載がないことになり、手形要件を欠いて無効であるとするものに、東京控判明三四・四・二〇（新聞三三号七頁）、大判明三四・一一・二八【94】、山形地判昭二一・九・二二【95】等があり、

【94】　「数人同一ノ約束手形ヲ振出スコトヲ得ルヤ勿論ナルモ其振出シタル手形ハ一行為ヲ為スニ過キスシテ各振出人ニ於テ各別個ノ手形ヲ作成シタルモノト看做スヘキニ非ス只其手形ニ因リ各自独立ノ債務ヲ負担スルノミ故ニ其手形ノ記載要件ニ欠缺アル場合ニ於テハ総振出人ニ対シ要件欠缺アルモノト謂ハサルヲ得ス原審ニ於テ確定シタル事実ニ依レハ上告人カ支払ヲ請求スル本件約束手形ハ被上告人等四名ノ振出シタルモノニシテ其振出ノ場所ナル地域ノ記載ニ於テ札幌区及豊平村ノ二アルヲ以テ約束手形ニハ一定ノ振出ノ場所ヲ要スル旧商法ノ規定ニ違フモノナルコト明白ナリ」（大判明三四・一一・二八民録七・一〇・一二九）。

【95】　「商法第五百二十五条（註　現行手形法第七五条）ニ約束手形ニハ振出地ヲ記載スルコトヲ要スル旨規定シアルヲ以テ此記載ヲ欠クモノハ手形トシテ無効ナルヤ勿論ナリトス而シテ手形ノ振出ハ其性質上単一行為ニシテ一通ノ手形ヲ二個ノ場所ニ於テ振出スコト能ハサルモノトス此関係ハ数人ノ共同振出人アルトキト雖

モ同様ナルヲ以テ一通ノ手形ノ振出場所ハ常ニ一個タルヘキモノト謂フヘシ然ルニ本件ノ手形ニハ前示ノ如ク振出地トシテ異レル二個ノ地ヲ記載シアリテ其何レヲ真ノ振出地ト認ムヘキヤ不明ニシテ斯ル不明確ナル記載ハ振出地ノ記載ナキニ等シキ結果トナルヲ以テ右手形ハ手形要件ナル振出地ノ記載ヲ欠ケル無効ノモノナリト断セサルヘカラス」（山形地判昭二・九・二二新聞二八〇三・八）。

（b）その場合、筆頭にある者の肩書地を、その手形の振出地（したがって支払地）と解すべしとするものに、大判昭二・一一・一九【96】および岡山地判昭三・三・三【97】がある。

【96】「振出地ト云フ印刷文字ノ直下ヨリ少シク左偏シタル部位ニ徳島市云々ト記載セラレアルノ故ヲ以テ直ニ之ヲ振出地ノ記載ニ非スト云ハムトスル上告人ノ抗弁ハ徒ニ形式ニ拘泥シ不必要ニ手形取引ヲ煩難ナラシメムトスルモノ振出地欄内ニ於テセサルモ亦振出地ノ記載トシテ有効ナルヲ妨ケストノコトハ夙ニ当院ノ判例トスルトコロ……当該記載ノ振出地ヲ表示スルモノタルハ手形面上一見則チ歴々タリ……況ンヤ之ヲ以テ上告人主張ノ如ク日英興業株式会社ノ営業所所在地ヲ表示セルモノト観ルモ亦以テ振出地ノ記載ト解セムコト何等ノ疑アルヘカラサルニ於テヲヤ蓋シ約束手形振出人ノ肩書地ヲ以テ振出地ト解スヘキコトハ久シク当院ノ判例トスルトコロニシテ……而シテ数人ノ振出人カ次ヲ以テ手形ニ列記セラレアル場合ニハ其ノ筆頭ニ在ル者ヲ以テ前示ノ関係ニ於テハ所謂振出人ト解スヘキコト一般通念上之ヲ当然ト為スヲ以テナリ」（大判昭二・一一・一九民集六・六四六）（小町谷判批・判民昭和二年度九七事件）。

【97】「本件手形カ振出当時振出地欄ニ何等ノ記載ナク且振出人等ノ肩書住所地ノ異ナルコトハ当事者間ニ争ナキ所ナリ然リ而シテ約束手形ノ振出地欄ニ其記載ヲ欠如スルトキハ振出人ノ住所ノ所在地ヲ以テ其振出地ト看做スヘク若シ又手形ノ振出カ数人共同ニ係リ其肩書地ノ異ナル場合ニ於テハ筆頭ニアル振出人ノ住所ノ所在地ヲ以テ振出地ト認ムルハ取引ノ通念ニシテ右手形ヲ目シテ直ニ振出地ノ一定ヲ欠ク無効ノ手形ナリト解スルカ如キハ余リニ形式ニ拘泥シ手形取引ノ実状ニ通セサルノ甚タシキモノト謂ハサルヲ得サル……」（岡山地判昭三・三・三新聞二八二二・一三）。

以上の（a）と（b）の判例は、結論は反対でも、支払地は単一かつ確定的でなければならないという考え方にもとづいている点で、共通しているといえよう。

（c）そしてさらに、このような場合、「振出人ハ何レカ其一ヲ以テ手形ノ呈示ヲ受クベキ地トシ、手形所持人ヲシテ之ヲ選択セシムベキ意思ノ下ニ振出シタルモノト推定スベキ」であるとする東京地判昭五・二・一〇【98】がある。

【98】「数人ノ約束手形ノ振出人カ特ニ一定ノ振出地又ハ支払地ヲ記載セスシテ手形ヲ振出シ振出地従テ又支払地ト目セラルヘキ振出人ノ住所地カ各異ナレル場合ニハ振出人ハ何レカ其一ヲ以テ手形ノ呈示ヲ受クヘキ地トシ手形所持人ヲシテ之ヲ選択セシムヘキ意思ノ下ニ振出シタルモノト推定スヘキモノトス蓋シ振出人カ手形ヲ振出ス以上手形債務負担ノ意思ヲ以テ之ヲ為シタルモノト解スヘキコト振出ナル行為自体ヨリ明白ナレハ特ニ振出地従テ支払地ヲ不定ナラシメ延イテ手形行為ヲ無効ナラシムルモノト解スルコトハ全ク振出人ノ意思ニ反スルモノナレハ寧ロ振出人ノ住所地ノ何レカ一ヲ以テ振出地トシ所持人ヲシテ之ヲ選択セシムル意思ノ下ニ振出サレタルモノト解スルヲ正当トスヘシ而シテ斯ル解釈ヲトルモ毫モ手形取引ノ安全ヲ阻害スル患ナシ何トナレハ裏書人以下ノ手形行為モ亦右事実ヲ知悉シテ手形行為ヲ為シタルモノト認ムヘキヲ以テ結局所持人ノ選択シタル地ニ於テ支払ノ請求ヲ為シ従テ亦償還ノ請求モ之ニ基キ為サルヘキコトハ其ノ予期スルトコロナレハ選択ニヨリテ特定スヘキ地ノ記載アルコトニ依ツテ何等ノ損害不便ナカルヘキヲ以テナリ然ラハ斯ノ如キ選択ニヨリ特定スヘキ地ノ記載ハ支払地若クハ振出地ノ記載トシテ有効ナルモノト認ムルヲ相当トスヘシ然リ而シテ本件約束手形二通ニ付キテハ何レモ前示ノ如ク夫々二個ノ地ノ記載アルヲ以テ選択ニヨリ特定スヘキ振出地ノ記載アルモノト謂フヘク原告カ右手形所持人トシテ被告等ニ対シ右手形金ノ請求ヲ為シ其振出地トシテ渋谷町ト主張スル以上右手形振出地ハ手形権利者タル原告ノ選択ニ依リ渋谷町ニ特定シタルモノト謂フヘキ…」（東京地判昭五・二・一〇新報二三二・二〇）。

この判決は、一見、支払地の『集合的』記載を――所持人に選択権のある『選択的』記載であるかぎり――認めたものであるかのようにも感じられるが、判旨の中に「選択ニヨリテ特定」というような文句が再三用いられていることなどから考えて、おそらくは、そうではなく、このような場合、所持人に選択権のある支払地の『択一的』記載とみて、それを有効とあつかおうという趣旨ではあるまいかと推察される。

（d）そして最後に、以下の三つの最近の判例がつづく。（i）その一つは、支払地、振出地ともに「東京都」、支払場所「自宅」、そして被告である二人の共同振出人の肩書地の一方が芝南佐久間町以下、他方が中央区以下の記載がなされている約束手形について、「振出人が二名以上あつてその肩書地が異なり支払地および振出地の記載がないときは、振出人はその肩書地のいずれか一方をもつて手形の支払地とし、これを所持人をして選択せしむる意思をもつて振出したものと推定すべきで、手形が要件の記載を欠き無効なものとみるべきではない」とする東京地判昭三四・一〇・八【99】であり、

【99】（本文における引用につづいて）「けだし、約束手形の振出人が手形振出という行為を共同してなす以上、各自手形債務を負担する意思をもつてこれをなしたものと解すべきこと約束手形の振出という行為の性質上明かというべきであつて、特に支払地および振出地を不明確なものとし振出を無効ならしめる意思があつたものとみるべきでないから、満期の日に手形金の支払請求を受けることは各振出人の予期するところといわなければならないし、更に手形所持人についてこれを見れば、自己の選択によりいずれか一方に支払を求めることができるのであるから、その支払が特に不確実となるおそれがない。従つて手形取引の敏速安全を害するおそれがないからである」（東京地判昭三四・一〇・八下民集一〇・一〇・二一一五）（判批―島・ジュリスト二四五号六九頁、藤井・商事法務一六四号一一八頁、塩田・立命館法学三六号一三五頁）。

(ii)　一つは、三人の振出人（被告Y_1・Y_2・Y_3）が共同で振出した約束手形について、「本件約束手形には支払地として『東京都』とのみ記載されているに過ぎず、その記載は不完全であるが、支払場所として『自宅』、振出地として『東京都』、共同振出人として『東京都杉並区……Y_1』、『東京都豊島区……Y_2』、『千葉県東葛飾郡我孫子町……Y_3』と記載があつて、かような場合は手形面全体からみて、支払地としては東京都内の振出人の肩書地、即ち『東京都杉並区』か又は『東京都豊島区』のいずれか一方を選択することが、手形所持人に任されているものとして、かような記載も有効であると解すべきである」とする東京地判昭三五・三・一〇【100】であり、

【100】（本文における引用につづいて）「更に本件約束手形の振出地としては『東京都』とのみ記され、振出人の肩書地は前記の通り三ケ所あり、東京都だけでも二カ所の記載があるので、そのいずれを振出地とみるべきか特定しないけれども、振出地の記載は、これにより手形の準拠法を定めるのが主目的であるから、振出地として「東京都」とのみ記載した場合でもこれを無効視すべきではない」（東京地判昭三五・三・一〇法曹新聞一五〇・一七）。

(iii)　そして今一つは、支払地、振出地はいずれも「東京都」、支払場所「自宅払」、そして、二人の共同振出人の一方（訴外A会社）の肩書地として「東京都世田谷区……」、他方（上告人Y）の肩書地として「千葉県野田市……」と記載されている約束手形について、「手形要件の記載は必ずしも常にその記載欄になされなければならないものではなく、手形面上実質的に具備されていればよいと解されるから、前示のように支払地の記載が不完全な場合、……支払場所の記載をもつて補充をすることは、もとより是認しうる……。ところで、本件約束手形の支払場所「自宅払」という記載は、振出人

の住所として手形面に記載してある場所を指称するものというべく、かつ右振出人の住所とは、本件約束手形の共同振出人として列記されている者の筆頭にある訴外A会社の住所である東京都世田谷区喜多見町三九〇五番地と解するのが相当である。しからば、本件約束手形の支払地東京都という不完全な記載は、右支払場所の記載をもつて補充し、これを東京都世田谷区の意と解することができる」とする最判昭三七・二・二〇【101】である。

【101】（事実）Y（被告・控訴人・上告人）は、訴外A会社と共同して、昭和三〇年六月三〇日、X会社（原告・被控訴人・被上告人）宛に、本文説明のような手形一通を振出した。X会社は満期に右手形の支払を受けることができず、その後一部の支払を受けたのみなので本訴請求におよんだ。これに対しYは、本件手形には支払地の記載がなく、また支払場所も特定していないと抗弁した。一、二審ともにX会社勝訴。原審（第二審）は、(1)かかる場合は、支払地、振出地の記載のない手形と同様に、手形法七六条三、四項によつて振出人の肩書地で補充すべきであり、また共同振出人の肩書地が異るときは、その筆頭者の肩書地をその振出地、支払地と解すべきである。(2)そして支払場所はいかなる方法をもつて表示するも妨げなく、「自宅払」と表示すれば振出人の住所として手形面に記載してある場所を指すが、共同振出の場合は筆頭者の住所と解すべきである、と判示した。Yが上告。最高裁はつぎのようにのべて上告を棄却した。

（判旨）「約束手形の支払地となしうる地域は最小独立行政区画であると解すべきであり、東京都においては区が最小独立行政区画をなすものであるから、本件約束手形の支払地として単に東京都とのみ記載したのは、手形要件の記載としては不完全なものであることはいうをまたない。しかし、手形要件の記載は必ずしも常にその記載欄になされなければならないものではなく、手形面上に実質的に具備されていればよいと解されるから、前示のように支払地の記載が不完全な場合、右記載に、表示された振出人の意思に反する結果を生じない範囲において、支払場所の記載をもつて補充をすることは、もとより是認しうるところであり、右補充が可能なかぎり、所論のごとく、支払地につき不完全な記載がある場合に、支払地の記載を全然欠く約束手形と同様、手形法七六条三項の規定により、振出地の記載をもつて（振出地の記載もまた不完全な場合、さらに、同条四項の規定により、振出人の名称に付記した地をもつて）これを補充することが許されるか否かを問う必要をみないといわなければならない。ところで、本件約束手形の支払場所「自宅払」という記載は、振出人の住所として手形面に記載してある場所を指称するものというべく、かつ、右振出人の住所とは、本件約束手形の共同振出人として列記されている者の筆頭にある訴外A会社の住所である東京都世田谷区喜多見町三、九〇五番地と解するのが相当である。しからば、本件約束手形の支払地東京都という不完全な記載は、右支払場所の記載をもつて補充し、これを東京都世田谷区の意と解することができるものといわなければならない。

叙上説示したところによれば、本件約束手形の支払場所は前示訴外Aの住所（註　判決文には「上告人の住所」となつているが誤り）であると解した原審の判断はまことに正当であり……、また原審が本件約束手形の支払地の不完全な記載を手形法七六条三、四項によつて補充解釈すべきものとした判断が仮りに誤つているとしても、東京都世田谷区をもつて支払地であるとした原審の結論自体は正当として是認できる……」（最判昭三七・二・二〇民集六・二・三四一）。

右の三つの判例は、その事案がきわめてよく似かよつている。いずれも共同振出人（【99】【101】は二人、【100】は三人）の振出にかかる約束手形であり、かつ振出人の肩書地はすべて異つている。そしていずれも、支払地、振出地はともに「東京都」、支払場所は、「自宅」あるいは「自宅払」と記載されている。

そして【99】は、二人の振出人（Y_1・Y_2）の肩書地、すなわち「東京都港区」と「東京都中央区」の「いずれか一方をもつて手形の支払地とし、これを所持人をして選択せしめる意思をもつて振出したものと推定すべき」であるとし、【100】は、支払地としては、三人の振出人（Y_1・Y_2・Y_3）の肩書地のうち――千葉県下にあるY_3の肩書地を除いて――東京都内にあるY_1とY_2の肩書地、「即ち『東京都杉並区』か又は『東京都豊島区』のいずれか一方を選択することが、手形所持人に任されているもの」としている。そして【101】は、二人の振出人（訴外A会社・Y）の肩書地のうち――Yの肩書地（千葉県下にある）を除いて――筆頭に記載されている訴外A会社の肩書地のみを支払地とあつかつている。

さて、以上の三つの判例に示された複数支払地の問題に対する裁判所の態度を分析してみよう。まず【99】はいかなる趣旨のものであろうか。前掲【98】と同じく、この場合、所持人に選択権のある支払地の『択一的』記載として有効としているのであろうか。それとも、鈴木説と同様に、支払地の『集合的』記載を――所持人に選択権のある『選択的』記載であるかぎりにおいて――認め、そしてこの場合をそのようなものとみて有効とあつかうのであろうか。いずれとも断定しかねるが、一応、後者であると仮定しておこう。つぎに【100】についてみるに、Y_3の肩書地、「千葉県東葛飾郡我孫子町」を支払地から除いたのはいかなる理由からか。東京都の外にあるからだろうか。もしそうだとすると、【100】の裁判所の態度は【99】に近いか、あるいはそれと全く同じであるのかもしれない。つまり、――【99】と同様に――原則として所持人に選択権のある支払地の『選択的』記載を認める。しかしこの場合、不完全ながらも支払地欄に「東京都」との表示があるので、それに制約されて、千葉県下にあるY_3の肩書地は支払地から除外せざるをえないというのかもしれない。だとすれば、もしこの場合、Y_3の肩書地が千葉県下ではなく東京都内にあつたとか、あるいはそれが千葉県下でも支払地欄には何の表示もなかつたならば、三人の肩書地が全て支払地としてあつかわれるということになろう。【100】の裁判所の態度は、おそらく右のようなものではなかろうか。

さらに問題があるのは【101】である。これだけをとりあげて観察すれば、あたかも最高裁は――通説と同じく――支払地は単一かつ確定的でなければならないとの前提に立つて、本件のように共同振出人の肩書地が異なり、かつ支払地の記載がないかもしくは不完全な場合には、――結果的には、【96】と同様に――常に、その筆頭記載者の肩書地をもつて支払地とみなそうとするもののごとく感じられる（また、この判例の論法からすればそうなるはずである）。しかしもう少しほり下げ、そしてさきの【99】【100】と比較し関連させて考えて行くと、にわかにそうとは断定しがたいように思えて来る。筆頭記載者訴外Aの肩書地は東京都内にあるが、もう一人のYの肩書地は千葉県下にある。もしこの両者の肩書地がともに東京都内にあつたとしても、最高裁は、これと同じように、筆頭記載者の肩書地をもつて支払地とみたであろうか。あるいはこの場合、支払地欄に何等表示がなかつたらどうであろうか。あるいは【100】のように、振出人がもう一人いて、その肩書地が東京都内にあつたらどうであろうか。

つぎに学説をみるに、戦前の学説の多くはこの問題にふれ、そしてそれらのほとんどは、主たる債務者が複数である場合でも支払地は単一でなければならないとしている（松波六〇頁は、「集合支払人ヲ記載スル場合ニモ支払地ハ一定セサルヘカラス……特ニ記載セサルトキハ支払人ノ付記地ヲ支払地トス手形ニ付記地一個ナルトキハ支払地一個ナルヲ以テ其手形ハ有効ナレトモ若シ数人各々異ナル付記地ヲ有スルトキハ支払地ハ数個ト為リテ手形ハ無効トナル」と説かれる。同旨　松本一九一頁、水口二二六頁、大浜三三一頁、鳥賀陽九六頁、須賀一〇〇頁、薬師寺＝本間志林一二六頁、島本一八〇頁、西島一一七頁、納富二三〇頁等）。しかし戦後の学説では、この問題についてふれているものは少なく、また、一人の主たる債務者につき複数の支払地を記載する問題とこの問題との区別自体が充分になされていないように思われる。しかしそのなかで伊沢教授は、「各支払人につき、満期日、支払地等を異にするが如き記載は許されない」とされ（伊沢三〇五頁）、また大隅・河本両教授は、約束手形の共同振出人の肩書地が異なり、かつ振出地、支払地ともに明記なく、振出人の肩書地をもつて振出地したがつて支払地とみなすべき場合について、「異つた複数の地を重畳的に支払地とするわけには行かない。そこでこのような場合には、筆頭記載者の肩書地をもつて振出地したがつて支払地とみるか（大判昭二・一一・一九……）、所持人に選択権のある支払地の選択的記載と同様にみるか（東京地判昭五・二・一〇……）、の何れかの解決方法が考えられる。支払地の選択的記載を許さない通説の立場からは、前者とみるほかはないだろう」と説かれている（大隅＝河本三九一頁）。

（二）　(1)　さて、まず複数の主たる債務者のおのおのにつきそれぞれ異なつた支払地を定めることの当否について検討し、ついでそれとの比較関連の下に、一人の主たる債務者につき複数の支払地を記載することの当否について考えてみよう。

そもそも、主たる債務者の複数的――『集合的』――記載（共同振出・共同支払）が認められるのは何故かといえば、前述のように、それは、所持人にとつては支払を受ける確実性を増し、振出人にとつては手形の信用を高めるというように、所持人と振出人の双方にとつてプラス（利益）があるからであると考える。ところで、このように複数の主たる債務者のおのおのにつきそれぞれ異なつた支払地を定めるのを認めることは、共同振出あるいは共同支払という制度をより実効あらしめ、この所持人と振出人のプラスをより高めるものではないだろうか。というのは、たとえ共同振出あるいは共同支払を認めても、もしそれら複数の主たる債務者が単一の支払地を共通にするものでなければならないとするならば、はなはだ窮屈なことであつて、これでは共同振出あるいは共同支払を認めた意味が充分ではないのではないかと考えられるからである。

つまり、この場合には所持人と振出人の双方にとつてかなりのプラスがあることになり、また、遡求義務者にとつても少くともマイナスがあるとは考えられない。したがつて、この場合を認めるべき充分な意味と必要性が存しているものと考える（そしてその場合、遡求条件については、主たる債務者の記載を「選択的」と解すべきところから、これら複数の支払地も当然「選択的」に記載されているものと解すべきであろう）（なお、【98】がとつていると思われる支払地の「択一的」記載を認めるような立場は、所持人の地位の安定を害するところから絶対に認めるべきではないと考える）。

(2) つぎに、一人の主たる債務者につき複数の支払地を記載する場合について考えてみるに、その場合、――所持人に選択権のある『選択的』記載であるとすれば――所持人はそのうちの任意の地（たとえば最寄りの地）で呈示できることになり、一見、所持人には、権利行使を便ならしめるうえでかなりのプラスがあるかのようにも感じられる。しかし、よく考えてみるに、その全ての地に支払の準備が常にあるとはかぎらず、ことに振出人は手数が重む結果、そのうちのいずれかにその準備を欠かすおそれも生じて来る。したがつてこのような場合には、支払地を複数設けたがためにかえつて所持人の権利行使に不便を来たすということも考えられ（たとえば、複数支払地A地、B地のうちB地には支払の準備がないとすると、所持人がまずB地で呈示すれば、遡求権はそれで保全されても、主たる債務者から支払を受けるには重ねてA地でも呈示しなければならないことになる）、所持人にとつて無条件にプラスであるとはいいきれないように思われる。また遡求義務者にとつては、右のような場合、本来なら遡求されないところを、支払地を複数設けたがために遡求されることになるということもおこるわけである。以上の各当事者の諸事情を併わせ考えれば、一人の主たる債務者につき複数の支払地を認めるべき何等の意味も必要性も存していないと考える。

さらに、右の場合には、手形の記載面は、――支払場所の記載とも関連して――どうしても相当複雑でわかりにくいものにならざるをえないと考える（一人の主たる債務者について、複数支払地A地、B地を定めるとすれば、どうしても、たとえば、A地では主たる債務者の営業所または住所で、そしてB地では取引銀行でそれぞれ支払うとか、あるいはA地では取引銀行の本店で、そしてB地ではその支店でそれぞれ支払うとかいうようなかたちをとらざるをえないと思う。そして以上のようなことは、理屈の上では簡単なようでも、いざそれを実際に手形面に書きあらわすとなると、不可能でないにしても、かなり難しく、そして手形記載面は相当複雑でわかりにくいものにならざるをえないであろう）。一方、前者の場合には、――各債務者の肩書地で支払地を補充し、支払場所を「自宅」とするという――比較的明瞭でわかりやすい記載の仕方がある。手形の記載には、単純性、一定性の原則とともに、「明瞭性の原則」（手形の記載事項は、誰にも理解しやすいようにできるだけ簡単明瞭に記載されていなければならないとでもいうべき原則）とでもいうべきものが一応存在するといってもよいのではあるまいか。そしてさきの二原則は、いわば記載事項の内容もしくは実質に関するものであるのに対し、この原則は、その記載方法ないしは表現形式に関するものである。そしてこの原則も、各当事者の利益を増進し取引をより円滑、確実ならしめる方向では、ある程度曲げられてさしつかえないけれども、その反対の方向へ曲げることは絶対に許されないものと考える。

以上のように、複数支払地の問題に関する私見の結論は、従来の通説のそれにかなり近いものである。すなわち、支払地の複数的記載は原則として認めず、ただ主たる債務者が複数である場合に、そのおのおのにつきそれぞれ異なつた支払地を定めるのを認めるのみである。したがつて私見は、従来の通説の立場に立脚しながら、これを若干修正し発展させたものといつてもよいのではあるまいか（拙稿

「手形要件についての一考察」論叢七七巻五号七〇頁以下）。

五　その他の記載事項

（一）　振出地　　振出地についても、支払地と同様に、その複数的記載を認めないのが通説であるが、振出地記載の機能から考えて、数個の振出地の記載された手形を無効とする必要はないとする少数説もある（小町谷判批・判民昭和二年度九七事件、鈴木一八九頁、竜田・講座二巻三〇頁等）。

（二）　振出日　　通説は、振出日も単一でなければ手形の効力を害するとしているが、これに対し、確定日払手形においてはそのように解すべき必要はないとして反対する少数説もある（伊沢三三四頁、鈴木一九二頁注三三）。

（三）　満期　　手形金額の一部ずつにつき別々の満期を記載した手形（分割払手形）は無効である（手三三Ⅱ七七Ⅰ2）。確定日払手形の満期は選択的であれ重畳的であれ複数の記載をすることはできない。この点は学説は一致して認めている。

一〇　真実に合致しない（実在しない）記載

いわゆる「事実に反する記載」の問題について、まず、「真実に合致しない振出日および振出地」の記載の問題を中心にこれを論じ、ついで「実在しない支払地」の記載の問題についても言及する。

一　真実に合致しない振出日および振出地、その他

（一）　(1)　まず真実に合致しない振出日および振出地の記載の問題についての大審院判例の変遷を

辿つてみよう。

（a）明治三五年一〇月一一日の判決は、約束手形の振出人（上告人）と受取人（被上告人）との間の――振出地の記載についての――争いについて、原審が、「振出地ナルモノハ、専ラ他人ニ交付シタル場所ヲ記載スルヲ要スルモノニアラズシテ、支払其他ノ便宜ノ為メ適宜ノ地ヲ記載スルコトヲ妨ゲザル」旨判示して振出人の肩書地を振出地と認定したのに対し、「手形ノ振出行為ニ全ク関係ナキ地ヲ以テ振出地ト為スベキモノニ非ズ」とし、そして「本件手形ノ振出人ノ肩書ノ地ガ果シテ振出地タルヤ否ヤノ争点ヲ判断スルニハ、其地ノ果シテ振出行為ノ地ナルヤ否ヤヲ判定セザル可カラズ」として、原審がそれをしないで肩書地をもつて直ちに振出地と判定したのは不法であると判示した【102】。

【102】「手形ノ振出地トハ手形ノ振出行為ヲ為ス地ヲ指称シ而シテ手形ノ振出行為トハ独リ手形ヲ受取人ニ交付スル行為ノミヲ謂フニ非スシテ手形作成ノ行為ヲモ指称スルモノナレハ必スシモ手形ノ交付地ヲ振出地ト為ササル可カラサルモノニ非スシテ其作成ノ地ヲモ振出地ト為スコトヲ得ヘキハ固ヨリ論ナシト雖モ手形ノ振出行為ニ全ク関係ナキ地ヲ以テ振出地ト為スヘキモノニ非ス若シ振出人カ便宜上振出地以外ニ於テ手形ノ支払ヲ為サント欲セハ宜ク其便宜ノ地ヲ支払地トシテ手形ニ記載スヘキモノトス故ニ本件手形ノ振出人ノ肩書ノ地カ果シテ振出地タルヤ否ヤノ争点ヲ判断スルニハ其地ノ果シテ振出行為ノ地ナルヤ否ヤヲ判定セサル可カラス然ルニ原判決ハ『（前略）振出地ナルモノハ専ラ他人ニ交付シタル場所ヲ記載スルヲ要スルモノニ非スシテ支払其他ノ便宜ノ為メ適宜ノ地ヲ記載スルコトヲ妨ケサレハ現実該手形ニ記載シタル振出人ノ肩書ノ地ヲ以テ振出地ト認ムルニ足レリトス』云々ト説明シ振出人ノ肩書地ノ振出行為地タルコトヲ確定セスシテ直ニ其地ヲ以テ振出地ト判定シタルハ不法ニシテ結局原判決ハ理由不備ノ裁判ナリトス」（大判明三五・一〇・一一民録八・九・六七）。

右判決は、振出地の記載が真実に合致しない場合には、その手形は要件を欠いて無効である、という趣旨を示しているもののようによみとれる。

（b）　明治三七年に入つて、つぎのような四つの判決があいついで出た。

（i）　まず、四月七日の判決が、約束手形の振出人（上告人）と裏書譲受人（被上告人）との間の――振出日および振出地の記載についての――争いにつき、原審が、「手形ノ裏書譲受人ハ、其振出人ニ於テ実際ノ振出地……振出月日ヲ記載シタルヤ否ハ容易ニ之ヲ知得シ難キ地位ニアルノミナラズ、又之ヲ調査スルノ責任アルモノニアラズ。故ニ斯ル欠点ハ、裏書譲受人が其事実ヲ知了シテ譲受ケタル場合ノ外之ニ対抗シ得ベカラズ」と判示したのに対し、もし約束手形が偽造せられたか、あるいは商法五二五条（現手形法七五条）に規定する成立要件を欠く場合には、所持人は振出名義人に手形債務の履行を求め得ないのは勿論であるが、本件においては、ただ、振出日および振出地の記載が真実に合致しないというに過ぎず、「該事由ノ如キハ、以テ同手形ヲ当然無効ナラシムルモノト云フベカラズ」とし、そして、「若シ此場合ニ於テ、同手形ヲ当然無効ナラシメ其無効ヲ善意ノ取得者ニ対抗シ得ルモノトセンカ、重大ナル過失ナキ善意ノ取得者ニ不測ノ損害ヲ被ラシムルハ勿論、手形取引上各人ニ不安ノ念ヲ抱カシメ、従テ其流通ヲ阻害シ、因テ以テ手形ノ効果ヲ滅却スルノミナラズ振出人ノ不正行為ヲ奨励スル」として、原審判決を支持し上告を棄却した【103】。

【103】　「本件約束手形カ振出名義者ナル上告人以外ノ者ニ因リ偽造若クハ変造セラレタルカ又ハ上告人ノ振出シタルモノナルモ商法五百二十五条ニ規定セル成立要件ヲ欠クモノナランカ其所持人ハ振出名義者タル上告人ニ対シ該手形ニ基キ手形債務ノ履行ヲ求メ得ヘキモノニアラサルヤ勿論ナリト雖モ原院ノ確定セシ事実ニ依レハ本件係争手形ハ形式上商法第五百二十五条ニ規定セル成立要件ヲ具備スルノミナラス上告人ノ振出ニ係ル

モノニシテ唯タ其日附ト振出地ノ記載カ真ノ事実ニ適セサルニ過キサルモノトス而シテ該事由ノ如キハ以テ同手形ヲ当然無効ナラシムルモノト云フヘカラス何トナレハ若シ此場合ニ於テ同手形ヲ当然無効ナラシメ其無効ヲ善意ノ取得者ニ対抗シ得ルモノトセンカ重大ナル過失ナキ善意ノ取得者ニ不測ノ損害ヲ被ラシムルハ勿論手形取引上各人ニ不安ノ念ヲ抱カシメ従テ其流通ヲ阻害シ因テ以テ手形ノ効果ヲ滅却スルノミナラス振出人ノ不正行為ヲ奨励スルノ結果ヲ生シ其害少カラサルヘキヲ以テナリ商法第四百三十七条末項（現行法に該当条項なし）及ヒ同法第四百四十一条（現手形法一六条二項）ハ則チ該法則ヲ適用シタルニ外ナラス而シテ右法条ニ依レハ偽造又ハ変造ニ係ル手形ト雖モ偽造者変造者及ヒ悪意又ハ重大ナル過失ニ因リ之ヲ取得シタル者ノ外ハ該手形ニ付手形上ノ権利ヲ取得保有スルコトヲ得ルモノナレハ偽造変造ニ係ルモノニアラスシテ単ニ振出ノ日附ト振出地ノ記載トカ真ノ事実ニ適セサルニ止マル本件約束手形ニ付重大ナル過失ナキ善意ノ取得者タル被上告人カ手形上ノ権利ヲ取得保有シ得ルハ亦弁ヲ俟タサル所ナレハ原院カ……上告人ニ敗訴ヲ言渡シタルハ結局相当ニシテ……」（大判明三七・四・七民録一〇・四四七）。

右判決は、おそらくは、振出日または振出地の記載が真実に合致しない場合、手形の形式的要件としてはそれで整っていても、その事実を知れる所持人（裏書譲受人）に対しては振出人は抗弁をもって対抗し得る、という趣旨を示しているもののように思われる。

（ii）つぎに五月二四日の判決は、同じく約束手形の振出人（上告人）と裏書譲受人（被上告人）との間の——振出日の記載についての——争いにつき、原審が「約束手形ノ日付ハ、現実之ヲ授受シタル日ヲ記載スルコトヲ要セズ」と判示したのに対し、「手形ノ成立ニ関スル瑕疵ニ付テハ、形式上ノモノト実質上ノモノヲ区別シテ観察スルヲ要ス。手形ニシテ形式上ノ必要事項ヲ欠クトキハ絶対ニ其効力ヲ生セザルト同時ニ、苟モ其必要事項ヲ具フルトキハ、仮令其事項ハ事実ニ適合セサルモ形式上瑕疵ナキモノト云ハザルベカラズ」とし、そして本件上告人の主張する事実は、振出日付が真実に合致しないというのであるから、「之ヲ形式上ノ問題トシテ観察センカ、……手形ノ形式ニ何等ノ瑕疵ヲ生ズルモノニアラズ。之ヲ実質上ノ問題トシテ観察センカ、若振出人タル上告人ガ実際振出ノ当時破産者又ハ無能力者タルガ如キ事実ノ存スル場合ニ於テハ手形ノ実質上ニ瑕疵ヲ来スベキモ、上告人ハ斯ノ如キ実質上ノ瑕疵アルコトヲ主張スルモノニ非ズ……此主張事実ハ手形ノ実質ニハ何等ノ影響ヲ及ボスモノニアラズ」として、原審判決を相当と認め上告を棄却した【104】。

【104】「手形ノ成立ニ関スル瑕疵ニ付キテハ形式上ノモノト実質上ノモノヲ区別シテ観察スルヲ要ス手形ニシテ形式上ノ必要事項ヲ欠クトキハ絶対ニ其効力ヲ生セサルト同時ニ苟モ其必要事項ヲ具フルトキハ仮令其事項ハ事実ニ適合セサルモ形式上瑕疵ナキモノト云ハサル可カラス之ニ反シテ手形ノ実質上ノ瑕疵ニ至リテハ振出人ヨリ何人ニ対シテモ主張シ得ヘキモノト直接ノ当事者又ハ之ト同視スヘキ者ニ対シテノミ主張スルコトヲ得ヘキモノトノ区別アリトス本件ニ於テ上告人カ本論旨ノ根拠トシテ主張スル事実ハ……約束手形ノ振出日付ハ其満期日ノ年月日ト同一ナルモ実際上告人ノ之ヲ振出シタルハ其以前ニシテ振出日付ハ事実ニ適合セサル虚偽ノモノナリト云フニ在ルヲ以テ此事実ノ真否ハ果シテ原判決ノ主文ニ影響ヲ及ホスヤ否ヤヲ審按スルニ之ヲ形式上ノ問題トシテ観察センカ手形ノ満期日ト同一ノ年月日ハ固ヨリ振出日付タルヲ得ヘキヲ以テ其記載アル以上ハ振出日付ノ要件ハ具備スルモノニシテ其日付カ事実ニ適合セサルカ如キハ手形ノ形式ニ何等ノ瑕疵ヲ生スルモノニアラス之ヲ実質上ノ問題トシテ観察センカ若振出人タル上告人カ実際振出ノ当時破産者又ハ無能力者タルカ如キ事実ノ存スル場合ニ於テハ手形ノ実質上ニ瑕疵ヲ来スヘキモ上告人ハ斯ノ如キ実質上ノ瑕疵アルコトヲ主張スルモノニ非スシテ単ニ本件手形ハ実際振出ノ年月日ヲ記載セス其以後ノ年月日ヲ振出日付トシテ記載シタルモノナレハ無効ナリト主張スルニ止マルヲ以テ此主張事実ハ手形ノ実質ニハ何等ノ影響ヲ及ホスモ

ノニアラス故ニ上告人ノ主張事実ハ仮ニ証明セラレタリトスルモ原判決ノ主文ニ何等ノ影響ヲ及ホササル…」（大判明三七・五・二〇民録一〇・七一八）。

右判決は、一方、振出日の記載が真実に合致しない場合でも、手形の形式的要件には欠けるところがないということを示しつつ、他方、このような事実は、——手形の実質には何等の影響も及ぼさないから——「実質上ノ瑕疵」にもとづく抗弁として所持人（裏書譲受人）に対抗されることはできないとする。すなわち、この判旨からは、所持人（裏書譲受人）の善意悪意を問うことなくこのような抗弁の対抗が認められないことになり、この点、本判決は、さきの【103】よりも一歩前進を示していることになるわけである。

（iii）ついで六月十四日の判決は、これも同じく約束手形の振出人（上告人）と裏書譲受人（被告上人）との間の——振出地の記載についての——争いについて、原審が、「手形行為ノ有効ナルハ形式的要件ヲ具備スルヲ以テ足ルモノニシテ、其表記セラレタル事項カ事実ト符号スルヲ必要トセサル」旨判示し、これにつき上告人が、明治三五年一〇月一一日の大審院判決（前掲【102】）の趣旨に徴すれば右判決は違法であるとして上告したのに対し、「法律ニ規定シタル形式要件ヲ完全ニ記載シタル手形ハ、其記載事項ガ真実ナラザルモ仍形式完備ノ手形タルコトヲ失ハズ。故ニ善意ノ被裏書人ニ対シテ、振出人ハ記載事項ノ真実ナラザルコトヲ理由トシテ手形債務ヲ免ルルコト能ハザルハ当然ナリ」とし、そして「本論告ニ採用シタル本院……判決ハ、約束手形ノ振出人ト受取人トノ訴訟ニシテ直接抗弁ノ場合ニ関スル裁判ナレバ、本件ノ例証トナルベキモノニ非ズ」と判示して上告を棄却した【105】。

【105】「法律ニ規定シタル形式要件ヲ完全ニ記載シタル手形ハ其記載事項カ真実ナラサルモ仍形式完備ノ手形タルコトヲ失ハス故ニ善意ノ被裏書人ニ対シテ振出人ハ記載事項ノ真実ナラサルコトヲ理由トシテ手形債務ヲ免ルルコト能ハサルハ当然ナリ本件ニ於テ被上告人ハ裏書ニ因リテ係争手形ヲ取得シタル事実ナルコトハ……極メテ明白ナリ然レハ即チ本訴ノ約束手形ニ振出地トシテ（神奈川県三浦郡）豊島村ノ記載アルコトハ原判決ニ於テ確定シタル事実ナレハ縦令真正ノ振出地ハ東京市ナルニセヨ振出地ノ記載ヲ欠キタル手形ト云フヲ得サルコト勿論ナレハ此ヲ理由トシテ振出人タル上告人ハ被上告人ニ対シテ手形債務ヲ免ルヘキニ非ス故ニ原判決ハ相当ニシテ本論旨ハ理由ナシ但本論告ニ援用シタル本院明治三十五年（オ）第三百八十四号約束手形金請求事件ノ判決ハ約束手形ノ振出人ト受取人トノ訴訟ニシテ直接抗弁ノ場合ニ関スル裁判ナレハ本件ノ例証トナルヘキモノニ非ス」（大判明三七・六・一四民録一〇・九三七）。

ところで、右判決は、一見、あたかもさきの【103】の趣旨を再びくり返しているかのようである。そして上告人の援用する【102】については、――本件の例証にはならないとして――直接、否定も肯定もしていない。

（iv）そして最後に、明治三七年七月五日の判決は、こんどは約束手形の振出人（上告人）と受取人（被上告人）との間の――振出地の記載についての――争いについて、原審が、「約束手形ノ振出地トシテハ、必ズシモ実際ニ手形ヲ作成交付セザル地ヲ記載スルコトヲ妨ゲス」と判示したのに対し、手形の記載事項は真実に合致するを要しないとし、その理由として、「其記載事項ガ果シテ事実ニ適合スルヤ否ハ、之ヲ調査スルコト頗ル難ク、……其記載事項ガ事実ニ適合セザルノ故ヲ以テ其手形ヲ無効ナラシムルガ如キコトアランニハ、何人モ手形ノ記載事項ニ信頼シテ之ヲ授受スルニ由ナク、為メニ手形ノ流通ヲ阻害スル」とし、そして「此法理ハ、手形ヲ授受シタル直接当事者間ニ於ケルト、将又手形ヲ取得シタル者ノ善意又ハ悪意ナルトニヨリテ其適用ヲ異ニスベキノ理由更ニアルコトナシ」とする。そして更に、「若シ其記載事項虚偽ニシテ、真正ナル事実ヲ立証スルニ於テハ、之ガタメ実質上当事者ノ権利義務ニ影響ヲ及ボスベキ場合ニ在リテハ、手形上ノ請求ニ対スル実質上ノ抗弁トシテ」主張し得べきものがあるけれども、本件上告人の抗弁は、本件手形は、振出地の記載が真実（「千葉県安房郡館山町」）に合致せず、無効であるというに止まり、「其振出地ガ真実安房郡館山町ナルガ為メ、実質上当事者ノ権利義務ニ消長ヲ及スベキコトヲ主張スルモノニ非ザルガ」故に、原審判決は相当であると判示した【106】。

【106】「凡ソ手形ハ要式的証券ナルカ故ニ約束手形ノ成立ニ付キテハ商法第五百二十五条（現手形法七五条）ニ列記シタル事項ヲ手形ニ記載スルコトヲ要シ若シ此要件ノ一ヲ欠クトキハ手形トシテ其効力ヲ生スルコトナシト雖モ苟クモ右要件ヲ具備スルニ於テハ其記載事項カ必スシモ事実ト適合スルコトヲ必要トセサルナリ蓋シ手形カ前記形式的要件ヲ具備スルヤ否ハ各自手形ヲ授受スルニ際シテ容易ク之ヲ調査スルコトヲ得レトモ其記載事項カ果シテ事実ニ適合スルヤ否ハ之ヲ調査スルコト頗ル難ク而シテ若シ形式的要件ニ於テ更ニ間然スル所ナキニ其記載事項カ事実ニ適合セサルノ故ヲ以テ其手形ヲ無効ナラシムルカ如キコトアランニハ何人モ手形ノ記載事項ニ信頼シテ之ヲ授受スルニ由ナク為メニ手形ノ流通ヲ阻害スルノ結果ヲ生スルニ至ルヘキハ極メテ明瞭ナリトス是レ手形ノ形式的要件ヲ具備スルニ於テハ其記載事項ノ真偽如何ニ拘ハラス之ヲシテ有効ナラシムル所以ニシテ而シテ此法理ハ手形ヲ授受シタル直接当事者間ニ於ケルト将又手形ヲ取得シタル者ノ善意又ハ悪意ナルトニヨリテ其適用ヲ異ニスヘキノ理由更ニ在ルコトナシ何トナレハ手形ノ成立要件ナルモノハ孰レノ場合ニ於テモ一定スルモノニシテ手形取得者ノ善意悪意若クハ直接当事者ナルト否トニ因リテ其成立要件ヲ異ニスヘキ理由毫モ之ナキノミナラス此等当事者意思ノ善悪若クハ手形授受ノ直接又ハ間接等各事実ノ内容ニ従テ手形成立ノ要件ヲ異ニスルカ如キハ為メニ流通証券タル手形ノ信用ヲ薄弱ナラシメ延テ其流通ヲ阻害スルノ虞

少カラサレハナリ斯ノ如ク手形ノ成立ニ付キテハ一定ノ要件ヲ具備スルヲ以テ足ルヘク記載事項ノ真実ナラサルコトハ形式上手形成立ノ瑕疵ヲ為スモノニ非スト雖モ若シ其記載事項虚偽ニシテ真正ナル事実ヲ立証スルニ於テハ之カタメ実質上当事者ノ権利義務ニ影響ヲ及スヘキ場合ニ在リテハ手形上ノ請求ニ対スル実質上ノ抗弁トシテ或ハ振出人ヨリ広ク手形関係者ニ対シテ主張シ得ヘキモノアルヘク又ハ特ニ直接当事者ニ対シテノミ主張シ得ヘキモノアルヘシ然レトモ是レ全ク手形上ノ請求ニ対スル実質上ノ抗弁ニ属スルモノニシテ夫ノ手形カ法律ノ要求スル要件ヲ具備スルヤ否トハ全ク別個ノ問題ニ属スルモノナリ而シテ翻テ本件上告人ノ原院ニ提出シタル抗弁ノ内容ヲ調査スルニ原判決ニ摘示シタルカ如ク本件手形ハ千葉県安房郡館山町ニ於テ被上告人ニ振出シタルモノナルニ該手形ニ振出地トシテ上州佐波郡境町ト記載シタルハ約束手形トシテノ要件ヲ欠缺セル無効ノ手形ナリト云フニ止マルモノニシテ其振出地カ真実安房郡館山町ナルカ為メ実質上当事者ノ権利義務ニ消長ヲ及スヘキコトヲ主張スルモノニ非サルカ故ニ原院カ約束手形ノ振出地トシテハ必スシモ実際ニ手形ヲ作成交付シタル地ヲ記載スルコトヲ要セス形式上ノ記載ヲ具備スルトキハ手形トシテ有効ナリトノ理由ヲ以テ右上告人ノ抗弁ヲ排斥シタルハ誠ニ相当ニシテ本論旨ハ其理由ナキモノトス」（大判明三七・七・五民録一〇・一〇二二）。

右判決において、大審院は、振出地その他の手形要件の記載は真実に合致するを要しないこと、そしてこのことは、手形授受の直接当事者間におけると否と、又、手形取得者の善意なると否とによつて左右されないことを明確に示したわけである。しかし、判旨後半にいう「実質上ノ抗弁」とはいかなるものを指しているのか、充分に明らかでない。そこでさきの【104】と対比して考えてみるに、【104】においては、もし、実際振出の当時振出人が破産者、または無能力者であつたというような事実があれば、「実質上ノ瑕疵」あるものとしてそれを所持人に対抗しうるが、単に振出日の記載が真実に合致しないというようなことは、抗弁として所持人に対抗できない、という趣旨が示されている。そしておそらくは、本判決も、この点に関しては右と同様の趣旨ではあるまいか。すなわち、——実際振出の当時振出人が破産者または未成年者であつた場合とか、あるいは、真実の振出地によれば準拠法を異にし、そのため当事者の権利義務に影響を及ぼすべき場合等のように——真正なる事実を立証すれば「実質上当事者ノ権利義務ニ影響ヲ及ホスヘキ場合」には、それを「実質上ノ抗弁」として所持人に対抗しうるが、単に手形要件の記載が事実に合致しないというようなことは抗弁として対抗できない、という趣旨を示しているのではなかろうか。

以上の——【102】から【106】にいたる——五つの大審院判決の変遷はまことに興味深い。まず【102】は、——手形の振出交付の直接当事者間の争いに関して——「要件を欠く」との判断を示したが、つづく【103】【104】【105】の三つは——振出人と第三取得者との間の争について——それとは反対の方向へ考えをかためて行き、そして最後に【106】が——再び直接当事者間の争いに関して——「要件を具備している」との結論を下したわけである。

（c）　この問題に関するその後の大審院判例としては、振出日についての大判昭三・二・六（民集七巻四五頁）と振出地についての大判明三八・四・二二（民録一一五九八頁）があり、ともに右【106】と同趣旨の判決を行つている。

（二）　つぎに学説の変遷をみてみよう。

(1)　戦前の学説をみるに、まず岡野博士がこの問題につき詳細に論じられ（岡野「手形ノ外観的解釈ノ原則ヲ論シテ大審院ノ判例ニ及フ」法協二二巻（明治三七年）一号三一頁）、手形行為の効力は形式的要件を具備するを以て足り、その記載事項が事実と符号するを要しない——受取人の記載としては「凡ソ氏名又ハ商号トシテ有リ得ヘキモノ」の記載があれば足り、振出日付は「事実ト符号スルヲ必要トセス」、そして振出地は「事実発行ノ地ヲ必要ナリトセス」——とし、その理由として、「手形ニ記載シタル事項カ事実ト符号スルヤ否ヤカ常ニ其行為ノ効力ト相関シ、苟モ事実ト符号セサルニ於テハ、其行為カ法律上ノ効力ヲ有セストシタナラハ、何人ト雖モ手形ノ記載ニ信頼シテ之ヲ授受スルコトカ出来ナイ」とのべられる。そして「学者或ハ形式的要件ノ原則ハ善意ノ取得者ヲ保護スルカ為ノミ、故ニ事実ト符号セサルヲ知ル者ニ対シテハ事実ヲ対抗セシメテ可ナリト論ス」れども、「善意悪意ノ争ヲ為サシムル既ニ手形ノ流通ヲ阻害スル」とされる。そして前掲【102】をきびしく批判される（したがつて、この博士の所説が、上記の明治三七年の大審院諸判決に大きな影響を与えたであろうことは充分に推察される）。

その後の学説は、大体これと同じ立場に立っているようであるが（しかし青木三〇一頁は、「若シ実質上其要件カ存在セサルカ或ハ真正ナラサル場合ニハ……其不存在又ハ不真正ヲ知ル一定ノ当事者間ニ於テ之ニ基ク抗弁ヲ許スコトアル」とされている）、田中耕太郎博士は、手形の記載が真正な事実と一致するを要しないことの説明づけとして、「手形に於ては文言が手形関係に創造的に作用する」ということをあげられる（田中耕二四七頁）。そしてこの立場を発展させたものとして、薬師寺博士は、振出日および振出地の記載につき、「振出人は手形に振出日として表示したる日に於て此の支払委託をなし、且つ手形に振出地として記載したる地に於て、この支払委託をなすことを欲するの趣旨なり……換言すれば、振出日及振出地の記載は、支払委託の意思表示の外部に在りて、此の意思表示が、一定の日及地に於て行なわれたりとの事実を通知する事実通知に非ずして、一定の日及び地に於て支払を為すの効果を生ずることを欲する意思表示なりと解するを相当とする。けだし、もし、……事実通知なりとなすときは、真実に振出したる日及地と異る日及地を手形面に記載するも、……当然無効となるべきである。」とされる（薬師寺志林二七一頁）。

(2)　戦後の学説をみるに、まず伊沢教授は、一方「手形取得者が手形の取得に際し、一々記載事項が真実に合致するや否やを確かめねばならぬとせば手形の流通は望み得ない。之れ手形外観解釈の生ずる所以」であるとしながら、他方、「振出日及び振出地は……事実報告でなく、一定の日及び一定の所に於て支払委託をなす旨の手形上の効果を生ずることを欲する意思表示である」と説明される（伊沢二八一頁）。

竹田博士は、「手形行為は手形上のそれぞれの記載を意思表示の内容とするのであり、署名はこれを確認する方式に外ならない。言い換えれば、一つの署名により掩われる記載が、署名者の意思表示の内容となる」とされ（竹田一六頁）、そして手形外観解釈の法則について、「手形上の法律行為は手形に書いてある通りの事を意思内容とするものであるから、その法律行為の効果として発生するものも手形に書かれてある通りのものだという至極当り前の事柄」であつて、これを「動もすると、手形は多数人の手を経て転々流通するものであるから、手形上の法律関係を手形の外観だけを見て定むべきこととなる」とするのは、「結果論又は立法の理由」にすぎなく、「何故に手形は記載通りの効力を生ずるかの法律的説明とはならぬ」と説かれる（竹田・手形法大意七六頁）。しかし、振出日の記載については、「事実の日付の記載ではなく、意思表示の内容なりとすることは行き過ぎである」とのべられる（竹田八八頁）。

つぎに、鈴木教授は、「手形行為の内容……は専ら書面上の記載によつて決せられ」、「手形行為は書面上に記載された手形上の効果を欲して手形行為をなしたものと認められる」とし、そして「手形上の記載は、以上のような性質のものであるから、それは既存の事実を記録したものではない。従つて、たとい手形に記載された事項が事実に合致していないでも、手形行為はそれと関係なく手形上の記載に従つて当然効力を発生する。……その意味において手形上の記載には一種の創造的作用が認められる。例えば手形上の振出の日付又は振出地の記載は事実手形が振出された日又は地を記録したものではなく、そのような日又は地を振出の日付又は振出地とする手形を作成したものである」と説かれる。そして更に、「この問題は、単に手形行為が方式を具備しているか否かを決定する場合の解釈上の原則に止まるものでもなければ、手形取引の安全のために特にこれだけが認められたものでもなく、手形上の記載が……意思表示の内容であることに基く……。もし取引安全のための特則にすぎないならば、相手方が記載と真実との不一致を知つている場合には、当然記載は真実に従つて引直されて然るべきであるが、手形上の記載は意思表示の内容にほかならないから、相手方の善意悪意とは関係がない問題である」とのべられる（鈴木一一八頁）。

その他の学説をみるに、津田教授は、「振出日、振出地の記載が意思表示であるということは、唯それらが真実に合致しなくてもいいということの説明に役立つのみであつて、それ以外に大して実益があるようには見えない。却て法律の規定を虚心に見れば、法律は事実を事実として記載せしめることを予定していると見た方が自然」であるとされ（そして、「その点でその他の手形要件がみな意思表示の内容であるのと異つているが、之を特に手形要件に加えた主旨は……手形に厳正な証券としての体裁を整えしめる（同時に手形関係者に対し、それが良い加減な書面ではないという警告を与える）ためにすぎない。それならば事実としての記載が必要であり（この点から事実についての一応の推定材料にはなる）、而もその記載がありさえすれば手形の方式は具わるので、それが実際の事実に合致しないでも、手形たるの効力を妨げず、ただ、その不真実なることに因り実質上手形上の権利義務に影響を与える限りにおいて抗弁事由たりうる」とされる。津田「真実に合致しない振出日・振出地」手形小切手判例百選一二七頁）、上柳教授も「手形の振出日・振出地の記載の法的な機能は場合によつて異なり、振出日・振出地の記載を一律に通常の意味において意思表示の内容と解することは困難であろう」とのべられる（そして、「日付後定期払手形の振出日の記載は、実質的には満期の記載の一部ともいえるものであつて、満期の記載と同様な意味で意思表示の内容と解することができる。しかし、たとえば、一覧払手形の振出日の記載は、それによつて呈示期間が決定されることがその法的な機能であるが（手三四条一項）、このような呈示期間の決定はいわゆる法定効果であることを考えると、これを日付後定期払手形の振出日と同様な意味で意思表示の内容といえるかは疑問であり、確定日払の手形の振出日の記載のように、それによつて何等の法律効果も決定されないものを、通常の意味における意思表示の内容と解することは一層困難である」とされる。上柳「手形の文言性」講座一巻六九頁註一）。また竜田助教授は、「手形の内容または権利者の表示である支払人・受取人・支払地などの記載が意思表示の内容であることには異論はなかろう。しかし、振出日や振出地の記載までも一律にそうだとするのはゆきすぎである。これらの記載にはそれ特有の法律効果がなく、振出人も法律効果を発生させる意図をもつてこれらの記載をするわけではない」とし、そして「支払人や受取人が実在しなくてもよいのはそれらの記載が意思表示の内容をなすからだというのでは説明にならない。……人の名称が多様である上、ある人が実在するか否かは手形面だけから判断できない……理由はこのようなところにあるのではないか……。結局は流通の安全確保のための外観解釈原則に依拠せざるを得ない。……振出日・振出地の記載は本来事実に即してなすべきであるが、それが事実に合致しないことは、仮設人の記載より以上に手形面からは知り得ないだけでなく、署名者の責任を問う際の支障とならないから、手形の効力を害さないのである」とのべられる（竜田・講座二巻二五頁）（そして「鈴木一一八頁は、取引安全のための特則にすぎないなら取得者の善意悪意を区別すべきはずだと批判するが、しかし基本手形は多くの手形行為の基礎であるから、本来その有効無効は一律にきめられなければならない。また悪意者に対する抗弁として真実にひき直すことを認めても、振出日・振出地については、権利内容に変わりがなく無意味である」とする。竜田・講座二巻二七頁註一〇）。これに対し、小橋教授は、「手形における記載は、手形上の効力を有するかぎり、手形上の意思表示の内容である。振出日付の記載は手形要件であり、手形上の効力を有することはいうまでもない。そして振出の日付は、……事実振出のあつた日と一致することを要しないが、その日付で支払委託ないし支払約束をするという意思表示である」と説かれている（小橋「満期以後の日を振出日として記載した約束手形の効力」（判批）法時三八巻七号八六頁）。

（三）　私見としては、この問題については、つぎのように考えたいと思う。振出日や振出地の記載が真実に合致しなくても手形の効力を害さないのは、あるいはそれらが意思表示の内容であるからであるとか、あるいは、流通の安全確保のための外観解釈原則から特にそのように解されるのであるからとかいうような理由によつて説明されるべきではなく、そもそも、それらが真実に合致しなくとも手形署名者の責任を問う際に何等の支障も来たさないという点にその理由を求めるべきではあるまいか。その点で、手形当事者や支払地の記載が、真実に合致せず、あるいは実在しない場合とこの場合とは、その問題の性質の違いから区別して考えるべきではないかと思う。すなわち前者の場合は、手形署名者の責任を問う際に当然何らかの支障を来たすのであるから、本来手形を無効にすべきはずの性質のものであるが、流通の安全確保のための外観解釈原則から、特に、手形の効力を害さないものと解されることになるのに対し、後者、すなわち、振出日や振出地の記載が真実に合致しない場合は、手形署名者の責任を問う際に何等の支障も来たさないから、本来、手形の効力には何等影響がないものと考えるべきではあるまいか（本節二「実在しない支払地」の説明参照）。

二　実在しない支払地

（一）　実在しない支払地の記載の問題については、判例は見当らない。

(1)　そこで、この問題についての学説の変遷をみるに、戦前の学説では、まず、松波博士が手形要件の「実在性」について詳しく論じられている。すなわち「人ノ記載」については「氏名又ハ商号ラシキモノアレハ足リ記載シタル氏名カ実人ト合セス又其氏名者カ世ニ実在セサルモ可ナリ」とし、そして「地ノ記載」については「地ラシキモノアレハ足リ実在地ト合セサルモ可ナリ……又記載地カ世界ニ実在セサルモ可ナリ……此点ニ関シテ人ト地ヲ区別スヘキ理ナシ人ノ数ハ多クシテ容易ニ実在ト否トヲ調査シ得サルカ故ニ実在ヲ要セサルモ行政区画ノ数ハ少クシテ実在ト否トヲ調査シ得ルカ故ニ実在ヲ要スト論スヘカラス……数千ニ余ル市町村ノ名称ヲ尽ク知リテ手形ヲ授受セサルヘカラストセハ手形ノ流通ヲ害セン」と説かれている（松波五八三頁以下）（もっとも、博士は、上記の「地ノ記載」の問題を約束手形の振出地を中心に論じており、そしてそこにおいては、実在性の問題と、事実と記載の一致、不一致の問題とが充分に区別されていないように思われる）。

つぎに、田中(耕)博士は、支払地は実在する地域たることを要するとなし、その理由として、もし実在しなければ「手形上の権利の行使自体がなされ得ぬから」とされる（田中(耕)二八五頁）。薬師寺博士は、これと異なり、支払地として記載された地域が「現存しない場合に於ても、一般に地区の名称として理解し得べき文字に依りて表示されている以上は支払地の記載として有効である」とし、そして「かかる手形の所持人は、同一県内に於て支払地と類似の市町村があれば、其の誤記なりと解釈し、其処を支払地として、手形上の手続を践めばよ」く、「若し……同一県内に於て類似の市町村を発見し得ず、支払地の記載が現存の何れの地を指すものか全く不明な場合には、……所持人は手形に記載されたるより広き地域内に於て支払人の営業所・住所を探索し、之を発見したる時は、其処に於て……手形を呈示すべき」であるとのべられている（薬師寺＝本間志林二四七頁）。

その他の学説をみるに、烏賀陽・西島両教授は、ともに、実在しなければ権利行使が不可能であるとの理由から支払地の実在性を要求されるが（烏賀陽一〇三頁は、「手形ノ呈示ヲ為スベキ地……ガ存セザルガ如キハ手形ノ機能ヲ奪フモノニ外ナラザルガ故ニ、斯ル手形ハ其ノ効力ヲ有セザル」とし、西島一二三頁は、「手形の支払を請求すべき地の存在せざるに依る実質的理由」と、「遡求権保全手続をとることを得ざる手続上の理由」との二つの理由をあげられている）、納富博士は、「支払地のみに実在を必要とし、他の手形要件に関しては形式的に存在すれば足ると為すは不均衡であり、又実在せざれば権利行使が不能であるとの理由は……結果論であり、……不能な場合としては、……支払地の不実在の場合のみに限らない」として、支払地は実在する地域たることを要しないとし（そして「唯かかる手形を取得したる者は支払の為めの呈示を為し得ざるにより、経済的には無効な手形を有すると同一結果となる」とし、「それ故に総ての手形関係者の同意の下に、手形所持人が実在せる支払地に記載を訂正すれば、それのみによって手形は有効に行使し得る状態におかれ得る」とする）（納富一二七頁）、又大橋博士は「支払地のみにその実在を要求する論拠なく、外観上の記載に似たる実在地……にて遡求権の保全（拒絶証書の作成）をなせば足り、仮りに類似地に於ては遡求権保全を為し得ずとするも拒絶証書作成免除の時は遡求権保全の要なく（厳密に云えば、……引受の呈示・支払の呈示は必要なり。但呈示ありたることは推定さる）……」として、同じく支払地につき実在性を不要とする（大橋一三五頁）。

(2)　戦後の学説では、伊沢教授はその実在性を要求され（その理由として、「手形上の行為をなすべき場所の判定を個々の手形所持人に一任するは、支払地を確定せむとする趣旨に反し、又実在せざる地を包含するものとして手形面に記載されたるより広範なる地区は、之亦常に存在するものとは限らず、仮りに常に存在するとしても、かかる広範なる地域を支払地として、之に従つて手形上の行為を行わしむることは、……支払地の記載を命じた法の趣旨に反する」とされる）（伊沢二八一頁）、また、竹田博士も、「不存在の地を支払地とすることは、結局、不存在の貨幣を以て手形金額を記載した場合と同様、手形上の請求はこれをなし得ず、手形上の義務は始より履行不能の状態にあると見るべき」であるとして同じく実在性を要求される（竹田八七頁）。そして鈴木教授も同じ結論をとられるが、その理由として、「支払地が実在しなければ、権利の行使は不可能である。支払人が実在しない場合には、権利を行使したが、支払を受け得ないものとして支払拒絶になるが、この場合にはそもそも権利の行使が不可能なのだから、効果が違うのは当然である」とのべられている（鈴木一八九頁註二七）。

その他の学説をみるに、大森・石井・田中(誠)の諸教授も、ともに、支払地の実在性を要求されるが（田中一七六頁は、実在しない支払地の記載も有効と認めると、「支払地を確定しようとし、支払地の記載を命じた法の趣旨に反し、手形上の権利の行使の著しく困難不確実な手形を認めることとなるので……認めることはできない」とし、そして「支払地についてと支払人についてとでは外観解釈の原則の適用も違って来る」と説かれる）、竜田助教授は、「外観解釈原則」により――支払人・受取人が実在するを要せず、振出日・振出地の記載が事実に合致するを要しないのと同様に（本節一参照）、――「支払地についても、実在しないことが取引通念上明白である場合を除き、仮空の地が記載されていても手形を有効と認めるべきである」と説かれている（竜田・講座二巻二四頁）。

（二）　私見としては、前述のように（六「満期」三「振出日より前の満期日」参照）、支払地の記載は、手形当事者の記載と同様に、実在することを要せず、およそ、――客観的に――最小独立行政区画の名称と認められるものの記載があればよいと考える。その理由は、流通の安全確保のための外観解釈原則に求められるべきであると思う。すなわち、実在しない支払地の記載は、実在しない手形当事者の記載と同様に、手形所持人の権利行使に支障を来たすので、本来その手形を無効にすべきはずの性質のものであるけれども、それが実在するか否かは一般に容易に判断しがたいという事情と、なるべく手形を有効と解して所持人の保護を厚くすべきであるという要請とから、外観解釈により、特に手形の効力を害しないものと解すべきことになるのだと考える。

二　有益的記載事項

一　以上の必要的記載事項以外に、手形上に記載することによつて、手形上の効力を生ずると定められているものがある。これを有益的記載事項という。

支払人の肩書地（手二Ⅲ）、振出人の肩書地（手二Ⅳ七六Ⅳ）、第三者方払文句（手四・二七）、利息文句（手五）、引受無担保文句（手九Ⅱ）、裏書禁止文句（手一一Ⅱ）、引受呈示命令（手二二Ⅰ）、引受呈示禁止文句（手二二Ⅱ・Ⅲ）、引受呈示期間の短縮または伸長文句（手二三）、支払呈示期間の短縮または伸長文句（手三四Ⅰ）、一定期日前の支払呈示禁止文句（手三四Ⅱ）、準拠すべき暦の指定文句（手三七Ⅳ）、外国通貨換算率の指定文句（手四一Ⅱ）、予備支払人の指定（手五五）、複本番号（手六四Ⅱ）、戻手形振出禁止文句（手五二Ⅰ）、外国通貨現実支払文句（手四一Ⅲ）、複本不発行文句（手六四Ⅲ）がこれである。以下、第三者方払文句について詳論する。

二　第三者方払文句

（一）　手形の支払いは、主たる債務者（為替手形の支払人・約束手形の振出人）自身が、その営業所または住所でなすのが原則であるが、主たる債務者の営業所または住所が支払地にない場合には、それでは支払が不可能だから第三者方で支払うことにするほかはなく、また、主たる債務者の営業所または住所が支払地にある場合にも、出納の手数をはぶき、危険な現金の運搬保管をさけるために、自己の取引銀行をして支払わしめることが、主たる債務者にとつて便利である。そのため、「支払人ノ住所地ニ在ルト又ハ其ノ他ノ地ニアルトヲ問ハズ」、「第三者ノ住所ニ於テ支払フベキ」旨を記載することが認められ、このような記載がなされた手形を第三者方払手形と称する（もつとも、明治四四年の商法改正前は、支払担当者の指定は、他地払手形に限りなしうることになつていた）。なお、銀行が支払人でない手形でも、銀行を支払担当者としておくときは手形交換による決済ができることとなり、その流通が容易化せられ、ことに手形が交換に附せられる場合には、それが不渡となるときは銀行取引停止処分がなされるから、それだけ銀行を支払担当者とする手形は信用が高く流通が促進せられる。したがつて、現実には、ほとんどの場合、銀行が支払担当者に指定されている（大隅「第三者方払手形について」民商三九巻四・五・六号六四三頁以下、鈴木一九四頁以下、大隅＝河本三二頁以下等）。

(1)　支払場所と支払担当者の区別　「第三者ノ住所ニ於テ支払フベキモノト為スコトヲ得」というのは、第三者がその住所で主たる債務者のために支払をなす場合（支払担当者）のみならず、主たる債務者自身がその営業所または住所以外の記載の場所で支払をなす場合をも含む意味に解すべきである（鈴木一九四頁、大隅＝河本三三頁）。旧法では規定の上でもこの両者は区別されていたが（旧商四五三条・四五四条）、しかし当時においても、実際上は、支払担当者と明記して指定するものはなく、一般に、単に、「支払場所」として銀行の営業所名を記載するか、あるいは「本文の金額は甲銀行で支払可申候也」と記載するのみであつた。そして、かかる記載の解釈にあたつては、そこに指定された銀行は支払担当者ではなく、単にその銀行の営業所の建物の存する場所が支払の場所と定められたものと解するのが、旧法下の判例の大勢であつた（大隅＝河本三三頁）【107】【108】【109】。

【107】　「……元来支払場所タル読ンテ字ノ如ク支払人又ハ振出人カ支払ヲ為ス場所タルニ外ナラサルヲ以テ

或銀行ヲ支払場所ニ指定シタル場合ニハ該銀行ニ於テ振出人又ハ支払人ニ対シテ手形ヲ呈示スヘキモノニシテ銀行業者ニ呈示ヲ為スヘキモノニアラサルナリ今ヤ本件ニ於テ原告ハ果シテ適法ノ呈示ヲ為シタルヤ否ヤヲ審案スルニ……拒絶証書タル甲第二号証ヲ査閲スルニ百三十銀行安治川支店ニ至リ行員Aニ面会手形ヲ呈示シ云々トアリテ百三十銀行安治川支店ヲ以テ支払担当者タルモノノ如ク看做シ同行ニ対シテ手形ヲ呈示シタルモノナルコトハ洵ニ明確ナリトス然ラハ本件手形ハ振出人ニ対シテ適法ノ呈示ヲ為シタルモノニ非サルニヨリ原告ハ被告ニ対スル手形上ノ権利ヲ喪失シタルモノト云ハサルヲ得ス」（大阪地判明三六・一一・二〇新聞一七九・六）。

【108】「約束手形ノ所持人カ前者ニ対シテ償還請求ヲ為サントスルニ当リ其ノ手形ニ支払場所ノ指定アルトキハ先ツ支払ヲ求ムルカ為メ右支払場所ニ至リ振出人ニ対シテ呈示及拒絶証書作成ノ手続ヲ為スヘク而シテ若シ振出人不在ニシテ面会スルコト能ハサルトキハ……理由ヲ拒絶証書ニ記載スルヲ以テ足ル……上告人カ原院ニ於テ主張スル所ニ依レハ約束手形ノ支払場所ヲ銀行ニ指定シタル場合ニハ通常振出人カ其銀行ニ預金ヲ為シ銀行ヲシテ自己ノ代理人トシテ之カ支払ヲ為サシムルモノニシテ此ノ場合ニ於テハ振出人ニ対シテ手形ノ呈示ヲ為スコトヲ要セス随テ又振出人モ満期日ニ支払場所ニ出会セサルノ商慣習アリト云フニ在ルモノニシテ即チ上告人本訴ノ請求タル振出人ニ対シテ呈示シタルノ事実ヲ主張スルモノニ非サルカ故ニ裁判所ハ右銀行員ニ対シテ為シタル手形ノ呈示ハ振出人ニ対スル呈示トシテ有効ナリヤ否ヤヲ判断スルヲ以テ足ルモノニシテ本件判決ハ毫モ不法ニ非ス」（大判明三七・五・二八民録一〇・七五七）。

【109】「本件約束手形ノ所持人タル被上告銀行カ振出人Aニ対シ手形金ノ支払ヲ求ムル為メ支払期日……ニ支払場所タル被上告銀行西那須野支店ニ於テ本件手形ヲ所持シ居タルニ拘ラス同人ハ同日同所ニ出頭セサリシ事実ニシテ同人ハ同日同所ニ出頭シテ手形金ノ支払ヲ為スヘカリシモノナレハ被上告銀行ノ右手形所持ハ手形ノ呈示トシテ有効ナリト謂ハサルヘカラス」（大判大五・一〇・二五民録二二・一九八八）（その他これらと同趣旨のものとしては、大判明三五・五・一三民録八・五・四八、同明三七・八・一八民録八・五・四八、同明三七・八・一八民録一〇・一〇九二のほか多くの下級審判例がある）。

これら諸判例は、いずれも、当該銀行営業所に手形債務者がみずから出頭して支払うべきものであるということを前提にしていると解される（ことに、支払担当者の記載は、他地払手形に限り許されるとの明治四四年の改正前の商法下では、同地払手形における支払場所の記載は、単なる支払場所の指定とみざるを得なかつた）。

しかし現行法下の判例は、「支払場所」として銀行の営業所を記載するときは、その営業所を支払場所とし、同時にその銀行をして出納事務をも担当せしめる趣旨と解している【110】。

【110】　「本件約束手形ニハ孰レモ支払場所株式会社安田銀行枝光支店ナル記載アリ……此ノ支払場所ノ記載ハ手形金額支払ノ約束文言ト一連シテ手形振出人タル上告人ニ於テ其ノ支払場所ヲ右安田銀行枝光支店ト定ムルト同時ニ同銀行ヲシテ手形金支払ノ衝ニ当ラシムヘキコトヲ定メタルモノト解スルヲ相当トスヘキカ故ニ本件約束手形ハ孰レモ手形法第七十七条第二項ニヨリ約束手形ニ準用セラルル同法第四条ニ所謂第三者ノ住所ニ於テ支払フヘキモノト為サレタル手形ナリト謂ハサルヘカラサレハ本件手形ノ所持人ハ其ノ満期ニ於テ夫々株式会社安田銀行枝光支店ニ於テ同銀行ニ対シ支払ノ為ニスル手形ノ呈示ヲ為スヘカリシモノナルコト洵ニ論旨所論ノ如クニシテ此ノ点ニ於テ原審カ手形振出人タル上告人ニ対シ支払場所ニ於テ手形ヲ呈示スルコトノミニヨリ上告人ヲシテ本件手形金ノ支払ニ付遅滞ノ責ヲ負ハシムルニ十分ナルカ如ク判示シタルハ到底失当タルヲ免レス……」（大判昭一三・一二・一九民集一七・二六七〇）（鈴木判批・判民昭和一三年度一六二事件、大浜・民商九・六・八四）。

この問題に関する近時の判例として、第三者方払の記載が単なる支払の場所を定めたのか支払担当者をも定めたのかは、その記載内容が場所の表示か、人の名称の表示かにより決すべく、「支払場所神戸銀行兵庫支店」との記載は、振出人が右銀行を支払担当者として右支店で支払をなさしめる旨の表示と解すべきであるとの下級審判例がある【111】。

【111】　「手形債務は取立債務であるから（商法第五一六条二項）、手形上の権利者は債務者の現時の営業所、

もし営業所なきときはその住所（商人の場合は営業所が住所に優先する。以下住所とあるはその趣旨）において手形を呈示してその支払を求めなければならない。手形法は支払人の住所を知る手懸りとして「支払をなすべき地」を手形要件の一としている。そこで約束手形についていえば、手形の呈示は原則として、支払地における振出人の住所においてなすべきものということになる。ところが、振出人の住所が支払地にない場合には、呈示ないし支払が不可能になるし、また振出人の住所が支払地内にある場合にも、振出人は支払地内における住所以外の場所で自ら支払うことを希望する場合或いは振出人の取引銀行または第三者をして支払地内にあるその住所において支払わしめることを欲する場合がありうる。そこで、手形法は、いわゆる第三者方払文句（手形法四条第七七条二項）として支払場所の記載を認め、支払人の住所地にあると又はその他の地にあるとを問わず、第三者の住所において支払うべき旨記載したときは、手形上の効力を生ずることにした。この記載がある場合、右記載が振出人自身がその住所以外の場所で支払をなす趣旨か、第三者が振出人のためにその第三者の住所において支払をなす趣旨であるかは、その記載内容が単なる場所の表示か、人の名称の表示かによつて決すべきである。本件手形には支払場所株式会社神戸銀行兵庫支店と記載されているから、右の記載は、振出人が右銀行を支払担当者とし、同銀行をしてその兵庫支店の営業所において支払をなさしめる旨を表示したものと解すべきである」（大阪高判昭三六・一二・一四 下民集一二・一二・二九三八）。

右判決は――近時の主要学説ののべているところにしたがいながら――この問題につき裁判所としてはじめて詳細な見解をのべたものであつて注目すべきである。

なお、金融機関でない人の名称が記載されている場合も、同じくその人の住所を支払場所とし、その人を支払担当者とするものと解すべきである。これに反し、単に場所を表わす記載の存するときは、主たる債務者がみずからその場所で支払う趣旨であると解される（大判昭一二・一〇・三〇 新聞四二〇九・一〇等）。

(2)　記載方法　通常「支払場所」なる不払文字の下に、銀行の営業所名（たとえば「甲銀行京都支店」）が記載される。銀行が受取人である場合に、その営業所を記載することもさしつかえない（大判昭六・七・八新聞三三〇六・一四、同昭八・五・一六法学二・一四八九）（これは、手形貸付の際に利用される約束手形によく見られる。しかしこの場合、受取人と支払担当者の両資格を同一人が兼ねているとみるべきか、それともこの場合には支払担当者の観念は存在せず、手形債務者が自ら支払場所すなわち受取人の営業所で支払う趣旨と解すべきか、が問題になる。この点につき、大隅＝河本三四頁は、「手形行為の解釈としては前者とみるべきであると思う……。けだし後者と解釈すると、この手形が第三者に譲渡された場合にも、債務者が自ら当該銀行の営業所に出向いて自ら支払わなければならないという不都合な結果になるからである」とのべられている。前掲大判昭六・七・八は右のいずれの立場にも立たず、かかる場合にも支払人自身に支払場所で呈示すべきことを前提にしつつ、受取人が支払所である自己の営業所で手形を所持することによつて、右の呈示として有効と解する立場に立つている）。銀行営業所名に町名番地を附する必要はない（大判明三八・一・三一民録一一・九〇、同明四一・九・八民録一四・八九〇等）。また、特定の営業所名を附せず、単に銀行の商号を記載したにすぎないものでもよい（大判明三七・三・一五民録一〇・二七九）。

しかし、右のように銀行の商号のみを記載した場合に、支払地内にその銀行の営業所が数個ある場合はどうであろうか。この問題に関する判例として大判大一二・六・二九【112】が、「支払地東京市」、「支払場所株式会社大野銀行」と記載され、支払地内にその銀行の営業所が数個ある場合について、所持人に選択権を与えた支払場所の選択的記載と解すべきであるとしている。

【112】「支払地ヲ東京市ト為シタル本件為替手形ニ支払場所トシテ株式会社大野銀行トアルハ其ノ本店タルト支店タルトヲ問ハス同銀行ノ東京市ニ於ケル営業所ヲ表示シタルモノナルコトハ……推知シ得ヘキ所ニシテ……支払場所トシテハ一定ノ場所ヲ掲クルコトヲ要スルハ勿論ナレトモ一定ハ唯一ヲ意味スルモノニ非サレハ選択的ニ指定スルヲ妨ケス要ハ其ノ不明ナラサルコトヲ期スルニ在リ故ニ本件為替手形ニ於ケルカ如ク株式会社大野銀行ノ営業所ヲ支払場所ト為シ其ノ営業所タル支店カ支払地ニ二個所アル場合ニ於テハ支払場所ヲ指定シタル引受人ノ意思ハ各営業所ヲ支払場所トナシ債権者ノ選択ニ従ヒ孰レノ営業所ニ於テモ支払ヲ為スノ義務ヲ負フニ在ルモノト解スヘキハ当然ノ事理ナリ」（大判大一二・六・二九民集二・五二七）。

そして右判決に賛成するものが多い（境前掲一一一頁、大隅＝河本三五頁等）（たとえば大隅＝河本三六頁は、「かかる解釈は手形客観解釈の原則に反しない。従つて直接の相手方といえども、一応手形上の権利としては、かかる選択権を有するとみるべく、ただ振出人の特定の営業所を指定する意図を知っていた所持人は、反対の方向における選択権の行使を主張できないと解すべきである。もつとも上述の場合に、東京市内に大野銀行の本店があるときは（本件では千葉県下にあつた）、支払場所大野銀行なる記載は大野銀行本店の意味に解するのか、一般の社会通念に合致するのではないかと思われる」とのべられている）。

社会常識上、同一性を認定しうる限り、表示方法に相違があつてもさしつかえない。この点につき大判昭七・四・三〇【113】は、「支払場所東京市本所区小泉町甲銀行支店」と記載されていたが、同支店は当初より「小泉町」ではなく近隣の「相生町」にあつた場合について、支払場所は相生町の甲銀行支店と解しうるとしている。また近時の判例として、横浜地判昭三五・一・二五【114】が、支払場所甲銀行横浜支店と記載されていても、横浜市には同銀行の本店しかない場合には、その本店を支払場所と認定しうるとしている。

【113】「手形ニ於ケル支払場所ノ記載ハ正確ニ町名番地ヲ以テ之ヲ表示セスト雖其ノ記載自体ニ依リ一定ノ場所ヲ推知セシムルニ足ルトキハ法律上之ヲ以テ有効ナル支払場所ノ記載ナリト為スヲ正当トス……従テ又支払場所ヲ表示スルニ用イラレタル町名番地ニノミ徒ラニ拘泥スヘカラサルハ勿論ニシテ……本件約束手形ニハ支払場所トシテ東京市本所区小泉町株式会社川崎第百銀行支店ト云フ記載アルモ振出ノ当時ヨリ同銀行支店ハ小泉町ニ存在セスシテ相生町ニ在リタル為右手形ノ所持人タル上告人……ハ相生町ニ於ケル同銀行支店ニ於テ支払要求ノ為之カ呈示ヲ為シ同支店ニ於テ支払拒絶証書ヲ作成セシメタル事実ハ原判決ノ確定スルトコロニシテ右ノ場合ニ於テ小泉町ト相生町トカ同一区内ニ存在シ然モ相近接スルカ如キトキハ特別ノ事情ナキ限リ何人ト雖其ノ町名ノミニ偏倚スルコトナク寧ロ右手形ノ支払場所ハ相生町所在ノ株式会社川崎第百銀行支店ニ外ナラスト解シ同支店ニ到リ手形ヲ呈示シ又ハ支払拒絶証書ヲ作成セシムルコトハ実験則上当然ニ為スヘキ処置ナリト云ハサルヲ得ス」（大判昭七・四・三〇新聞三四〇八・八）。

【114】「被告は、『当時本件手形に表示された支払場所である神奈川相互銀行横浜支店なるものは支払地で

ある横浜市内に存在しなかつたのであるから、原告の右手形の呈示は無効である。』旨主張するが、……支払場所の記載は支払地内の特定の場所を指示すれば足りると解するを正当とするところ、本件においては、当時手形上支払場所と表示された神奈川相互銀行横浜支店なるものは存在しなかつたことはすでに認定したとおりであるから、右手形上の支払場所の表示は、それが誤記に出たか作為に出たかを問うことなく、前記認定の当時実在した株式会社神奈川相互銀行本店を指称したものと認めるを相当とするが故に、原告の本件約束手形の呈示は有効であつて、被告の右主張は理由がない」（横浜地判昭三五・一一・二五下民集一一・一〇九七）。

右二つの判決には、いずれも、賛成すべきであろう（大隅＝河本五七二頁は、この二つの判決につき、「しかし右のような手形にあつては、記載通りの支払場所が知れない場合として、拒絶証書を作成せしめることもできると解すべきである」とされる）。

また、支払場所として記載されたある銀行の支店が、振出当時改称されていたとしても、同支店が振出当時存在しなかつたとはいえないとする下級審判例がある【115】。

【115】「本件手形の支払場所とせられた東海銀行高田支店が振出当時同銀行養老支店と名称を変更せられていたとしても、両者は同一の支店であつて、単に支店の名称を変更したに過ぎないことが……窺われるから、本件手形振出当時同銀行高田支店が存在しなかつたとは、勿論いいえないところである」（名古屋高判昭三五・五・二五時報二三〇・三〇）。

単なる場所的地点の記載も支払場所の記載として有効と解すべきことは前述したとおりであるが、「茅部郡森町」あるいは「上国崎村」とのみ記載されているのでは支払場所の指定としては不適法である、との近時の下級審判例がある（福岡高判昭三三・一〇・一七高民集一一・八・五三三、函館地判昭三四・九・二九下民集一〇・九・二〇五一）（古くは、区と町名のみの記載を無効とした東京控判明四二・二・二七高判集八四がある。これに対し神戸区判大五（月日不詳）新聞一一八一・二五は、「神戸市北長狭通六丁目」の記載を有効とするが、妥当とはいえない）。

(3)　記載権者　第三者方払の記載をなしうる者は、約束手形の場合は振出人に限られるが（手七七Ⅱ・四）

為替手形の場合は、振出人がその記載をなし得ることはもちろん（手四）、振出人が記載しないときは、支払人が引受に当り記載しうる（手二七）。

(4)　記載の効力　単なる場所の記載のときは、満期における支払呈示は、その場所で主たる債務者自身に対してなされねばならない。拒絶証書もこの者を拒絶者として作成することを要する。支払担当者の記載をも含むと解されるときは、その営業所または住所でこの者に対して呈示し、拒絶証書もこの者を相手方として作成することを要する（その他の諸問題については本節二「第三者方払文句の記載をめぐる諸問題」参照）。

(二)　第三者方払文句の記載をめぐる諸問題　(1)　まず、手形に適法な第三者方払文句（支払場所・支払担当者）が記載された場合に、当事者間にどのような効果が生ずるか。

大審院は、明治三四年五月一四日の判決（民録七・五・七七）において、はじめてこの問題につき、「法律ニ於テ支払ノ場所ヲ記載スルコトヲ許シタル所ニ由リテ之ヲ観レバ、支払義務者ハ、其場所ニ於テ支払ヲ為ス義務アルノミナラズ又其権利アリト云ハザルヲ得ズ」として、手形に「支払場所」の記載があるときは、「其呈示及ビ拒絶証書ノ作成モ亦、該場所ニ於テ為スコトヲ得ル」旨判示した。ついで明治三六年六月一一日の判決【116】も、右と同様の趣旨から「支払場所」の記載のあるときは、「支払ノ為メニスル手形ノ呈示ハ、支払人ノ承諾アルニ非ザレバ、必ズ其記載ノ場所ニ於テ之ヲ為サザル可カラザルハ固ヨリ論ヲ俟タズ。……其支払拒絶証書ノ作成モ亦、均シク支払ノ場所ニ於テ之ヲ為スコトヲ要スベキハ当然ナリ」（傍点筆者）としている。

【116】「商法第四百四十二条（註　現手形法に該当条項なし）ニ依レハ手形ノ支払ヲ求ムル為メニスル呈示

及ヒ拒絶証書ノ作成ハ支払人ノ承諾アルニ非サレハ其営業所若シ営業所ナキトキハ其住所又ハ居所ニ於テ之ヲ為スコトヲ要スルモノナレハ支払人ノ営業所ノ存スル場合ニ於テハ支払ノ為メニスル手形ノ呈示モ支払拒絶証書ノ作成モ倶ニ該営業所ニ於テ為スヘキモノニシテ手形ノ呈示ハ其営業所ニ於テ之ヲ為シ而シテ支払拒絶証書ハ其住所又ハ居所ニ於テ為スヘキモノニ非ラサルハ自ラ明カナリ而シテ商法第五百二十九条（註　約束手形えの準用規定）及同第四百五十四条（現手形法四条）ニ依レハ約束手形ノ振出人ハ其手形ニ支払地ニ於ケル支払ノ場所ヲ記載スルコトヲ得ルモノニシテ若シ振出人カ手形ニ此場所ヲ記載シタルトキハ支払ノ為メニスル手形ノ呈示ハ支払人ノ承諾アルニ非サレハ必ス其記載ノ場所ニ於テ之ヲ為サザル可カラザルハ固ヨリ論ヲ俟タス何トナレハ振出人カ特ニ支払ノ場所ヲ記載シタルトキハ支払人ハ手形ノ文言ニ従ヒ責任ヲ負フヘキモノナルカ故ニ其記載ノ場所ニ於テ支払ヲ為ス義務ヲ負フト同時ニ之ヲ為スノ権利アリト云ハサル可カラサレハナリ夫レ既ニ支払ノ為メニスル手形ノ呈示ハ支払ノ場所ニ於テ之ヲ為スコトヲ要ストセハ其支払拒絶証書ノ作成モ亦均シク支払ノ場所ニ於テ之ヲ為スコトヲ要スヘキハ当然ナリ仮リニ支払拒絶証書ノ作成ハ支払ノ場所ニ於テモ又ハ支払人ノ営業所ニ於テモ自由ニ之ヲ為スコトヲ得ルモノトセハ商法第四百四十二条ノ解釈上支払ノ為メニスル手形ノ呈示モ之ト均シク支払ノ場所ニ於テモ又ハ支払人ノ営業所ニ於テモ之ヲ為スコトヲ得ルモノト論結セサル可カラス然レトモ支払ノ為メニスル手形ノ呈示ハ支払人ノ承諾ナキ限リハ必ラス支払ノ場所ニ於テ之ヲ為スヘキモノナルコトハ蓋シ論ヲ俟タス然ラハ則チ支払ノ為メニスル手形ノ呈示ハ支払ノ場所ニ於テ之ヲ為スコトヲ要スルニ拘ハラス其支払拒絶証書ノ作成ハ支払場所ニ於テモ又ハ支払人ノ営業所ニ於テモ之ヲ為スコトヲ得ルト解釈スルカ如キハ決シテ当ヲ得タルモノニ非ス本院明治三十三年（オ）第五百四十号ノ判決（註　前掲明治三四年五月一四日の判決のこと）ハ専ラ特ニ支払ノ場所ヲ記載シタル手形ニ付キテハ支払ノ場所ニ於テ為シタル支払ノ為メニスル手形ノ呈示及ヒ拒絶証書ノ作成ハ有効ナルコトヲ判示シタルモノニシテ其支払ノ場所ニ於テモ又ハ支払人ノ営業所ニ於テモ之ヲ為シ得ヘキコトヲ判示シタルニ非サレハ此判決ハ当事者孰レノ為メニモ判例ト為スニ足ラス然ルニ原判決ハ支払ノ場所ノ記載アル約束手形ニ付キテ支払ノ為メニスル手形ノ呈示及拒絶証書ノ作成ハ必ラスシモ其支払ノ場所ニ於テ之ヲ為スコトヲ要セス振出人ノ営業所ニ於テ之ヲ為スモ有効

ナリト為シ其結果上告人ニ敗訴ノ裁判ヲ与ヘタルハ不法ニシテ此瑕疵ハ原判決ノ全部ヲ破毀スル理由ト為スニ足レリ」（大判明三六・六・一一民録九・六九九）。

また明治三六年一〇月二九日の判決【117】も、約束手形に「支払場所」の記載があるときは、「其意、支払ニ関スル事務ハ総テ特定場所ニ於テ之ヲ準備処弁スルニ在ルヲ以テ、此場合ニ於テハ、支払ニ関スル事項ニ付テハ其特定場所ヲ以テ営業所若クハ住所居所ト同視シ、支払ニ関スル事項ニ付振出人ニ対シテ為スベキ行為ハ必ラズ同所ニ於テ之ヲ為スベキモノニシテ、其営業所若クハ住所等ニ於テ之ヲ為スコトヲ許サザル律義ナリト解セザルベカラズ」としている。

【117】「商法第四百四十二条第一項前段ニ於テ手形ノ引受又ハ支払ヲ求ムル為メニスル呈示拒絶証書ノ作成其他手形上ノ権利ノ行使又ハ保全ニ付キ利害関係人ニ対シテ為スヘキ行為ハ其営業所若シ営業所ナキトキハ其住所又ハ居所ニ於テ之ヲ為スヘキモノト規定シタル所以ノモノハ蓋シ営業所若クハ住所居所ハ其生計ノ中心ニシテ万般ノ事務ヲ処弁スルハ普通同所ニ在ルヲ以テナリ故ニ手形ノ利害関係人例ヘハ約束手形ノ振出人ハ特約ナキ限リハ支払ヲ求ムル為メニスル手形ノ呈示ハ同所ニ於テ之ヲ受クヘキ義務ヲ負フト同時ニ同所以外ニ於テハ之ヲ受クルコトヲ拒ミ得ルノ権利ヲ有スルモノト云ハサルヘカラス而シテ此法意ニ因リ推究セハ振出人カ前記場所以外ニ支払ノ場所ヲ定メタルトキハ」（以下本文に引用）（大判明三六・一〇・二九民録九・一一七七）。

下級審にも、これらと同趣旨の判例がかなりある【118】。

【118】「支払場所ヲ定ムルハ固ヨリ支払義務者即チ約束手形ノ振出人ノ便宜ノ為ニ法律カ規定シタルモノナルヲ以テ支払場所ヲ定メタル以上ハ振出人ハ其場所以外ニ於テ支払ヲナスヘキ義務ナシ」（東京地判明三六・六・二三新聞一四八・八）。

以上のように、手形に第三者方払文句の記載のあるときは、支払のための手形の呈示も支払拒絶証書作成も、かならずその「第三者方」において――「支払場所」の記載の場合には、その「場所」において、支払人（振出人）自身に対し——なされるべきであって、それ以外の場所——たとえば支払人（振出人）の営業所または住所——でなされても効力を生じない、というのが古くから確立している判例の態度といえよう（ところが、これに対し、「支払場所ヲ定メタルトキ、支払請求ノ為メニスル呈示及拒絶証書ノ作成ハ必ズシモ其場所ニ於テ為スコトヲ要スルモノニ非ズ。何トナレバ、右支払場所ノ記載アルガタメニ、手形所持人ガ一般ノ原則ニ従ヒ手形ヲ呈示シ拒絶証書ヲ作成スルノ権利ハ、之ガ為メニ制限セラルル理由ナケレバナリ」との東京控判明三五・四・一七新聞八九号六頁をはじめ、このような趣旨の古い下級審判例が二、三あることにも注意すべきである）。

(2)　つぎに、手形の主たる債務者（為替手形の引受人約束手形の振出人）と手形所持人との合意の上で、手形記載の「第三者方」以外のある特定の場所——たとえば主たる債務者の営業所または住所——で支払呈示や拒絶証書作成がなされた場合（以下これを「(2)の場合」とよぶ）に、それらの行為は有効か。また、それでもって前者に対する遡求権は保全されるか。

前掲の諸判例のうち、【116】の判旨からは、この場合の支払呈示の有効なことが導かれそうであるが、その他の判例では、そのいずれであるかは判然としない。

この問題をあつかった判例としては、まず下級審のもので、大津地判年月日不明（新聞四〇六号（明治四〇・二・一〇）九頁）が、振出人の住所を支払場所とする約束手形につき、所持人である銀行が、振出人の承諾のもとに、同銀行の営業所で振出人に呈示した場合について、「同人ノ承諾ヲ得テ支払場所以外ノ所ニ於テ呈示セラレタリトセバ、是亦有効ナル呈示ト謂ハザルベカラズ」とし、東京控判大二・二・二八（最近判一二巻五三頁）も、約束手形の所持人が、手形記載の支払場所ではない振出人の住所で呈示した場合につき、同じく、振出人がそれを「承諾シタルモノト認メ得ベキガ故ニ、該手形ノ支払場所如何ニ拘ラズ有効ナル支払ヲ求ムル為メ呈示アリタルモノト認ム」としている。また東京控判昭一三・三・一六（新聞四二八一号七頁）は、

「約束手形ニ支払場所ノ記載アル場合、之レガ支払ノ為メノ呈示ハ、振出人ニ於テ支払場所以外ニ呈示スルコトヲ承認シタル場合ノ外、支払場所ニ於テ為サルルコトヲ要シ、右支払場所以外ニ於ケル呈示ハ無効ナリ」として、——【116】と同様に——この場合の支払呈示の有効なことを間接的に認めている。

つぎに、昭和一五年一月二九日の大審院判決【119】は、「支払場所株式会社十五銀行堺支店」と記載して振出された為替手形について、満期前、引受人から所持人（被上告人）に対し、満期における支払の呈示は引受人の自宅においてなされたき旨の依頼があったので、所持人はこれを了承し、満期に同所で呈示したところ支払を拒絶されたので、裏書人（上告人）に償還請求をして争った事案につき、「満期前、引受人……ト所持人……トノ間ニ於テ手形ノ支払場所ヲ変更スル合意成立シタル以上、手形面ノ記載ヲ変改セザルモ、右合意ニ依リ手形ノ支払場所ハ有効ニ変更アリタルモノト解スルヲ相当トス。蓋シ、支払場所ノ指定ハ、所持人ノ外振出人若クハ引受人ノ為ニ其便益ヲ顧慮シテ為サルルモノナルヲ以テ……、又之ガ為裏書人其ノ他ノ手形義務者ニ損害ヲ及ボスコトナキヲ以テナリ」として、この場合の支払呈示は適法であるから、裏書人は償還請求に応ぜざるをえない旨判示した。

【119】「……本件為替手形ハ支払場所株式会社十五銀行堺支店トシテ振出サレ引受アリタル後被上告人Xカ上告人Yヨリ支払拒絶証書作成義務ヲ免除シタル裏書ニ依リ右手形ヲ譲受ケ之カ所持人トナリタルトコロ其ノ満期前引受人Aヨリ満期ニ於ケル支払ノ呈示ハ同人ノ自宅ニ於テ為サレ度キ旨ノ依頼アリタルヲ以テ被上告人Xハ之ヲ承認シ満期ニ訴外Aノ住所ニ於テ支払ノ呈示ヲ為シタルニ支払ノ拒絶アリタル事実ヲ認メ得サルニ非ス而シテ為替手形ノ振出人カ手形ニ支払場所ヲ記載シ手形法所定ノ要件ヲ具備セル手形ノ振出ヲ為シ右為替手

形ノ支払人カ之ニ引受ヲ為シタル場合ハ後日支払場所ノ変更ナキ限リ手形ニ記載セラレタル支払場所ニ於テ支払ノ為ノ呈示ヲ為スコトヲ要スルコト手形ノ要式証券タル性質上論ヲ俟タサルトコロナリト雖右認定ノ如ク満期前引受人タルAト所持人タル被上告人Xトノ間ニ於テ手形ノ支払場所ヲ変更スル合意成立シタル以上手形面ノ記載ヲ変改セサルモ右合意ニ依リ手形ノ支払場所ハ有効ニ変更アリタルモノト解スルヲ相当トス蓋シ支払場所ノ指定ハ所持人ノ外振出人若ハ引受人ノ為ニ其ノ便益ヲ顧慮シテ為サルルモノナルヲ以テ之カ当事者間ニ於テ其ノ指定ヲ変更スルコトヲ合意シタルトキハ之ニ依リ手形ノ支払場所ハ有効ニ変更セラレタリト称シテ不可ナク又之カ為裏書人其ノ他ノ手形義務者ニ損害ヲ及ホスコトナキヲ以テナリ従テ斯ル場合手形ノ所持人タル被上告人Xカ変更シタル支払場所ニ於テ手形ノ満期ニ為シタル呈示ハ適法ナルニヨリ支払拒絶証書作成ヲ免除シタル裏書人タル上告人Yハ支払拒絶ニ因ル償還請求ニ応セサルヲ得サルモノトス」（大判昭一五・一・二九民集一九・六九）（大隅・法学論叢四二巻四号一五一頁、竹田・民商一一巻六号一四二頁、鈴木判批・判民昭和一五年度四事件、大森「支払場所の変更」手形小切手判例百選一八二頁）。

右と同様の事案に関する最近の判例として、東京地判昭二七・六・一〇【120】があり、約束手形の所持人（原告）が、満期の前日、振出人会社に対し、満期に同手形を支払場所である「大和銀行銀座支店」に呈示すべき旨告知したところ、同会社は、手形の支払に充てる資金を銀行に預託していないため不渡処分を受けるのをおそれて、満期にその手形を支払場所に呈示しないで会社の事務所に持参してもらいたい、そうすれば支払うと申し出たので、所持人はこれを了承し、満期に会社事務所で呈示したところ、支払を受けることができなかつたので裏書人（被告）に償還請求をして争つた事案につき、「約束手形における支払場所の指定は、もともと振出人並びに所持人の便益のためになされるものであるから、両者合意の上変更しても、その変更後の支払場所についても支払地内に制限されているから裏書人その他の手形義務者に損害を及ぼす事はないので、右変更の合意を有効と解すべきものである」として、本件手形の呈示は支払のための呈示として適法のものである旨判示した。

【120】「訴外A会社が昭和二十六年九月五日被告Yに宛て原告X主張の約束手形一通を振出し、被告Yが右手形を拒絶証書作成義務を免除して……白地式裏書により原告Xに譲渡した…。……原告Xの父、訴外Bは原告Xを代理して、本件約束手形の満期の前日、振出人A会社に対し手形金の支払を求め、満期に右手形を支払場所である銀行に呈示すべき旨告知したのに対し、会社は、手形の支払にあてる資金が銀行に預託してないので、手形金不払により不渡処分として銀行取引を停止されることを慮れて、満期に支払場所に呈示しないで、右手形を会社の事務所に持参して貰いたい。そうすればできるだけ払うようにするからと申し出たので、Bはこれを了承し満期に……会社事務所で右手形を呈示して支払を求めたが、その支払を受けることができなかった事実が認められ……右認定の事実からすれば、本件手形については、満期前に振出人と所持人との間で合意の上、支払場所を変更したものと解するのが相当である。そこで右変更が手形法上適法のものであるか否かについて考えると、元来約束手形において支払場所はその記載要件ではなく、いわゆる任意的記載事項にすぎないものではあるが、一旦その記載が振出人その他記載権限を有するもの(補充権を与えられた場合等)によってなされたときは、手形が要式証券であるところから、その手形記載の支払場所がその手形記載の支払地内に存在しないために支払場所の指定が無効となっているような特別の事情がない限り記載された支払場所において手形を呈示しなければならない。しかし」(この間の部分本文に引用)「……して見れば変更後の支払場所に呈示された以上、原告Xの本件手形の呈示は支払のための呈示として適法のものと言わざるを得ない」(東京地判昭二七・六・一〇法曹新聞七二・一四)。

(3)　つぎに、手形に記載された「第三者方」がその手形記載の支払地の外にある場合(以下これを「3の場合」とよぶ)に、そこにおいてなされた支払呈示や支払拒絶証書作成の効力はどうか。また、もしそれが無効だとすれば、その場合、それらの行為はどこでなされるべきか。

判例をみるに、「本件約束手形ニ其支払地ナル大阪市以外ニ在ル株式会社浪速銀行神戸支店ヲ支払場所ト為ス旨ノ記載アルハ、支払場所トシテ有効ノ記載ナリト認メラレズ。故ニ、同手形ニ関スル支払ノ為メノ呈示ハ、支払地タル大阪市内ニアル……営業所住所若クハ其居所ニ之ヲ為サザルベカラズ」との大審院明治三六年五月一九日決定（民録九輯六二九頁）（【78】）をはじめとして、支払地内に存在しない「場所」を「支払場所」と記載してもその記載は無効であるから、その場合、支払呈示および支払拒絶証書作成は支払地内の主たる債務者の営業所または住所でなされるべきである、という趣旨の判例はきわめて多い（第七節二「支払地の意義とその記載方法」に所掲の諸判例を参照）。

また、東京地判大八・八・二九（評論八巻商法五六五頁）と東京地判大八・一〇・二二（新聞一六二三号一六頁）は、いずれも、商法四四二条一項（「手形ノ引受又ハ支払ヲ求ムル為メニスル呈示、拒絶証書ノ作成其他手形上ノ権利ノ行使又ハ保全ニ付キ利害関係人ニ対シテ為スヘキ行為ハ其営業所、若シ営業所ナキトキハ其住所又ハ居所ニ於テ之ヲ為スコトヲ要ス但其者ノ承諾アルトキハ他ノ場所ニ於テ之ヲ為スコトヲ妨ケス」と定めた規定。現行手形法には該当条項なし）但書に、「其者ノ承諾アルトキハ他ノ場所ニ於テ之ヲ為スコトヲ妨ゲス」とあるけれども、その「所謂他ノ場所トハ支払地内ニ於ケル法定場所以外ノ意義ニシテ、支払地以外ノ場所迄ヲ包含スル趣旨トハ解スルヲ得ザルヲ以テ、仮令承諾アリタルモノトスルモ其効力ナシト云ハザルベカラズ」と判示している。

ところが、東京地判大一一・四・九【121】は、為替手形の引受人Y_1（被告）が支払地の外に「支払場所」を定め、そして所持人X（原告）がそこで呈示したところ支払を拒絶されたので、同所で拒絶証書を作成し裏書人Y_2・Y_3（いずれも被告）に遡求した事件について、「原告Xハ引受人Y_1ノ定メタル支払場所ニ手形ヲ呈示シタルモノニシテ、該呈示ハ支払地外ニ於テ為サレタルモノナリト雖モ、引受人

Y_1に対シ有効ナルコト商法第四六九条二項但書（註　為替手形の不単純引受における引受人に対する効力を定めた規定・現行手形法二六条二項但書に相当）ノ規定ニ徴シ明白ナルヲ以テ、……被告Y_1ニ対スル原告Xノ本訴請求ハ正当ニシテ之ヲ認容スベキモノトス。然レドモ、前記ノ如ク、原告Xハ本訴手形ヲ其支払地外ニ於テ呈示シタルモノニシテ、該呈示及ビ之ニ基キ同所ニ於テ作成セラレタル拒絶証書ハ裏書人タル被告Y_2、Y_3ニ対シテハ無効タルコトハ勿論ナルヲ以テ、原告Xハ右各被告ニ対シ手形上ノ権利ヲ主張シ得ザルモノト謂フベ」きである、と判示した。

【121】　本文における引用につづいて「……又同代理人ハ被告Y_2、Y_3ハ本訴手形ノ引受人カ支払地外ニ在ル支払場所ヲ指定シテ引受ヲ為シタル後何レモ手形所持人トナリタルモノナルヲ以テ右各被告ハ支払地外ノ支払ヲ暗黙ニ承認シタルモノナリト主張スルモ商法第四百四十二条第一項但書ハ利害関係人ノ承諾アルトキハ支払ヲ求ムルタメノ呈示モ支払地外ニ於テ之ヲ為スコトヲ妨ケサルノ趣旨ニアラスシテ其承諾アルトキハ同条項本文所定ノ場所ニアラサル他ノ支払地内ノ場所ニ於テ呈示ヲ為スヲ妨ケストノ趣旨ナリト解スヘキヲ以テ原告訴訟代理人ノ右主張モ亦之ヲ認容スルニ由ナシ」（東京地判大一二・四・九新聞一九九三・一七）。

それから、右によく似た事案に関する最近の判例として、東京地判昭三五・九・一六【122】が、支払地として「東京都中央区」、支払場所として「株式会社三和銀行日比谷支店」と記載のある約束手形の所持人（原告）が、右支払場所で支払のための呈示をしたところ、振出人（被告）が、右支払場所は支払地内に存しない（同銀行日比谷支店は「東京都千代田区」にある）からその呈示は無効であると主張したのに対し、「支払地内にない支払場所は支払場所としての効力を欠くものであるが、その支払場所銀行に手形所持人が支払のための呈示をした場合、振出人からは、みずから定めた支払場所への呈示をもつて無効であると主張することはできないものと解するのが相当である（右支払場所への呈示はむしろ振出人の便宜に適するものである)」と判示した。またこれと全く同趣旨のものとして大阪地判昭三九・九・一八【123】があり、右と同様の事例について、「振出人からは、みずから指定した支払場所への呈示をもつて無効であると主張することはできないものと解するから、右支払のための呈示も、呈示の効力を有するものというべきである」としている。

【122】「右手形には、支払地として『東京都中央区』と、支払場所として『株式会社三和銀行日比谷支店』と記載してある。この『株式会社三和銀行日比谷支店』が『東京都千代田区』にあるとしても、支払場所（いわゆる支払担当者）の記載は手形の必要的記載事項でないから、右の不整合は右手形を無効ならしめるものでない。……原告は法定の呈示期間内である昭和三十四年十一月十八日（満期の十一月十五日は日曜日である）に右手形を支払場所に呈示して手形金の支払を求めたが、支払を拒絶されたことを認めることができる（原告のいうように満期に呈示したことの証拠はない）」（この間の部分本文に引用）「してみると、被告は原告に対し、手形金二十万円と、これに対する原告の請求する昭和三十四年十一月十六日から完済に至るまで手形法所定の年六分の割合による利息金を支払う義務を負うものといわなければならない」（東京地判昭三五・九・一六下民集一一・九・一九二一）（田中昭・商事法務二六五・一七〇、鴻・ジュリ二七一・九四）。

【123】「手形の支払場所は必ず支払地内にあることを要し、支払地内にない支払場所は支払場所としての効力を欠くものである。

右の場合、振出人において定めたその支払場所である銀行に手形所持人が支払のための呈示をした場合、振出人からは、みずから指定した支払場所への呈示をもつて無効であると主張することはできないものと解するから、右支払のための呈示も、呈示の効力を有するものというべきである。けだし約束手形における支払場所の指定に利害関係をもつのは手形所持人と振出人であり、かかる支払場所への呈示はむしろ振出人の便宜に適するものだからである」（大阪地判昭三九・九・一八タイムズ一七〇・二四七）。

一方、これに対し、神戸地洲本支判昭三六・一二・二〇【124】および大阪高判昭三七・三・一二【125】は、ともに、支払場所が手形記載の支払地内にない場合に、その支払場所でした呈示は無効であるとしている。

【124】「本件……手形の記載上支払地が『兵庫県三原郡津井村』、支払場所が『神戸銀行湊支店』とせられている点についてはその振出及び原告主張の呈示の当時右支払場所が三原郡湊町の地域にあつて手形上の支払地とその地域を異にしていたことは当裁判所に顕著であるから、原告の右支払場所における呈示は無効と認めなければならないが、同手形の振出人たる被告組合としては右呈示の無効にかかわらず依然支払義務を免れ得ないから、本訴状送達により遅滞の責に任じなければならないものと言うべきである」（神戸地洲本支判昭三六・一二・二〇下民集一二・一二・三〇七五）。

【125】「……本件各手形には、『支払地大阪市』、『支払場所株式会社協和銀行守口支店』……と記載されていることが認められる。思うに支払地は履行場所の探知を容易にするために手形法が要求する絶対的記載事項であつて、もし任意的記載事項である支払場所（手形法四条）が支払地以外の地域に定められた場合は、前者の記載は違法であつて無効であると解すべきであるけれども手形自体の無効を来すものということはできない。……

被控訴人が昭和三三年一一月一二日訴状送達によつて支払のために呈示したことは記録上明らかである（『支払地大阪市』と異なる地域にある『支払場所株式会社協和銀行守口支店』における支払呈示が無効であることは、前説示によつて明らかである）」（大阪高判昭三七・三・一二金融法務三〇七・四）。

(4)　さて、まず前掲の「(2)の場合」について――【119】と【120】を中心に――検討してみよう。

この場合、主たる債務者と手形所持人との間の関係においては、いずれにせよ、有効な支払呈示があつたものと解せざるをえないであろう。しかし、償還義務者その他の手形関係者に対する関係において、有効な支払呈示や支払拒絶証書作成があつたものとあつかうことができるか否かはきわめて難しい問題である。

一般に、一旦手形上に有効に記載された手形文言は——手形要件たる事項であれ、いわゆる任意的記載事項であれ——すべての手形関係者の同意をえてその記載そのものを変更する手続をとらないかぎり、すべての手形関係者を拘束する手形文言の変更とならず、単に特定の手形関係者だけの間で右事項を変更する合意がなされても、その合意はその直接の当事者間における人的抗弁事由となりうるにすぎず、右合意に関与しない手形関係者の権利義務について当然に効力を及ぼすものでないことは、手形の要式証券性および文言証券性から考えて当然である（竹田・民商一二巻六号一四四頁（【119】の評釈）、大森「支払場所の変更」手形小切手判例百選一八二頁、上柳「手形の文言性」講座二巻七三頁、七八頁註七）。ところで【119】【120】の二つの判例は、おそらく、この一般法則はあくまで否定するものではないが、とくに「第三者方」の記載という特別の場合につきその例外を認めて、主たる債務者と手形所持人との間で、手形記載の「第三者方」以外の——支払地内の——ある一定の場所で支払をなすべき旨の合意がなされたときは、その場所における呈示に対して支払が拒絶された場合にも、裏書人は正当なる支払呈示がなかつたことを主張して償還請求を拒むことはできないという解釈を示しているもののように思われる（大森・前掲一八二頁）。

そこでこのような解釈の当否について考えてみるに、この場合の「第三者方」が、主たる債務者が自からそこで支払をするための単なる「支払場所」にすぎないのか。あるいは「支払担当者」であるのかによつて、その結論に微妙な差異を生じて来るように思われる。

すなわち、もしそれが単なる「支払場所」であつて、それを他の「場所」――たとえば主たる債務者の営業所または住所――に変更するというのであれば、たとえ「場所」は変つても、主たる債務者自身に対し支払呈示がなされる点について何等変りがないから、そのような「場所」のいかんは、他の手形関係者ことに償還義務者の利害には関係がないと一般に考えられ、――変更後の「場所」が手形記載の支払地内にあるかぎり――右二つの判例のいうところも実質上不合理とはいえないように思われる（大森・前掲一八三頁）。

ところがそれが「支払担当者」であつて、それを変更して、主たる債務者が自己の営業所または住所で自から支払うことにするとか、あるいは他の「支払担当者」を指定するとかいうことになれば、結局、手形の支払呈示を受ける「者」そのものが変ることになり、そして償還義務者等は手形記載の「支払担当者」に対する支払呈示を予期していたであろうから、――ことに、手形交換所の不渡処分による支払の強制なども関連して――ここにその「期待」に反する事態が生じたことになるわけである。そこでこの場合には、あるいは、この償還義務者の「期待」を保護すべく――さきの場合のような手形の文言証券性の原則に対する変則は認めず――支払拒絶になつても所持人は前者に対し償還請求はできないものと解すべきか、あるいは、さきの場合と同様に――この場合にもその変則を認めて――償還請求はできると解すべきかが問題になる。

これについては色々な考え方があると思う。償還義務者の「期待」に反して他の「者」に支払呈示がなされたのであるから、償還義務者は——「期待」を裏切られたものとして——絶対に償還義務を負わない、というのも一つの考え方であろうし、あるいはこれに対しては、たとえ手形の支払呈示を受け支払を行なうべき者は変つても、その支払を負担すべき者はあくまでも同一人、すなわち主たる債務者自身であつて、結局、一般にその者に負担能力がないため支払拒絶になるのだから、実質的にみれば、この場合も正規の場合とは何等違いはなく、したがつて償還義務者の「期待」の保護については何等顧慮する必要はないから、この場合にも所持人の償還請求を認めるべきである、という考え方もあるであろう。

私見としては、この問題については、償還義務者の側の利益のみならず、手形所持人の側の利益についても考慮し、その両者を実質的に比較勘案してその結論を導くべきではないかと考えるが、しかしこれには色々複雑な要素がからんでいて、にわかに決しがたいように思われる。

さて、「支払担当者」の変更というのは、具体的には、右判例の事案のように、主たる債務者の取引銀行の営業所を、主たる債務者自身の営業所または住所に変更する（あるいはその逆も考えられる）とか、あるいはある取引銀行の営業所を、他の取引銀行のそれに変更するとかいうようなかたちで一般に行なわれるであろう。そしてこの変更は、主たる債務者と所持人との合意にもとづくといつても、実際問題としては、この二つの判例の事案が示すように、ほとんどの場合、主たる債務者の側からの依頼によつて（たとえば、【120】のように、振出人が支払担当者たる取引銀行における預金が不足しているので自己の営業所で支払うと申し出るように）行なわれるのではないかと思う。それから今一つ注意すべきことは、その変更の結果、所持人にとつて支払を受け得る確実性が増す場合ももちろん考えられるが、しかし常にそうであるとはいいきれず、主たる債務者の故意または過失により、変更後の「支払担当者」（主たる債務者の営業所・住所あるいは他の取引銀行の営業所）には支払の準備がなく、その結果所持人は、――本来ならば支払を受け得たところを――変更されたがために支払拒絶を受けることになるという危険性も考えられる。

　償還義務者の「期待」に反したということのほかに、さらに右にあげた諸事情もあわせ考えながら、償還義務者と所持人の両者の利益を比較考慮してみるに、まず所持人の側についてみれば、前述のごとく、所持人は、変更の結果、支払を受け得る確実性を増す場合もあるが、逆に、かえってそのために支払拒絶をうける危険性もあるという不安定な状態におかれる。しかもそれが実際にはほとんど主たる債務者からの申出にもとづくであろうことをあわせ考えると、当然、支払拒絶の場合には前者に対する償還請求を認めるべきであり、もしそれを認めないとすれば、所持人にとってかなり酷であるようにも感じられる。しかし、他方、償還義務者についてみると、前述の「期待に反した」ということのほかに、もしこの場合にも償還請求に応じなければならないものとすると、――本来ならば支払いがなさるべきところを――変更されたがために支払拒絶になつて償還請求を受けることになるという危険性もあり、これまた無視しえない問題である。

　それではいずれに決すべきか。はなはだ困難な問題であるか、私見としてはあくまでも償還義務者の利益を保護すべく、この場合には――手形の文言証券性に対する変則は認めず――所持人は前者に対し償還請求はできないという結論をとりたい。そしてそのことは所持人にとっても――償還請求権保全のために主たる債務者からの変更の申出を拒否し、それにより支払担当者を固定して自己の地位を安定させるという意味で――結局はその利益の保護につながるのではあるまいか。したがつて、【119】【120】の二つの判例には賛しがたい（このような立場に立つものとしては、竹田・民商一一巻六号一四七頁、大隅・論叢四二巻四号一五六頁、大森前掲一八四頁、境・講座四巻一一八頁以下、等、鈴木・判民昭和一五年度五四事件は、単なる「場所」の変更の場合と同じ考えをそのまま押広げてさしつかえないとして【119】の結論を肯定される）。

つぎに前掲の「(3)の場合」について検討してみるに、この場合は、手形記載の「第三者方」がその手形の支払地内に存在しないのであるから、その「第三者方」の指定は当然に無効であつて、そこにおいてなされた支払呈示や支払拒絶証書作成はともに効力を有しないから、所持人は前者に償還請求できないと解すべきは当然であろう。

しかし、その「第三者方」を記載した主たる債務者自身に対しては呈示の効力が認められるか。【121】【122】および【123】は、いずれも、それぞれ理由を示してその効力を認めているが（【121】は、為替手形の不単純引受についての規定の趣旨から類推してその効力を認めているのに対し、【122】および【123】は、無効な支払場所を記載したのが外ならぬ振出人自身なのであるから、振出人みずからその支払場所への呈示の無効を主張するのはおかしく、そういうことは許されないのだといういわばエストッペルの法理ないし信義則の適用を考えているものと推測される。大隅「手形行為解釈の一基準」法時三四巻二号六四頁、鴻前掲九五頁）、しかしこの問題は、――権利保全の問題ではなく――主たる債務者に対する単なる付遅滞の問題にすぎないから、そのいずれの結論をとつても実質的には大きな差は生じないと思う。そして私見としては、これについては厳格に解して、主たる債務者に対してもその支払呈示は効力を有しないと解したい。したがつて、以上の三つの判例には賛成しがたい（しかし、大隅＝河本六三八頁は、【122】に賛成しながら、「もつとも、このような理論構成によると、裏書人等の遡求義務者に対する関係では、右の呈示は無効と解すべきであるかのようである。なぜならば、これらの義務者については、手形の流通に関与しているとはいえ、その無効な支払場所の記載につき原因を与えたものとはいえないからである。しかし、裏書人等遡求義務者といえども、それぞれ手形上の記載事項を承認して手形行為をしたものと解される以上、振出人と別異に取扱うべき理由はないともいえる。その上、手形上の支払場所の指定は所持人と債務者（引受人・約束手形の振出人）の手形支払上の利益のためにあるのであつて、裏書人等の遡求義務者はこれについて直接の利害関係を有しない。したがつて、所持人と債務者との間で支払呈示の効力が認められる以上、裏書人に対する関係でも呈示は当然に有効と認めてさしつかえないであろう」とされる。同旨境・講座四巻一一七頁、鴻判批・ジュリ二七一号九五頁）（拙稿「基本手形の記載事項についての一考察㈣」大分経済論集一六巻四号）。

二　無益的記載事項

いわゆる「無益的記載事項」、すなわち手形に記載しても手形法上の効力を生じない事項についての判例も多く、また重要な問題点を含んでいると思われる「賠償額予定文句」ならびに「合意管轄文句」を中心に――検討してみる。

なお、旧法には「本編ニ規定ナキ事項ハ之ヲ手形ニ記載スルモ手形上ノ効力ヲ生セス」との規定（四四三）があつたが、現行手形法にはそれに該当する条項はないことに注意すべきである。

一　「賠償額予定文句」と「合意管轄文句」に関する判例

（一）いわゆる無益的記載事項に関する判例のうちで、「賠償額予定文句」と「合意管轄文句」に関するものがひときわその数が多い。そこで、この二つの判例の推移を――「前期」、「後期」の二つの時期に区分して――辿つてみよう。

〔前期〕　（大正一一年前半迄）

（Ⅰ）賠償額予定文句　まず賠償額予定文句についてみるに、明治年間にこれについての下級審判例がいくつかあるが、そのなかで東京控判明四四・三・一六【126】は、約束手形の表面に「本券ノ債務者が支払ヲ遅滞シタルトキハ、本金額ノ十分ノ二……予定ノ損害賠償トシテ相加ヘ支払フベキ」旨の記載のある場合につき、かかる記載は「手形編ニ規定ナキ事項ニ係ルガ故ニ固ヨリ手形上ノ効力ヲ生ゼズト雖モ、之ヲ以テ法律上何等ノ効力ヲ生ゼザルモノト謂フヲ得ズ」とし、そしてそれは「約束手形ノ振出人ガ……受取人其他所持人タルベキ各人ニ対シ、其手形金ノ支払ヲ遅滞シタルトキハ本金額十分ノ二ノ割合ナル損害金ヲ支払フベキ旨ノ申込ヲ為シ、而テ此申込ハ手形面ニ記載シテ之ヲ為セル事実ニ徴シ、申込者ニ於テ暗黙ニ承諾ノ通知ヲ必要トセザル意思ヲ表示シタルモノト認ムベキ故ニ、受取人其他ノ者ガ該手形ノ所持人ト為リタルトキハ、其行為ハ一面ニ於テ承諾ノ意思表示アリタルト認メ、斯クシテ其主旨ノ特約ハ個々ニ順次ニ成立スルモノト解シ得ル」として、支払遅滞にある本件振出人（控訴人）は、かかる記載にもとづき裏書譲受人（被控訴人）に対し所定の損害金支払の義務を負うべき旨判示した。

【126】（本文の引用につづいて）「従テ此場合ニ被裏書人ハ裏書人ノ権利ヲ承継スルニ非スシテ該申込ヲ承諾シタル結果独立シテ権利ヲ取得スルモノナルヲ以テ債権譲渡ノ場合ニ於ケル債権者ノ通知又ハ債務者ノ承諾ヲ必要トセス振出人カ手形金額ノ支払ヲ為ササリシ事実アルトキハ其所持人ニ対シ該特約ノ履行ヲ為ササルヘカラサルナリ」（東京控判明四四・三・一六最近判八・一二七）。

そして同院は、大正四年一〇月二〇日にも、右と同様の事案（ただし、約束手形の裏書譲受人（被控訴人）が、振出人と受取人（いずれも控訴人）の両名に支払を求めた事件である）につき同趣旨の判決（新聞一〇五八号三〇頁）を行なつたが、同事件の上告審である大判大五・二・一五【127】は、「手形記載ノ特約文詞及ビ其裏書記載ニ依リ、振出人タル上告人……ハ、該手形ノ総テノ所持人ニ対シ特約ノ債務ヲ負担センコトヲ申込ミ、各所持人は其手形ヲ所持スルニ依リ之ヲ承諾シタルモノト認メ」られるとして、原判決を支持した。

【127】「原院ハ手形記載ノ特約文詞及ヒ其裏書記載ニ依リ振出人タル上告人星崎広助ハ該手形ノ総テノ所持人ニ対シ特約ノ債務ヲ負担センコトヲ申込ミ各所持人ハ其手形ヲ所持スルニ依リ之ヲ承諾シタルモノト認メタルモノニシテ上告人中川隣之輔（註　受取人）カ上告人星崎広助ニ対シ取得セル指名債権ヲ第三者ニ裏書譲渡スルモノニ非サルヲ以テ本論旨ハ原判旨ニ副ハス漫リニ其不当ヲ論難スルモノニシテ理由ナシ」（大判大五・一一・一五・民録二二・二三三八）。

また、大判大七・七・三一（彙報三〇巻上民一頁）は、手形に記載された賠償額予定の特約は、「其記載ガ印刷ニ係ルト否トニ拘ハラズ其当事者ニ対シテ効力ヲ有シ、当事者ハ之ニ覊束セラルルノ意思ヲ有スト推定スベキ」であるとしている。

（Ⅱ）合意管轄文句　一方、合意管轄文句についての判例をみるに、明治年間に下級審のものが、二、三みうけられるが、大正に入り注目すべき判決として、「本件に関する裁判管轄ハ、総テ本件債権者ノ住所地ヲ管轄スル裁判所タル事ヲ合意ス」旨の記載のある為替手形三通の振出を受けた被告が、右特約を承認する旨の附記をなしてそれらを原告に裏書（一通は記名式、二通は白地式）し、そして原告がその所持人として、裏書人である被告を、原告の住所地の管轄裁判所（横浜地裁）に支払を求めて訴えた事件について、横浜地判大九・五・四（新聞一七〇九号二〇頁）は、「此ノ如キ記載ヲ以テ直チニ後者全員ニ対スル管轄合意ノ申込ト看做シ、後者ガ此手形ヲ取得スルノミヲ以テ之ヲ承諾シタルモノト為スコトヲ得ザルハ商法第四三九条（註「本編ニ規定ナキ事項ハ之ヲ手形ニ記載スルモ手形上ノ効力ヲ生セス」と定めた規定）ノ精神ニ徴シテ疑ヲ容レサル処ナリ」とし、「原被告間ニ当裁判ヲ管轄裁判所トナス旨ノ合意」は成立していないとして被告の管轄違いの抗弁を容認した。そして右事件の控訴審においても、東京控判大九・一〇・一三【128】は、「当事者ガ裁判管轄ニ関シテ合意ヲ為スニハ必ズヤ書面ニ依ルコトヲ要シ、而カモ書面ニ依ル合意アルト為スニハ当事者ニ於テ互ニ一定ノ裁判所管轄ニ関シテ合意シタルコトガ当該書面上明白ナル場合ナラザル可カラザル」として、白地裏書のある二通については本件当事者が互いに合意したとの事実が書面上明白でなく（控訴人（原告）が被控訴人（被告）の直接の後者であることが手形面から知りえない）、また記名式裏書のある一通についても、当事者間に書面上の合意が成立したとは認められず（被控訴人の附記した前記文句は将来手形上の権利者となるべき不特定人に対する意思表示であって、その相手方を控訴人と特定したものではない）、また管轄裁判所となるべき裁判所も一定していない、と判示して原判決を支持した。

【128】（本文の引用につづいて）「今本件ニ付テ之ヲ観ルニ甲第二、第三号証（註　白地裏書のある二通の手形）ハ孰レモ……被控訴人ヲ受取人トシテ発行セル為替手形ニシテソノ表面ニ但書トシテ『本件ニ関スル裁判所管轄ハ総テ本件債権者ノ住所地ヲ管轄スル裁判所タルコトヲ合意スヘキコト』ノ文詞又其ノ裏面ニ被控訴人ノ白地裏書ト共ニ表面但書ノ特約ヲ承認スル旨ノ文詞各記載シアレトモ白地裏書ナルカ故ニ控訴人カ被控訴人ノ直接ノ後者タルコトハ右手形ニ依リテ之ヲ知ルニ由ナク従テ此等ノ記載文句カ仮リニ裁判所管轄ノ合意ヲ示スモノナリトスルモ本件当事者カ互ニ合意シタリトノ事実カ書面上明白ナリト為スヲ得サルハ勿論ナリ……次ニ甲第一号証（註　記名式裏書のある一通の手形）ヲ閲スルニ前同様被控訴人ヲ受取人トセル……為替手形ニシテ其表面ニハ甲第二、三号証ノ前掲但シ書ト同一ノ文詞又其裏面ニ控訴人ノ被控訴人ニ対スル裏書ノ外表書但書ノ特約ヲ承認ストノ文詞各記載シアレトモ此等文詞ノ趣旨ハ手形債務者タル被控訴人カ本件手形ノ転輾ニ伴ヒ随時顕レ来ルヘキ手形所持人全員ニ対シ夫々其住所地ヲ管轄スル裁判所ヲ以テ合意管轄裁判所ト為スヘキ旨ノ意思表示ヲ為スニ在ルモノト解スヘク従テ之ヲ以テ直チニ本件当事者間ニ控訴会社本店所在地ノ横浜地方裁判所ヲ以テ管轄裁判所ト為ス可キ書面上ノ合意成立シタリト為スヲ得サルハ明白ナリ加之仮リニ右記載文言カ管轄ニ関スル書面上ノ合意ナリト解シ得ルモノトスルモ斯クノ如ク管轄カ手形ノ輾転ニ伴ヒ常ニ異動ヲ来ス

ヘキ方法ニヨル管轄ノ合意ハ到底一定ノ裁判所ニ関シテ為サレタルモノト謂フヲ得サルカ故ニ何レノ点ヨリ観察スルモ甲第一号証ノ手形ニ関シテモ亦本件当事者間ニ有効ナル管轄ノ合意存スルモノト認ムルヲ得ス」（東京控判大九・一〇・一三新聞一七九五・一八）。

ところが、この事件の上告審である大判大一〇・三・一五【129】は、「当事者ガ合意ヲ以テ管轄裁判所ヲ定ムルニハ書面ヲ以テスルコトヲ要スレドモ、其合意ハ必ズシモ一箇ノ書面ニ表示セラレルコトヲ要セズ、申込ト承諾トガ各別ノ書面ヲ以テ為サルルコトヲ妨ゲズ。而シテ其申込ハ特定ノ人ニ対シテノミナラス……不定ノ人ニ対シテモ之ヲ為スコトヲ得ベク、管轄裁判所ト為スベキ裁判所モ一定シ得ベキヲ以テ足リ、申込当時既ニ具体的ニ一定セルコトヲ要セズ」とし、そしてかかる文句は、「手形ノ転輾ニ伴ヒ手形上ノ債権者トナルベキ不定ノ人ニ対シ其住所地ノ管轄裁判所ヲ手形上ノ請求ニ関スル管轄裁判所ト為スベキ意思表示即チ申込ヲ包含スルモノト解ス可キモノナレバ、手形ノ所持人タル上告人ガ被上告人ノ直接ノ後者タルト否トヲ問ハズ苟モ其申込ニ対シ書面ヲ以テ承諾ノ意思表示ヲ為スニ於テハ、茲ニ当事者間ニ直接ニ裁判管轄ニ関スル書面上ノ合意……成立シ之ト共ニ合意上ノ管轄裁判所ハ自ラ一定スルニ至ル」と判示して、被上告人（被告・被控訴人）の管轄違いの抗弁を排斥し原判決を破棄差戻した。

【129】　本文における引用（前半の部分）につづいて「……原院ハ其中二通ノ手形ニ関シテハ被上告人附記ノ文句ヲ以テ裁判管轄ノ合意ヲ示スモノナリトスルモ裏書カ白地裏書ナルカ故ニ手形所持人タル上告人カ直接ノ後者タルコトヲ知ルニ由ナク従テ当事者間ニ裁判管轄ノ合意成立シタルコト書面上明白ナリト謂フヲ得サル旨判示シタレトモ右文句ハ原院カ他ノ手形ニ付キ説示シタルカ如ク手形ノ転輾ニ伴ヒ手形上ノ債権者トナルヘキ

不定ノ人ニ対シ其住所地ノ管轄裁判所ヲ手形上ノ請求ニ関スル管轄裁判所ト為スヘキ意思表示即申込ヲ包含スルモノト解ス可キモノナレハ手形ノ所持人タル上告人カ被上告人ノ直接ノ後者タルト否トヲ問ハス苟モ其申込ニ対シ書面ヲ以テ承諾ノ意思表示ヲ為スニ於テハ茲ニ当事者間ニ直接ニ裁判管轄ニ関スル書面上ノ合意成立スルニ至ルヘキヲ以テ上告人カ直接ノ後者タルコトヲ手形ノ文面上明カナラサルノ故ヲ以テ直ニ当事者間ニ於ケル合意ノ成立ヲ否定シタルハ未タ其理由ヲ尽ササルモノト謂フヘシ又原院カ他ノ手形ニ関シ管轄ノ合意ヲ否定スル理由トシテ説明シタル所ハ必スシモ一読明瞭ナリト謂フヘカラサレトモ其意蓋シ被上告人ノ附記シタル前記ノ文句ハ将来手形上ノ債権者トナルヘキ不定ノ人ニ対スル意思表示ニシテ其相手方ヲ上告人ト特定シテ為シタル意思表示ニ非サルカ故ニ当事者間ニ合意ノ成立シタルコトヲ認ムヘカラサルノミナラス管轄裁判所ト為スヘキ裁判所モ一定セスト云フニ在ルモノノ如シ然レトモ既ニ説明シタルカ如ク手形ノ所持人タル上告人カ手形上ニ表示セラレタル被上告人ノ申込ニ対シ書面上ノ承諾ヲ為スニ於テハ当事者間ニ合意ハ成立シ之ト共ニ合意上ノ管轄裁判所ハ自ラ一定スルニ至ルヘキヲ以テ申込カ不定ノ人ニ対シ為サレタルノ一事ハ未タ合意ノ成立ヲ否定スルニ足ラス然レハ原院カ上叙ノ理由ニ依リテ被上告人ノ管轄違ノ抗弁ヲ是認シタルハ理由不備ノ不法アル……」（大判大一〇・三・一五民録二七・四三四）。

ついで東京控判大一〇・一一・一〇（新聞一九四四号一〇頁）もこれにしたがったが、大審院は、さらに大正一一年六月二一日にも同趣旨の判決【130】を行ない、約束手形の振出人と裏書譲受人との間に管轄合意の成立を認めたが、その際、「上告人ガ右約束手形ノ所持人トシテ訴状ニ当事者間ノ合意ニヨリ自己ノ住所地ヲ管轄スル鳥取地方裁判所ニ本訴ヲ提起スル旨記載シテ同裁判所ニ提出シ、該訴状ガ被上告人ニ送達セラレタルコト記録ニ徴シ明白ナルヲ以テ、上告人ハ右被上告人ノ申込ヲ書面ヲ以テ承諾シ、該承諾ノ通知カ被上告人ニ到達シ、茲ニ当事者間ニ前記管轄裁判所ニ関スル合意成立スルニ至」るとして、この場合の「承諾」の意義を明確ならしめた。

【130】「本件被上告人ノ振出シタル……約束手形ニハ本券ニ関スル裁判上ノ請求ノ場合ニハ本件債権者ノ住所地ヲ管轄スル裁判所ニ出訴スルコトヲ得ヘキコトヲ合意スル旨ノ記載アリト云フニ在リテ該記事タル畢竟被上告人ニ於テ爾後本件手形ノ所持人トナル者ニ対シ手形金其ノ他手形面ニ記載セル予定賠償金等ノ請求ニ関シテハ之カ本然ノ管轄裁判所以外ニ更ニ所持人ノ住所地ヲ管轄スル裁判所ニ出訴シ得ヘキコトノ合意ヲ為スニ付之カ申込ヲ為シタルモノト解スルヲ相当トス然リ而シテ民事訴訟法第二十九条但書（現二五条但書）ニ書面ヲ以テ合意ヲ為シトアルハ必スシモ其ノ合意カ一箇ノ書面ニ表示セラルルコトヲ要セス之カ申込ト承諾トカ各別ノ書面ヲ以テ為サルルコトヲ妨ケサルコトハ当院判例……ノ示ス所ナルニヨリ……」（この間の部分本文に引用）「而モ該合意タル前示民事訴訟法ノ法条ニ適合スルモノト謂ハサルヘカラス然リ而シテ……本件裁判所ノ管轄ニ関スル合意ハ単ニ前示手形面ニ於ケル記事ノミニ基クモノニ非サルコトヲ認メ得ヘシ」（大判大一一・六・二一民集一・三三七）（平野判批・判民大正一一年度四八事件）。

〔後期〕（大正一一年後半以降）

（I）賠償額予定文句　さて、再び賠償額予定文句についての判例をみるに、東京控訴院は、大正一一年後半になつて、従前の同院の態度をあらため、つぎのような趣旨の判決を四度くり返し行なつた（東京控判大一一・九・三〇新聞二〇七〇号一〇頁、東京控判大一一・一一・四評論一一巻商法四八一頁、東京控判大一一・一一・二八評論一一巻商法四七三頁および東京控判大一一・一二・一四評論一二巻商法三頁）。

いずれも、表面に「本券ノ債務者カ支払ヲ遅滞シタル時ハ、法定利息ノ外本金額ノ十分ノ三……ヲ相加ヘ、振出人保証人及裏書人ハ連帯シテ貴殿又ハ貴殿ノ指図人及ビ其後ノ本券所持人ニ支払可申事ヲ特約致シ候」なる文句が、またその裏面の各裏書欄には「表面但書ノ特約ヲ承認シ特ニ振出人及ビ前署名人ノ為メニ保証可致候也」なる文句が、それぞれ印刷した不動文字で附記されている約束手形について、裏書譲受人が振出人および裏書人に対し支払請求をした事案であるが、同院は、かかる特約は商法手形編に規定なき事項であるから、当事者が右特約の記載に手形上の効力を附せんとする意思であれば、その記載は商法四三九条により当然無効と解すべきであり、また、もし仮りに当事者が右特約の記載に民法上の効力を有せしめる意思で、「振出人其ノ他ノ手形署名者ハ手形ノ総テノ所持人ニ対シテ右ノ債務ヲ負担センコトヲ申込ミ、各所持人ハ其手形ヲ取得スルニ依リテ之ヲ承諾シタルモノト解ス」べき契約が各別に成立しうるものとすれば、「右特約ニ因ル債務ハ手形金債務ト法律上ノ取扱ヲ同ジクスルノ結果トナリ、該特約ノ記載ハ手形上ノ効力ヲ有スルト何等異ナル所ナキ」に至り、商法四三九条を潜脱する一種の脱法行為としてこれまた無効と解すべきである、と判示した。

これに対し大判大一三・五・二一（民集三巻二九三頁）は、「損害額予定ノ特約ハ手形上ノ効力ヲ生ゼザレドモ、其当事者間ニハ一ノ私法上ノ契約トシテ有効ニ成立スルヲ妨ゲズ」として、依然、従来の態度を維持しているもののようにみうけられるが、さらに東京控判大一三・一一・八（新聞二三三二号九頁）は、さきと同様の事案について、「右特約申込ノ記載ヲ観ルニ……不動文字ナル支払約束文句及裏書ニ但書トシテ同ジク不動文字ヲ以テ附記シアリ、……手形行為ノ内容ヲ為スガ如キ外観ヲ呈スルヲ以テ、斯ル特約ハ公ノ秩序ヲ紊スモノトシテ無効ナリ」とし、その理由として、もしそれが「有効ナリトセンカ、斯ル特約ノ記載アル手形ノ署名者ハ該特約ヲ為スノ意思ナカリシ場合ニ於テモ、其立証困難ナル為メ署名ノミニヨリテ手形上ノ責任ノ外ニ尚更ニ右特約上ノ債務ヲモ負担スルノ意外ノ結果ヲ惹起スルコトアル」旨のべている。

ところが大審院は、遂に、大正一四年五月二〇日の連合部判決【131】で、従来の態度をつぎのようにあらためた。さきの事例と同様の記載のある約束手形の振出を受けた上告人が、それを被上告人に裏書し、被上告人が、その所持人として上告人に償還請求した事案について、原審は、所持人（被上告人）と振出人との間には特約記載の金額支払契約、所持人（被上告人）と受取人（上告人）との間には同金額の保証契約がそれぞれ成立したものと判断したのに対し、大審院は、「右特約ノ記載ガ手形上ノ効力ヲ生ゼザルコト商法第四百三十九条ニ依リ明ナレドモ、尚手形面ニ於ケル当該記載ト手形ノ輾転ト相俟チテ間接ノ当事者間ニ於テモ亦前記金円支払ニ関スル民法上ノ契約成立スベキコトハ之ヲ妨ゲザルモノノ如シ。然リト雖若斯ル契約成立スルモノトセバ、振出人及裏書人ハ、該特約ノ記載アル手形ニ署名スルニ因リテ総テノ手形取得者ニ対シ直接ニ手形金額ノ十分ノ三ノ損害金ヲ支払フベキ義務ヲ負担シ、手形ヲ取得スル者ハ、単ニ手形ノ授受ニ因リテ総テノ前者ニ対シ此ノ損害金ノ支払ヲ受クル権利ヲ取得スルノ結果トナリ、該特約ノ記載ヲ以テ手形上ノ効力ヲ生ゼシメタリト相択ブ所ナキニ至ルベク、満期日以後法定利息ヲ支払フヲ以テ足ル旨ヲ規定シタル手形法ノ精神ニ反スルモノト謂ハザルベカラズ。加之右特約ノ記載ガ効力アルモノトセバ、手形ニ裏書人トシテ署名シタル者ハ該記載ヲ知リテ之ヲナシタルモノト認メラルル結果、各手形所持人ニ対シ法定利息以外ノ損害金支払ノ義務ヲ負担セザルベカラザルニ至リ、手形行為者ニ不測ノ損害ヲ被ラシムベク、殊ニ手形ハ其ノ法定要件ノミニ注意シテ之ヲ授受スルニ依リテ手形取引ノ安全且迅速ヲ期スルコトヲ得ルモノナルニ、手形上ノ取引ヲ為サントスル者ガ手形ニ法定要件以外ニ尚金銭支払ニ関スル民法上ノ特約ノ記載アルヤ否ヤヲ調査スルニ非ザレバ容易ニ之ヲ授受スルコトヲ得ザルモノトセバ、手形取引ノ安全ヲ害スルコト」少くない。「故ニ、手形ノ授受ニ当ル者ノ間ニ於テ当該記載ヲ内容トスル民法上ノ契約ヲ締結スルハ格別、然ラザル限リ如上特約ノ記載ハ無効ニシテ、斯ル記載アル手形ニ付手形行為ヲ為スモ如上損害金支払ノ契約成立セザルモノトス」と判示して原判決を破棄した。

【131】　「原判決ノ確定シタル事実ニ依レハ本件……約束手形ニハ孰レモ本券ノ債務者カ支払ヲ遅滞シタルトキハ法定利息ノ外本金額ノ十分ノ三ノ金額ヲ加ヘ振出人保証人及裏書人ハ連帯シテ之ヲ貴殿又ハ貴殿ノ指図人及其ノ後ノ本券所持人ニ支払フヘキコトヲ特約スル旨記載アリテ大庭源作ハ振出人トシテ右両手形ニ署名捺印シテ上告人ニ交付シ又其ノ裏書欄ニハ表面但書ノ特約ヲ承認シ特ニ振出人及前裏書人ノ為ニ保証スル旨記載アリテ上告人ハ該手形ニ署名捺印ノ上之ヲ裏書譲渡スルト同時ニ右記載ノ特約ヲ承認シ大庭源作ノ為特約上ノ債務ヲ保証シタルモノトス」（この間の部分本文に引用）「然ラハ原院カ……振出人大庭源作ト手形所持人タル被上告人トノ間ニ特約記載ノ金額支払ノ契約並上告人ト被上告人トノ間ニ同金額ノ保証契約成立シタルモノト判断シ此ノ金額ニ関スル被上告人ノ請求ヲ認容シタルハ不法ニシテ……本院従来ノ判例（大正五年（オ）第九九二号同年二月十五日判決）ハ之ヲ変更スヘキモノトス」（大判大一四・五・二〇民集四・二六四、松本判批・判民大正一四年度四五事件、小橋「賠償額予定文句」手形小切手判例百選一三二頁）。

その後、これと同趣旨の下級審判例として、東京控判昭二・二・九（評論一六巻民訴一七〇頁）、東京控判昭六・四・二五（新聞三四四二号一一頁）等がある。

最高裁は、最近、この問題についてはじめて判例を示した。すなわち、表面に不動文字で「返還期日を経過したる場合百円也に付日歩四銭の割合にて遅延損害金を御支払致します」との記載のある約束手形の受取人（被上告人）が、振出人（上告人）に右文言に相当する遅延損害金の支払を請求した事案について、最判昭三九・四・七【132】は、振出人が右文言の記載を「十分承知のうえで振出署名したものであることが認められる」から、「このような場合には、右損害賠償額の予定は、少なくとも、手形振出人……と受取人……との間においては、民法上の効力を生ずるものと解す」べきであるとしている。

【132】「原判決が確定した事実によると、上告人らは本件約束手形の表面上に、『返還期日を経過したる場合百円也に付日歩四銭の割合にて遅延損害金を御支払致します』と不動文字で記載されてあることを十分承知のうえで振出署名したものであることが認められるというのである。このような場合には、右損害賠償額の予定は、少なくとも、手形振出人たる上告人らと受取人たる被上告人との間においては、民法上の効力を生ずるものと解するを相当とするから、本件手形の満期経過後である昭和三六年五月一四日から上告人らに対して右文言に相当する遅延損害金の支払を命じた原審の判断は、正当としてこれを是認すべきである」（最判昭三九・四・七民集一八・四・五二〇）。

右判決を【131】とくらべてみるに、おそらく両者は基本的には同趣旨ではないかと思われるが、もし右判決が、そのような記載のある手形が——振出人もしくは裏書人の「承知」の下に——授受されることによつて、当然、当事者間に当該記載を内容とする民法上の契約が成立するものと認められる、という趣旨であれば、【131】とはその点において異つているように思われる。

(Ⅱ)　合意管轄文句　つぎにその後の合意管轄文句についての判例をみるに、東京地判昭二・二・一九（新聞二六七七号九頁）が、原告X会社の振出にかかる五通の為替手形が、受取人訴外A（X会社取締役）からX会社に戻裏書され、X会社がその所持人として、引受人である被告Yを、自己の住所地を管轄する東京地裁に支払を求めて訴えた——そしてそのうちの三通には、その裏面末尾に、裁判管轄は「引受人タル被告Yと受取人タル訴外Aトノ合意ニ依リ」X会社を管轄する裁判所とする旨が、そして他の二通には、その表面に、裁判管轄は「双方ノ合意ニ依リ」X会社を管轄する裁判所とする旨が、それぞれ記載されていた――事案について、「手形ニ関スル訴訟ニ付テノ管轄ノ合意ハ、直接之ヲ為シタル当事者ヲ拘束スルハ固ヨリ其所ナリト雖モ、之ヲ手形ニ記載シタリトテ斯ノ如キ合意ハ商法第四百三十九条ニ依リ手形ノ効力ヲ生ゼザルハ勿論、之ガ直接ノ当事者ト其他ノ手形行為ノ当事者ノ間ニモ斯ノ如キ合意ノ成立シタルモノトナスヲ得ズ。蓋シ、手形ニ記載セラレタル合意ガ直接之ヲ為シタル当事者以外ノ手形行為ノ当事者ヲモ拘束スルモノト為サンガ為メニハ、手形ニ記載セラレタル右合意ハ其後ニ於ケル手形行為ノ不定ノ当事者ニ対スル合意ノ申込ニシテ、其後ノ手形行為ノ当事者ハ総テ右申込ヲ承諾シタルモノト解スルコトヲ要シ、斯ノ如キハ、一面、手形ニ記載セル右ノ合意ヲ商法第四百三十九条ニ背反シテ手形上ノ効力ヲ生ゼシムルノ結果トナルノミナラズ、他面、通常手形行為ノ当事者ノ意思ト甚ダシク懸隔スル私法上ノ効力ヲ付スル謗アルモノト謂ハザルベカラザルヲ以テナリ」として、右五通の手形に関する訴訟につき、原被告間に裁判管轄の合意があつたとは認められないから（三通に記載されたYとAとの間の管轄の合意は、X会社に対して何等効力なく、また二通に記載された管轄の合意は、授受の当事者であるX会社とAとの間に成立するに止まりYに対し何等の効力はない）、原告X会社が――本件手形の支払地でありかつ被告Yの住所地である「埼玉県……越ケ谷町」を管轄しない――東京地裁に訴を提起したのは不適法である、との判決を行なつているのは注目に値する。

しかし大審院は、昭和五年一二月六日、――為替手形の裏書譲受人（被上告人）と引受人・裏書人（いずれも上告人）との間の争いに関し――さきの【129】【130】と同趣旨の判決を行なつて従来の立場を再確認している【133】。

【133】　「上告人Y_1ハ本件為替手形ノ表面ニ本件ニ関スル裁判管轄ハ本証所持人ノ現住所ヲ管轄スル裁判所ニ合意スル旨並引受欄ニ前記特約事項ヲ承認スル旨各記載シテ提出及引受ヲ為シ又上告人Y_2ハ裏書欄ニ表面記載ノ特約事項ヲ承認スル旨記載シテ該手形ニ裏書ヲ為シタルコトハ何レモ当事者間ニ争ナキ事実ニシテ此等ノ記載ハ畢竟手形ノ転輾ニ伴ヒ将来手形上ノ債権者ト為ルヘキ不定ノ人ニ対スル其ノ住所地ノ管轄裁判所ヲ手形上ノ請求ニ関スル管轄裁判所ト為スヘキ旨ノ申込ニ該当スルモノト解スヘキモノナルノミナラス右手形ノ所持人ト為リタル被上告人Xヨリ東京区裁判所ニ提出シタル本件訴状ニハ右手形ノ所持人トシテ右手形記載ノ趣旨ニ基キ自己ノ住所地ヲ管轄スル東京区裁判所ニ本訴ヲ提起シタル趣旨ノ記載アリト解スルニ足リ且同訴状カ上告人等ニ送達セラレタルコトハ記録上明白ナルカ故ニ同訴状ノ送達ニ依リ被上告人Xハ上告人等ノ前記申込ヲ書面ヲ以テ承認シ茲ニ当事者間ニ於テハ右手形記載ノ趣旨ニ依リ管轄裁判所ヲ定ムル書面上ノ合意カ有効ニ成立シタルモノト解スルヲ相当トス」（大判昭五・一二・六 新聞三二一〇・七）。

㈡　以上の判例の推移をながめて、つぎの諸点がはなはだ興味深く感じられる。

(1)　まず、賠償額予定文句に関しては、下級審判例が常に大審院判例をリードして来ている。すなわち東京控判明四四・三・一六（【126】）と東京控判大四・一〇・二〇が大判大五・二・一五（【127】）を導き、また、東京控判大一一・一一・四等と東京控判大一三・一一・八が大審院を動かして大判大一四・五・二〇（【131】）を生ぜしめた。

(2)　つぎに、賠償額予定文句についての大審院判例が、合意管轄文句についての判例に影響を及ぼしている。すなわち、大判大五・二・一五（【127】）が大判大一〇・三・一五（【129】）に大きな影響を与えているようであり、また、大判大一四・五・二〇（【131】）の影響が、東京地判昭二・二・一九にあらわれている。

(3)　そしてつぎに、賠償額予定文句に関しては、大判大五・二・一五【127】が大判大一四・五・二〇【131】によりくつがえされたが、合意管轄文句については、――大判大五・二・一五【127】に影響されたとみられる――大判大一〇・三・一五【129】(および大判大一一・六・二一【130】)が大判昭五・一二・六【133】により再確認され、結局、大審院はこの二つの問題について、あたかも、――一方は否定、他方は肯定という――全く反対の結論を示しているかのように感じられる。すなわち、大審院は、賠償額予定文句については――今日の通説と同じく――直接の当事者間にその記載事項を内容とする合意の成立することは認めても、その記載自体には何ら手形上の効力は認められないとするのに対し、合意管轄文句については、その記載を不特定の手形所持人に対する合意の申込と認め、手形所持人からの書面による承諾の通知があればここに書面上の管轄合意が成立するものとしている。このように、その記載に、〝不特定の手形所持人に対する申込〟としての効力を認めるか否かという点に、両記載に対する大審院のとりあつかい方の決定的な違いがある。そして、それを〝不特定の手形所持人に対する申込〟と認める以上、その範囲において、その記載には手形上の効力が認められているものと解せざるをえないであろう。

さて、大審院のこの両記載に対する態度の差異を検討してみるに、まずそこに、両者の問題の性質の違いということがあるいは関係してはいないだろうか。すなわち、一方は法定利息をこえる賠償額の支払いという当事者の経済的利害に――直接――つながる問題であるのに対し、他方は裁判管轄の問題であつて、そのこと自体は、当事者の経済的利害には——直接——関係はない。そこで前者については、基本手形にそれを記載した振出人自身がそれによる責任を負担するのはともかくとして、その手形に署名した裏書人等にまでそれを負担させるのはあまりにも酷であるという考慮が強く働いて、その記載の手形上の効力の否定が強調され——【127】とそれを導いた下級審判例においては、主として約束手形の振出人と所持人との関係が問題になつているのに対し、【131】とそれに影響を与えた下級審判例においては裏書人の責任の問題が重視され、ことに【131】の事件は、直接、裏書人（上告人）と所持人（被上告人）との争いであることに注意すべきである——、そして後者については、それによりすべての手形署名者を拘束しても別段問題はないという考えが基礎にあつて、そこから、訴訟の提起を円滑ならしめ所持人の立場をより保護すべく、かかる記載に不特定の手形所持人に対する合意の申込としての効力を認めたのではあるまいか。

さらに合意管轄における「書面上の合意」ということばの解釈の仕方にも問題があるように思われる。すなわち、管轄の合意には申込と承諾とが各別の書面でなされてもよいという点は判例・学説が一致して認めるところであるが、大審院は、その場合の〃書面上の申込〃を、あたかも〃不特定人に対する申込〃と同一視しているかのようである。

二　その他の無益的記載事項に関する判例

その他の無益的記載事項に関する判例としては、(1)満期に支払わないときは特許権の名義書換をしてもよい、との特約を手形に記載してあつても、手形上の効力には影響がないとの東京地判明三九

・七・三（新聞三六九号七頁）、(2)　手形面に手形発行の原因を表示しても、それが裏書禁止をなすにいたつた事由を記載したにすぎないときは、その記載が手形上の効力を生じないにとどまるとの東京控判明四三・一一・一一【134】、(3)　担保文句が記載してあつても法定の記載要件を具備した手形の効力には影響がないとの大判明四四・一・二五【135】、(4)　約束手形が時効によつて効力を失つたことを条件として振出人がこれに他の指図債権証券たる性質および効力を有せしめる意思を手形面上に表示したとしても（いわゆる万効手形文句）、その意思表示は無効であるとの大判明四三・三・一二【136】、(5)　約束手形の表面に紙片を付し、「本手形は他人に交付または譲渡したときは無効とする」旨の記載がなされている場合、指図禁止文言を右のごとく貼付した紙片上になしうるかは暫く措き、かかる文言があつたからといつて、手形を無効ならしめるものではないとの最判昭三一・七・二〇【137】、(6)　手形裏面欄外に記載した「表記手形は立退き完了後支払うべき物にて銀行割引担保に使用出来ざるものなり」との文言は、裏書禁止文句としての効力はないが、これがため手形が無効となるものではないとの札幌地小樽支判昭三四・五・一一【138】、(7)　手形欄外に「保証手形」と記載された約束手形は、手形振出の原因関係を記載されたのみであるから、無効とはならないとの大阪高判昭三七・一二・二五【139】等がある。

【134】　「……其ノ要件以外ニ本手形ハ家屋新築請負金第二回支払ノ担保ニ提供シ置クモノ故他人ニ譲渡スルコトヲ禁ストノ趣旨ノ記載アルニ過キス而モ此記載ハ畢竟本件手形発行ノ原因ヲ表示シ此ノ如キ原因ニ基キタル者ナルヲ以テ他人ニ裏書スルコトヲ禁止ストノ趣旨ニシテ即チ裏書禁止ヲナスニ至レル事由ヲ記載シタルニ

過キサル者ト認ムルヲ以テ妥当ナリトス果シテ然レハ右ハ商法手形編ニ規定ナキ事項ナルヲ以テ手形上ノ効力ヲ生セサルニ止マリ之カ為メ他ノ要件ノ記載ニ何ラノ影響ヲモ及ホスモノニアラサル……」（東京控判明四三・一一・一新聞六八五・二一）。

【135】「本件約束手形ニハ……法定ノ記載要件ヲ一切具備シタル外其欄外ニ『此約束手形ハ云云ノ支払担保ニ提供シ置クモノ故他人ニ譲渡転々セサル約ナリ』トノ記載アルモノニシテ原院ハ其欄外ノ記載ヲ解釈シテ畢竟裏書禁止ノ趣旨ニ出テタルモノトシ担保ニ関スル文詞ハ只其裏書禁止ヲ為スニ至レル事由ヲ表示シタルモノニ過キスト認定シタル……然レハ右担保ニ関スル文詞ハ商法手形編ニ規定ナキ事項ニシテ手形上ノ効力ヲ生セサルモノナレハ之アルカ為メニ法定ノ記載要件ヲ具備シタル本件手形ノ効力ニ消長ヲ来スヘキモノニアラス」（大判明四四・一・二五民録一七・五）。

【136】「約束手形ハ法律ノ特定セル形式的要件ヲ具備スルニ因リテ成立シ証券ニシテ右要件ヲ具備スルモノハ約束手形タルノ性質及ヒ効力ヲ有シ其証券ニ指図文句ノ記載アルモ之ニ他ノ指図債権証券タルノ性質及ヒ効力ヲ付与スルヲ得ス何トナレハ一ノ指図式債権証券カ約束手形ナルヤ将タ他ノ債権証券ナルヤハ一ニ其作成ノ方式如何ニ依リ定マルモノニシテ方式ニ副ハサル振出人ノ意思ニ依リ之ヲ左右スルヲ得サレハナリ而シテ約束手形ハ時効ニ因リ其債権消滅シタル後ト雖モ唯効力ヲ失ヒタル死証券タルニ止マリテ約束手形タルノ性質ハ依然之ヲ保有スルカ故ニ振出人ニ於テ約束手形カ時効ニ因リ其効力ヲ失ヒタルコトヲ条件トシテ之ニ他ノ指図債権証券タル性質及ヒ効力ヲ有セシムルノ意思ヲ手形面ニ表示スルモ其意思表示ハ約束手形ヲシテ他ノ債権証券タラシムルノ効ナキモノトス原院ハ本件約束手形ニ附記ノ特約ヲ解シテ右ハ若シ本件ノ手形カ形式上ノ要件欠缺ノ為メニ成立セス又ハ本件手形上ノ権利カ手形権利者ニ満足ヲ享ケシムルコトナクシテ全然消滅シタルトキハ之ニ依リテ手形ト同金額ノ指図債権成立シ手形ノ振出人タリシ人ハ手形ノ所持人ニ対シ該指図債権上ノ債務ヲ負担スル旨ノ特約即停止条件附法律行為ヲ為シタルモノト為シ被控訴人（上告人）ノ本件手形上ノ債権カ時効ニ因リ全然消滅シタル上ハ之ニ依リテ本件手形ト同金額ノ指図債権成立シ控訴人（被上告人）ハ手形所持人タリシ被控訴人ニ対シ該指図債権金四百円支払ノ義務ヲ負担スルモノト云ハサル可カラスト判示シタリ抑モ既ニ指図債権ト云フ必スヤ証券ノ存在ヲ要シ証券ナクシテ指図債権ノ成立スルコトナキハ指図債権カ証券的債権

タルノ性質上然ラサルヲ得サレハ原院ノ所謂手形ト同金額ノ指図債権成立ストハ本件約束手形カ同金額ナル他ノ指図債権証券ニ変シ茲ニ指図債権成立スト云フノ趣旨ナリト解セサル可カラス然ラハ則右特約ナルモノハ証券ノ性質ニ関スル前示法理ニ反スル事項ヲ目的トシタルモノニシテ其無効ナルコト論ヲ俟タサレハ原院カ之ヲ有効視シテ以テ裁判ノ根拠トナシタルハ不法タルヲ免レス」（大判明四三・三・一二民録一六・二〇八、同旨大判大八・九・二五民録二五・一六五九）。

【137】「本件手形には、その表面に紙片を附し、『本手形ハ他人ニ交付又ハ譲渡シタルトキハ無効トスル』旨の記載がなされている。原審は、これを以て指図禁止手形と認めたものであるが、指図禁止文言を右の如く貼付した紙片上になしうるか否かは暫く措き、前記文言があるからと云つて、本件手形を所論の如く無効ならしめるものではない」（最判昭三二・七・一二民集一一・七・一二四七）。

【138】「被告は本件手形は右文言（註「表記手形は立退き完了後支払うべき物にて銀行割引担保に使用できざるものなり」との文言）記載のとおり建物明渡迄裏書を禁止して振出したものであるから右裏書譲渡は無効である旨主張し、原告はこれを争うので考えるに、……裏書を禁止する旨の特約を記載すべき相当場所に何等その趣旨の記載がない許りか、右趣旨を記載したと主張する右文言自体からみても明確に裏書禁止の特約を附して本件手形を振出したものとは解し得ないし、且つ右文言は……本件手形裏面の、しかも……その欄外に記載してあることが認められる。してみれば、被告が裏書禁止を附する趣旨で記載されたと主張する右文言はその効力なきものと言うべきである……。

次に被告は右文言は手形金の支払を反対給付にかからしめた所謂有害的記載事項であるから本件手形は無効である旨主張するけれども、……当該相当場所には右特約の趣旨に相当する文言につき何等記載がない許りか、右文言が前記のとおり不相当な場所に記載があり、しかも文言の記載自体のみによつて果して支払が反対給付にかからしむる趣旨であるかどうか必ずしも明確ではない。してみると前記特約についての右文言も前同様その記載は無効のものと云わざるを得ないから何等右手形の効力に影響を及ぼさない」（札幌地小樽支判昭三四・五・一一下民集一〇・五・九八四）。

【139】「……右手形の欄外に、『株式会社神戸新聞会館振出、同額、支払期日同年八月二九日分に対する保証手形』なる記載がなされている……。控訴人等は、右のような欄外記載がなされていることにより、本件手

形の効力を他の手形の支払の有無にかからしめているから、右記載のあることは手形の本質を害するものであり、従つて本件手形は無効であると抗争するけれども、右記載は、単に、本件手形が欄外記載の被保証手形の支払を保証するために振出されたこと、即ち、本件手形振出の原因関係を記載したのみであつて、控訴人等主張の意義を有するとは解し難いところであるから、右記載があるからといつて、本件手形自体が無効になるとはいえない」（大阪高判昭三七・一二・二五金融法務三三二・二三）。

三　学説および私見

（一）　手形法により認められていない事項は、これを手形に記載しても手形上の効力を生ずるか。この点は現行法には明文の規定はないが、通説は、「法律が手形に記載しうべき事項を一々明定したのは、それ以外の任意の記載を認めない趣旨と解せられるのみならず、手形流通の円滑をはかるためにはその記載を簡明にする必要がある」ことから、これを記載しても手形上の効力を生じないものと解すべきであるとし、そして違約金の記載・裁判管轄の合意等について、「但しこれらの事項は手形上の効力を生じないのみで、手形外における合意としてその効力を生ずることを妨げない。しかし、そのためには実際上の合意があつたことが必要であつて、上述の記載のある手形の授受によつて当然に当事者間に契約が成立するものと解することはできない」とのべている（大隅八八頁）（田中耕二九六頁は、「私は手形に於て法律関係の内容を定型化し、其の定型し当事者の加えんと欲する変更をできるだけ制限する方が手形取引の為めに寧ろ選ぶべしと考ふる」として旧法の立場に賛成され、そして現行手形法について、「新手形法……が特定の場合を限定して記載に効力を附与したのは、一般的には之を承認せざる意と解せられ得る。加之手形関係は行為法上の法律関係と異り、原則として厳格主義に依りて支配せらるること及び組織法中他の有価証券（例へば貨物引換証、船荷証券、倉庫証券）に関する法に於ては私的自治が広汎なる範囲に於て残存するも手形は貨幣的機能を有するを以て単純性、明瞭性が要求せられること等よりして、私は新法の下に於ても同一の結論を採用すべきものと考ふる」とされる。同旨石井三〇九頁、大森三七頁、田中誠一七一頁、鈴木「手形の定型性」法協五十周年記念二部五九一頁以下等）。

しかし、これに対しては若干の反対説があり、たとえば鈴木教授は、「手形法に規定がない事項でも、単にその記載者についてだけ効力を生じ、他の手形関係者に不利益を及ぼさないならば、必ずしもその効力を否定することを要しないばかりか、むしろその効力を認める方が現にそのような手形を授受した当事者の意思にも合致する」とし、そして「所持人にとつて不利益となる事項は、当事者間の特約としては効力を認められるが、手形に記載しただけで所持人を拘束することはできない。しかし、遡求の通知の免除や支払遅滞による損害賠償の予定や管轄の合意等の記載のように、所持人にとつて有利となる事項は、これを記載した振出人については、直接の相手方たる受取人のみならず、後に手形を取得した所持人に対してもその記載によつて責任を負担し又は拘束を受けるものとしても何らさしつかえなく、ただ、裏書人等このような記載のある手形に署名した他の者につきかかる記載による責任や拘束を認めてはならぬだけである。このように振出人が当然すべての手形所持人に対して責任を負担し又は拘束を受け、そのために別に手形外の特約を必要としない以上、その意味ではかかる記載も手形上の効力を有すると云えるが、ただ、その効力は振出人についてのみ生ずるにすぎないから、すべての手形署名者の行為の内容をなす基本手形の内容をなすものではない」とのべられている（鈴木一九八頁）

（竹田九二頁は、手形に記載しうる事項としてたとえば支払拒絶の通知の免除・裁判管轄の合意・満期後の利息請求権の放棄のごときを掲げるが、違約金文句は認められず利息文句と同様その記載の効力を生じないとされる。伊沢教授は、「法が手形の記載事項を制限したことすなわち手形を定型的のものとしたのは、全く手形の流通を助長するためである。故に例えば手形金額の支払を不確定にしたり、または記載者以外の手形上の署名者に手形法の認めているもの以外の債務を負わすような手形の流通を阻害する事項の記載は、その手形上の効力を認むべきではないが、例えば約束手形の振出人のみが責任を負うべき旨の違約金の約定や手形債権に担保を設定した旨の記載の如く手形の流通を阻害する虞のない事項は、その記載の手形上の効力を認むべきである」（伊沢三四九頁）とし、そして合意管轄文句について、「これは手形所持人がこれに応じない限り合意の効力は生じないのであるから、所持人にとつては有利でこそあれこれに何らの不利益も与えるものではない。またこれを記載しまたはこの記載を引用した手形債務者は、自らの意思に基づいて管轄の合意を申込んでいるのであるから、その効力が直接の相手方だけでなく、後に手形を取得した所持人に対して生じても、何らさしつかえないだけでなく、むしろその希望に合するところである。ただ管轄の合意の記載もせず、この文句を引用もしていない他の手形署名者に対しては、かような記載のある手形に署名したという事実だけで、かかる記載による拘束を認めることはできないというだけである。その点では…

…約束手形の振出人のみが責任を負うという違約金の約定と同様である。このような意味において管轄の合意の記載は手形上の効力を認めらるべき有益的記載事項となりうると思う。……しかし合意管轄文句に、手形上の効力を認めるということは、……手形取得者の承諾を擬制する効力を認めることではない。……手形の転輾とともに記載者のなした管轄の合意の申込を担つて手形所持人に到達するという効力を有しうるということなのである」（伊沢・「合意管轄文句」手形小切手判例百選一三五頁）とされている。また小橋教授は、法定以外の事項についても手形上の効力を認める見解を正当と考えるとされ（小橋八五頁）、そして「いかなる事項を記載しうるかの判断にあたつては、手形の流通、所持人の利益のごとき標準をもつてすることは困難であり、手形取引における規範的要求を具体化している手形法の規定自体に照らして、問題となる記載事項各個につき判断することを要するとおもう。賠償額予定文句については、利息の約定の記載を原則として許さない規定（手五条一項）の趣旨が利息以外の附加金の約定についても類推せられるべきこと、満期以後の法定利息は遅延利息ではないが、支払わない引受人に対しても所持人に法定利息についての請求権しか認めない（手二八条二項）のは、遅延損害は法定利息をもつておおわれる趣旨と解せられることから、手形上の効力なきものと解すべきであろう」（小橋「賠償額予定文句」手形小切手判例百選一三三頁）とのべられている。また竜田助教授は手形法に規定なき事項が手形上の効力を生ずるか否かは、「当事者意思の自治を手形の支払と流通の確保のためにどの程度制約すべきかという見地から、理論によつて解決しなければならない」とし、賠償額予定文句や合意管轄文句などは、「記載者と所持人の間における効力を認められるべきであるが、事後の手形行為者すべてに附合を要求するには適しないから、基本手形の記載とみることはできない」とされる（竜田・講座二巻三二頁））。

（二）　さて、現行法のもとでは、この問題につきいかなる解釈をくだすのが妥当であろうか。

私見としては通説の立場に賛成し、およそ手形法に規定なき事項は手形上の効力を生じない——したがつて、賠償額予定文句も合意管轄文句も、ともに〝不特定の手形所持人に対する申込〟としての効力は認められない——と考える。その理由は、一つは、法律が手形に記載しうべき事項を一々明定しているからという、いわば「形式的根拠」であり、今一つは、そう解することが、結局、すべての手形当事者——所持人・振出人（支払人）・裏書人・保証人等——の利益にかない、手形流通の円滑をはかることになるからという、いわば「実質的根拠」である。

すなわち、後者についてみるに、もし手形法に規定なき事項も手形上の効力を生ずるものとすれば、その事項の種類・性質のいかん——たとえば所持人にとつて有利であるか否か——にかかわりなく広くその効力を認めざるを得ないと考える（鈴木教授は所持人にとつて有利な事項にのみ効力を認めようとされるが、そもそも有利、不利の区別自体が必ずしも容易でないうえに、所持人に有利なもののみに効力を認めることの理論づけがどうしても無理だと思う）。そしてその場合、その事項が所持人にとつて不利なものであれば、勿論、手形の流通の円滑は損なわれるし、また、それが所持人にとつて有利なものであつても、事項によつては――たとえば賠償額予定文句のように――それを記載した振出人にはともかくとして、その手形に署名した裏書人等にまでそれによる責任を負担させるのは酷であることもあり（鈴木教授は、これら手形法に規定なき事項の記載による責任や拘束はそれらを記載した振出人にのみ認め、このような手形に署名した裏書人等には認めるべきではないとされるが、それら事項に手形上の効力を認める以上、どうしても裏書人等にまでそれによる責任や拘束を認めざるをえず、鈴木教授のような理論構成は、無理だと思う。また伊沢教授は、このような事項について「記載もせず……引用もしていない他の手形署名者に対しては、かような記載のある手形に署名したという事実だけで、かかる記載による拘束を認めることはできない」とされるが、裏書人等の意思表示は、基本手形の記載事項の全てをその内容にしているのであつて、このような考え方も正しくないと思う）、この場合にも手形の流通の円滑は同じく損なわれることになる。したがつて、手形法に規定なき事項は手形上の効力を生じないものと解したい（拙稿「基本手形の記載事項についての一考察㈣」大分経済論集一六巻四号）。

一三　有害的記載事項

有害的記載事項とは、それを記載すると基本手形自体を無効ならしめる事項である。法が特にその旨を明定するもののほか（手七七Ⅰ⑵・三三Ⅱ）、手形の効力を原因関係にかからしめ、又は支払を条件若くは反対給付にかからしめるような、手形の本質に反し又は手形要件を破壊する記載はこれに属する。判例により有害的記載事項があるとされたものとしては【8】【9】【10】【11】等がある。

本稿における主たる引用文献は左のとおりである。

青木徹二　改正手形法論（大8　有斐閣）
伊沢孝平　手形法・小切手法（昭24　有斐閣）
石井照久　新版手形法・小切手法（昭38　弘文堂）
烏賀陽然良　手形法（昭9　弘文堂）
大隅健一郎　改訂手形法小切手法講義（昭37　有斐閣）
大隅健一郎・河本一郎　ポケット註釈増補手形法・小切手法（昭39　有斐閣）
大橋光雄　手形法（昭12　弘文堂）
大浜信泉　手形及小切手法（昭9　巌松堂）
大森忠夫　手形法小切手法（昭25　三和書房）
毛戸勝元　統一手形法論（昭9　有斐閣）
小橋一郎　全訂手形法小切手法講義（昭38　有信堂）
須賀喜三郎　手形法原論（昭10　巌松堂）
鈴木竹雄　手形法・小切手法（昭32　有斐閣）
竹田省　手形法・小切手法（昭31　有斐閣）
田中耕太郎　手形法小切手法概論（昭10　有斐閣）
田中誠二　新版手形法小切手法（全訂版）（昭36　千倉書房）
納富義光　手形法小切手法論（昭16　有斐閣）
松波仁一郎　改正日本手形法（大9　有斐閣）
升本喜兵衛　手形法小切手法論（昭15　巌松堂）
松本烝治　手形法（大7　中央大学）
薬師寺志光・本間喜一　新手形法註釈（法学志林三七巻一号以下）（昭10　法政大学法学志林協会）

区裁判所判例

簡易裁判所判例

最高裁判所判例

控訴院判例

高等裁判所判例

地方裁判所判例

判例索引

大審院判例

著者紹介

深《ふか》見《み》芳《よし》文《ぶみ》　大分大学助教授

総合判例研究叢書　商法（10）

昭和42年10月25日　初版第1刷印刷
昭和42年11月1日　初版第1刷発行

著作者　深見芳文

発行者　江草四郎

東京都千代田区神田神保町2〜17
発行所　株式会社　有斐閣
電話 東京（265）6811（代表）
振替口座東京370番

共同印刷株式会社・高橋製本所

総合判例研究叢書 商法(10)
(オンデマンド版)

2013年1月15日　発行

著　者　　深見　芳文
発行者　　江草　貞治
発行所　　株式会社 有斐閣
〒101-0051　東京都千代田区神田神保町2-17
TEL　03(3264)1314(編集)　03(3265)6811(営業)
URL　http://www.yuhikaku.co.jp/

印刷・製本　株式会社 デジタルパブリッシングサービス
URL　http://www.d-pub.co.jp/

AG491

ISBN4-641-91017-0